皇冠50週年 嚴選50

我從童年開始，就迷上了讀書。
十四、五歲的時候，更是瘋狂般的愛上了書本，
曾經利用整個暑假，到師大圖書館去看書，
每天從圖書館開門，看到圖書館關門。
直到如今，我仍然離不開書本。
我覺得，人的生存條件，
有空氣、陽光、食物、水。
對我而言，書本就是我精神上的
空氣、陽光、食物和水。

瓊瑤

瓊瑤◎著

還珠格格

第三部

三之一

天上人間

1

幸福的時光總是匆匆。

日昇日落，春去秋來，小燕子和紫薇，嫁給永琪和爾康，轉眼就是四年了。這四年中，對兩位格格來說，生活裡也有意外，也有驚喜，也有挑戰，也有挫折……但是，絕大多數的日子，是甜蜜的，溫馨的。

紫薇和爾康，初婚的生活甜如蜜。學士府裡的歲月，是由無數深情堆積起來的。婚後第二年，紫薇就生了一個兒子，取名霈東，小名東兒。從此，紫薇身兼媳婦、妻子、和母親的三重身分。感受了三種不同的愛，不同的責任，不同的負擔，不同的歡樂。紫薇只有兩個字可以形容自己的感覺：『幸福』。被滿滿的愛包圍著，這，就是『幸福』！當然，在學士府裡的生活，逐漸也走上了一定的格式，爾康每天去上朝，她在家裡忙著東兒，忙著和福晉學習照顧家務，隨時進宮小住，陪伴小燕子，跟乾隆作伴。這種生活有些規律化，比起以前的驚風駭浪，好像缺少了些刺激，紫薇卻非常享受這種安定。每晚，和爾康東兒依偎在庭院裡，看著月亮，數著星星，就像杜牧的詩句：『銀燭秋光冷畫屏，輕羅小扇撲流螢，天階夜色涼如水，坐看牽牛織女星』。生活中，處處都是詩意。

她和小燕子，幾乎每隔三、四天就要見一次面，姐妹二人，越來越親。相形之下，金瑣逐漸遠離她的生活了。金瑣自從嫁給柳青，連續生了兩個孩子，柳紅又遠嫁到天津去了，整個會賓樓的工作，全落在柳青夫婦的肩上。有了孩子，有了家庭，有了生意興隆的會賓樓，他們夫婦忙得不亦樂乎。會賓樓在北京鬧區，客人三教九流都有。紫薇和小燕子婚後，都不方便常常去那兒，免得讓太后不悅。這樣，只有逢年過節，大家才會找個日子團聚一下，談談過去，談談現在，談談未來。

紫薇的歲月，就這樣甜蜜的、單純的、順利的、滿足的流過去。

小燕子比起紫薇來，就沒有那麼順利和單純了。

宮中的歲月，對於活潑好動的小燕子，實在是規矩太多，拘束太多。假若不是爲了永琪，她大概早就不耐煩了。永琪，這個名字不知不覺間，已經成爲她生命中的主題。他實在太好，好得小燕子沒有辦法再挑剔。就算對生活有些不耐煩，每次都在永琪的寵愛和笑語中，融解成一片溫柔。『溫柔』，這兩個字對小燕子幾乎是『陌生』的，是與她無關的。卻在這四年中，逐漸浸入她的心靈。就像河床中的頑石，經過日積月累流水的浸透琢磨，都會變成沒有稜角的鵝卵石。小燕子是頑石，永琪就是那條河，把她緊緊的包裹，細細的雕琢，輕輕的沖擊……一點一滴，一日一月，讓這深刻的愛，化解了小燕子的戾氣。當初乾隆一心一意要讓小燕子『化力氣爲漿糊』，永琪終於做到了。她的尖銳和叛逆，她的囂張和跋扈，都被永琪治得差不多了。但是，小燕子還是小燕子，她的迷糊依舊，她的樂觀依舊，她的『不求甚解』也依舊，至於她的『大而化之』和『沉不住氣』，仍然是她不變的個性。

這四年裡，小燕子有兩件無法完成的大事，讓她時時刻刻都在揪心中。

第一件，是簫劍和晴兒。

簫劍和晴兒的第一次見面，是在小燕子的婚禮上。在燈燭輝煌下，在人影繽紛中，兩人驀然相見，恍如再世重逢。從此，簫劍心裡有了晴兒，晴兒心裡也有了簫劍。因爲乾隆說過一句『簫劍可以隨時進宮探視小燕子』，簫劍進宮，就有了堂而皇之的理由。沒多久，他再度進宮，在永琪的景陽宮裡，和晴兒又見到了。這次，兩人談了很多，簫劍談他的江湖經驗，晴兒談她的宮中見聞，兩人驚怔在對方那不可思議的世界裡，迷失在對方那閃亮的眼神下。第三次，第四次，第五次……兩人見面的機會越來越多，那種『電光石火』的感覺，就把兩人深深的攫住了，就像千古的魔咒，無從掙扎，無從拋躲。

兩人在燈節時搶答燈謎，在節慶時共賞煙花。一個是江湖奇男子，一個是深宮奇女子，終於陷進『才下眉頭，卻上心頭』的境界。在這四年裡，太后屢次要給晴兒指婚，都在晴兒近乎『拚命』的拒絕下，只得作罷。年復一年，這婚事拖得太久，指婚的對象也就越來越難。晴兒的年歲漸漸大了，過了宮裡『指婚』的年齡。太后開始認爲她是『一心一意』要陪伴自己，度過天年，也就不再熱心的給她找對象。但是，小燕子、永琪、爾康和紫薇四個人，卻心知肚明，有意無意間，四人總是給他們兩個製造機會。大家心裡也明白，這種機會，實際上是把晴兒和簫劍推進苦海，因爲這是一段毫無希望的感情，愛得越深，愛得越苦。不過，紫薇和爾康，永琪和小燕子，誰沒經過這樣的煎熬？受苦，好像是相愛的必經之路，是逃不過的宿命。受苦，也是達到幸福境界的基石。『若非一番寒徹骨，焉得梅花撲鼻香』？這樣想著，大家幾乎是『眾志成城』的『完成』著這種宿命。

簫劍是非常矛盾和苦惱的。在這四年裡，他拚命隱忍著，沒有讓小燕子知道他們兄妹身上的『血海深仇』，也不敢讓永琪知道。他以爲，只要他認定乾隆是個仁君，就可以擺脫這種仇恨了。但是，事實卻不是這樣。在這四年之中，他常常進宮，和乾隆見面次數不多。生活裡，卻處處都有乾隆的影子，幾乎每天，都在考驗他的能耐。多年來根深蒂固的『殺父之仇』，早已銘刻在心，揮之不去，他從來沒有忘記過慘死的父母。每次見到乾隆，他這種矛盾就更加尖銳，像一把利劍，一次又一次的刺進內心深處。心裡一直有個聲音在說：『離開北京，離開晴兒，離開皇宮，離開小燕子……』但是，他卻力不從心。晴兒和小燕子，是兩股強大的力量，把他鎖在北京，他走不了。小燕子總說，他應該向老佛爺攤牌，要求娶晴兒。他能嗎？老佛爺會允許嗎？這幾乎是不可能的事！就算太陽打西邊出來，老佛爺應允了，他能給晴兒幸福嗎？看到紫薇的生活，看到小燕子的生活，他就裹足不前了。自己的身世，自己的悲哀，又怎麼是養在深宮的晴兒，可以體會和瞭解的呢？

簫劍和晴兒，就這樣陷進痛苦和煎熬裡。

第二件，是結婚四年，小燕子居然還沒有爲永琪生下一男半女。

在宮裡，這可是一件大事，是她許多『缺點』之外，更大的一項『罪過』。連寵愛她的皇阿瑪，對這一點也耿耿於懷。當太后埋怨小燕子的時候，乾隆再也無法護著她，幫著她說話。尤其，小燕子並不是不能懷孕，在新婚第一年，她就莫名其妙的失去了一個孩子。

失去那個孩子的經過也很希奇。

那時，小燕子和永琪正在新婚，她的身分是『福晉』了。宮裡，因爲習慣使然，大家還是稱呼她和紫薇爲『格格』。這位新婚的小燕子，努力要適應宮裡的生活，努力要學習怎樣當一個福晉。那天，是宮裡的『晒書日』，宮裡的嬪妃們，會忙著把藏書樓裡的藏書，搬到樓外的廣場上來曝晒。這個工作，本來是令妃領導著完成的。但是，小燕子自告奮勇，毛遂自荐，信心滿滿的接下了這個工作。

『晒書有什麼難？我帶著明月、彩霞、小卓子、小鄧子去做，包管把每本書都晒得透透的！』小燕子拍著胸脯，精神抖擻的說：『這事就包在我身上了！』

永琪對於小燕子『晒書』，是相當不放心的，曾經想阻止，乾隆卻大爲高興。

『就讓小燕子去做吧！她也該學學宮裡的事務了！』

永琪看看不知天高地厚的小燕子，心想，晒書是個大工程，必須幫她找些幫手，趕緊接口：

『晒書也挺好玩的，我讓爾康、紫薇、簫劍、晴兒都來幫忙，大家七手八腳，人多好做事！妳順便還可以學一學書名，藏書樓有好多古書呢！』

小燕子瞪了永琪一眼，嚷著：

『哎呀，晒書就「晒書」，別把它當成「教書」，要不然，我寧可不要你幫忙！整天教我成語，我已經快要煩死了！』

『哈哈哈哈！小燕子，妳還是看到書就害怕啊？』乾隆不禁大笑起來，一點頭：『嗯，永琪倒提醒了朕，小燕子，朕還要交一個工作給妳，藏書樓的書晒好了，妳仔細登錄每一本書的名字，做一個目錄出來！』

『啊？還要做目錄啊？』小燕子大驚，推了推永琪：『看吧，都是你！眞會幫倒忙！害我又有功課了！』

乾隆一聽，忍不住又大笑起來。教育小燕子，其實，帶給他很大的樂趣。

永琪沒料到給小燕子找了麻煩，看著她傻笑。

於是，那天，幾十張又大又長的桌子，擺在藏書樓外的廣場上。

小燕子忙忙碌碌，帶著明月、彩霞、小鄧子、小卓子和眾多宮女、太監，搬著一疊一疊的古書，攤在桌上曝晒。

永琪、爾康、簫劍、晴兒、紫薇都來幫忙。永琪不住提醒小燕子：

『妳不能把各種書混起來晒，這樣會攪亂，連復原都復原不了！第一張桌子專門晒歷史方面的書，第二張桌子專門晒詩詞方面的書……以此類推，要分門別類才行！萬一攪亂了，我們弄幾天都弄不完！』

『我知道！我知道！』小燕子拿起一本書來看，看得糊裡糊塗：『可是，這書上是外國字，我看不懂！』

紫薇伸頭一看，嘆了口氣：

『那不是外國字，是西藏文！』

小燕子一驚，瞪著那本書嚷嚷：

『怎麼連西藏文都有？應該讓塞婭來分類！』

簫劍看看這個妹妹，知道要讓她來分類，恐怕是個『不可能的任務』，還是少說話，多做事爲妙。就跑過來攬住這個最困難的工作：

『好了好了，這分門別類的工作，我來做！』

晴兒看了簫劍一眼，心裡像小鹿一般亂跳著。怎麼也沒想到，『晒書』會帶給她這麼好的機會，又能看到簫劍了。即使到處都是宮女太監，即使無法和他說上任何知心話，但是，只要能夠看到他，已經是她夢寐以求的事了。她跟了過來，輕聲說：

『我來幫你忙！』

小燕子眼珠一轉，就欣喜的把晴兒往簫劍身邊一推。

『就這樣就這樣，晴兒，妳和我哥來分門別類，我來搬書！用體力的事我來做，用腦筋的事，你們做！』

晴兒被小燕子一推，差點撞到簫劍身上，和簫劍目光一接，臉就紅了。簫劍拿著書，看著她，見她臉頰飛紅，眼光如醉，就看得出神了。

爾康和紫薇，交換了會心的一笑。爾康看看天色，著急起來：

『我們必須快一點！要不然，晒好幾天都晒不完！』

小燕子被提醒了，看了看桌上亂七八糟的書籍，眉頭一皺，計上心來：

『這樣不行，我們的進度太慢了！永琪，我們必須把「武功」拿出來，那個藏書樓裡，還有好多好多的書，我們施展「工夫」，先把它們都搬運出來再說！』

小燕子說著，看看高高的藏書樓，用腳一挑，把桌子一張張的挑起來，搭成一個大高台，她就騰身而起，腳尖在每張桌上蜻蜓點水般一點，就一層一層的竄上了最高點，然後，她一飛身，從藏書樓的窗口飛躍進去，動作眞是乾淨俐落。原來，小燕子的成語進步不大，這些年，跟著簫劍練工夫，倒眞的練出一身好工夫。

大家抬頭看著窗子，轉眼間，就看到小燕子捧著一落書，出現在窗口。

『是我扔下來？還是你們接過去？』她在窗口喊。

『別扔！別扔！那些書裝訂都不牢，一扔就散了！』永琪急忙喊，一躍而上，飛身接書，再躍回桌子，把書放好。

這樣一表演，宮女和太監們，見所未見，全部鼓掌叫好。

小燕子好得意，又捧出第二落書。

這次是爾康飛身上去接書。接著，是簫劍接書。小燕子來不及搬運，明月、彩霞、小鄧子、小卓子，和宮女太監們，都跑進藏書樓裡去幫忙。大家輪番出現在窗口，運出一落一落的書，速度越來越快。永琪、爾康、簫劍三個，簡直接不完。小燕子看得心花怒放，大笑：

『這個好玩！看樣子，你們忙不過來了，我也來幫忙接書！』

小燕子一個觔斗翻回廣場，也加入了接書的工作。太監們趕緊再搬出許多桌子來，因爲原來的桌子成了大高台，剩下的桌子不夠用了。

頓時間，廣場上人起人落，煞是好看。書本一疊一疊的堆積在桌上，晴兒和紫薇，帶著一批宮女太監們，忙忙碌碌的把書本攤開曝晒。小燕子和三位公子，上上下下的接書運書，像幾隻大鳥那樣飛來飛去，來往穿梭，眞是熱鬧非凡。

一會兒，晴兒和紫薇，已經弄得手忙腳亂了。晴兒喊著：

『一下子送來這麼多，我來不及分類呀！』

紫薇緊張起來，跟著叫：

『小燕子！妳把所有的書都弄混了！妳看，這史記是一套，怎麼東一本西一本？晴兒，我們趕快來分！』

爾康看看幾張桌子，都堆滿了書，有些擔心了，懷疑的問：

『我們是不是太快了？我記得以前晒書，都是分三、四天才晒完，一次只晒一種書！』

小燕子神勇的一抬頭，得意的接口：

『我們表現給大家看看，他們要做好幾天的工作，我們就一天做完！讓皇阿瑪和老佛爺，驚喜一下！對於我的工作能力，他們從來沒有肯定過！』

『慢一點慢一點，書要攤開晒，這樣一落一落的放著不行！裡面都晒不到，我們還是慢慢來吧！』永琪招呼著太監們：『小順子，你帶著大夥，把書本一本一本攤開，知道嗎？』

『喳！奴才遵命！』

許多太監和宮女，就忙著翻開書本去曝晒。

小燕子管不了這麼多，也沒想這麼多，只想趕快把工作做完。她馬不停蹄，依然跳上跳下的搬運著書籍。廣場上，人來人往，上上下下，送書，接書，放書，翻書……轉眼間，幾張大桌子，全部堆滿了書，宮女太監們從來沒有這樣『玩』過，忙得不亦樂乎，個個興高采烈。

終於，全部的書，都搬出來了，每個人都是滿身大汗，小燕子樂得大笑。

『我們做到了，一個時辰都不到，我們搬出了所有的書！』

紫薇和晴兒忙著分類，爾康、永琪、簫劍累得汗流浹背。

『哎！陪小燕子「晒書」，比陪小燕子練劍還辛苦！』永琪瞪著小燕子，做揮汗狀。『總算大功告成，大家可以休息一會兒了！』

幾個人累得筋疲力盡，全部癱倒在一旁的椅子裡。

晴兒笑著，看看幾個人：

『你們現在高興，等會兒收書的時候，就麻煩了！這樣亂搬一氣，全體都攪混了！等下子，有沒有「武功」可以幫忙「分門別類」呢？』

永琪、簫劍、爾康都一怔，發呆了，面面相覷。小燕子樂觀的說：

『哎！你們不要發愁，這「分門別類」嘛，找幾個認得字的宮女太監來分，分好了，我們再搬上書架，不就行了！』

『可是，那些書名，有的是草書，有的是隸書，有的是篆書……還包括滿文，蒙古文，別說宮女太監，就是我們幾個，也不見得每個字都認得！』爾康說。

『紫薇總認得！』小燕子有恃無恐。

『我也有很多都不認得，那些蒙古文，我從來沒有唸過！更別說西藏文了！』紫薇趕緊聲明。

『啊？那要怎麼辦？』小燕子這才覺得事態嚴重：『皇阿瑪還要我作目錄呢，這不是有意刁難我嗎？』

正在這時，太陽沒有了，空中，一道閃電劃過，隱隱有雷聲響起。這聲雷聲，可把廣場裡的阿哥額駙大俠格格宮女太監……全部嚇得驚跳起來。

『是閃電嗎？不可能吧？難道會下雨？』永琪不相信的驚喊。

永琪話才說完，空中，再一道閃電劃過，雷聲大作，烏雲密佈，接著，大顆大顆的雨點，就嘩啦啦的直落下來。

大家跳起身子，永琪大喊：

『趕快把書搬進房間裡去，這下子，才眞需要「工夫」！快快快！』

小燕子大驚失色，這一怒非同小可，睜大了眼睛，對天空伸著拳頭，大叫：

『下雨了？那有這個道理？老天！你爲什麼要跟我作對？今天是「晒書日」，不是「淋書日」呀！我辛辛苦苦把書搬出來，你居然給我下大雨……』

『妳別忙著跟老天吵架！』永琪著急的拉拉她：『趕快來搬書，這些都是「珍藏本」，全是「無價之寶」，淋壞了我們會倒大楣的！』

紫薇抱了一堆書，就往藏書樓裡跑，爾康一看，大急，衝過來護著她。

『紫薇，拜託妳去藏書樓裡坐著，不要搬書，也不要淋雨！小心肚子裡的孩子呀！趕快去，不要出來了！』

那時紫薇已經懷有身孕，再過幾個月就要生產了。

早有宮女們，拿著傘奔來。爾康搶了一把傘，遮著紫薇，攙著她進房去。

永琪急得跳腳，招呼著宮女太監：

『小鄧子！小卓子！小順子……大家都來幫忙呀！趕快把書搬進房去！』

一時間，整個廣場，亂成一團，大家在大雨中，瘋狂般的搬書進房。小燕子、爾康、永琪、簫劍全部施展輕功運書，個個在雨中忙得團團轉。但是，那些書那兒搬運得完？簫劍急喊：

『有沒有油布？來不及搬了！趕快拿一塊大油布遮起來！』

太監宮女們，拿油布的拿油布，拿傘的拿傘，搬書的搬書，狼狽得一塌糊塗。

小燕子聽到永琪說『珍藏本，無價之寶』這些句子，心裡知道大事不妙，再也神勇不起來了。著急的捧著一落書，往房裡『飛奔』。這個『飛奔』簡直是『名副其實』，就差『腳不沾地』。但是，她畢竟沒有那麼好的工夫，腳非沾地不可。地上都是積水，一個不小心，就滑了一大跤，手中的書本，跌進雨水裡。

『糟糕，書弄髒了怎麼辦？』小燕子喊，想跳起身，去搶救那些書。忽然肚子裡一陣絞痛，她居然站不起來。那陣劇痛，排山倒海而來，是她從來沒有經歷過的。她摀著肚子呻吟：『哎喲……哎喲……肚子好痛……』

永琪衝過來扶，明月、彩霞也奔過來。爾康、晴兒、簫劍都顧不得遮書了，急急忙忙跑過來看。太監宮女趕緊為大家撐傘。爾康回頭，對太監們揮手大喊：

『不要管我們，趕快用油布去保護那些書！』

永琪彎腰扶住小燕子，著急的問：

『小燕子，摔了那兒？起來我看看！』

『不要管我！趕快去救那些書！快呀……』小燕子爬向那些書，一面痛喊著：『哎喲！我扭到肚子了，好痛好痛……救書！救書……』

永琪看看小燕子，大雨中，只見小燕子臉色慘白，一急，就抱起她：

『妳不要嚇我，不過是摔一跤，怎會這樣痛？妳到底摔了那裡？』

小燕子雖然糊塗，也覺得這番痛楚，實在是不比尋常。

『我想……我不大好，哎喲……你快傳太醫！我不對勁了！』

永琪臉色大變，抱著小燕子就往景陽宮跑去，再也顧不得那些書了。

當天，小燕子失去了她的第一個孩子。問題是，她根本就不知道自己懷了孕。

這件事，成爲宮裡一件『不可思議』的『大事』。別提那些『珍藏本』弄得亂七八糟，事後，爾康和永琪，幾乎用了將近一年的時間才把藏書樓的書恢復舊觀。以後，誰也不敢再讓小燕子『晒書』了。珍藏本就算了，小燕子會讓永琪這麼珍貴的『龍種』，莫名其妙的失去了，簡直是『不可原諒』的大錯。太后幾乎把腦袋都『搖掉』了。

『那有晒書，會把孩子晒掉了的？肚子裡有孩子，她居然去跳窗子，翻上翻下，什麼用「武功」晒書！那有這麼糊塗的娘呢！』

太后氣呼呼，乾隆跟著扼腕。皇后、令妃和娘娘們，都嘆息不已。當然，簫劍、晴兒、紫薇、爾康個個難受，就連景陽宮裡的太監宮女，小鄧子、小卓子、明月、彩霞等人，也都充滿了『犯罪感』。

至於永琪，那晚守著小燕子，除了心痛，還是心痛。

『妳怎麼不告訴我？有了身孕是大事，妳怎麼可以不說呢？如果我知道妳肚子裡有孩子，我無論如何都不會讓妳又晒太陽又淋雨，又搬東西又摔跤……』

『我眞的不知道，我不騙你，我自己一點感覺都沒有！』小燕子懊惱的說。

『這不是有感覺還是沒感覺的事，這是有沒有「常識」的事，身子是妳自己的，妳怎麼可能「不知道」？』

『我就是糊塗嘛！誰知道這樣就是有小孩？從來沒有人教過我，如果我有娘，我就知道了……永琪，你不要罵我了，我也很難過呀……對不起嘛！我沒有經驗嘛，下次我就懂了，你不要生氣嘛……』小燕子可憐兮兮的看著永琪，心裡是充滿歉意的。

永琪聽了，想到小燕子無父無母，一句『沒有人教過』，多少辛酸！他心裡更痛，著急的說：『我不是罵妳，我也不是生氣，妳已經這樣了，我怎麼還會生氣呢？我是著急心痛，丟了一個孩子，太可惜了！我也很自責，天天跟妳在一起，感情那麼好，怎麼沒有注意這個問題！』

小燕子勉強的笑著：

『我還沒準備好當娘呢！你一天到晚說我長不大，想想也是。我自己都是一個孩子，怎麼當娘？老天一定知道我不會當娘，才收回了這個孩子！』她說著，眼裡就漾著淚：『我好笨！我真的好笨！』一陣心痛，忍不住伸手劈哩叭啦的敲腦袋。

永琪急忙拉住她的手，放在臉上熨貼著。

『幹嘛這樣？肚子痛還沒好，還要把腦袋打痛嗎？』說著，就深深凝視她：『謝天謝地，好在妳沒事……我們都不要難過，也不要自責了，小事一件嘛，生孩子有什麼難？我們繼續努力就是了！』

小燕子十分感動的點點頭，忽然坐起身子大叫：

『糟糕！那些書……那些書都是「珍藏本」，是「無價之寶」，被我弄壞了怎麼辦？我吹了半天牛，結果弄得亂七八糟，皇阿瑪一定氣死了！』

永琪急忙扶住她，情真意切的說：

『躺下來！躺下來！不要激動，不要管那些書了！再多的「珍藏本」，也抵不上妳這個「珍藏本」！再多的「無價之寶」，也抵不上妳這個「無價之寶」！』

2

乾隆三十年來臨了。

小燕子和紫薇，在這一年的年初，都絕對沒有想到，她們那溫柔的幸福，那平靜的歲月，要在這一年面臨最大的考驗。無數的『狂風暴雨』，將要席捲著她們的世界。以前的種種經歷，和這番『狂風暴雨』比起來，不過是一些『微風』而已。

這年的春節，小燕子依然精神抖擻。儘管身上一直沒有喜訊，簫劍和晴兒也都陷在掙扎和痛苦裡。她都不操心，認為『船到橋頭自然直』。她對自己『懷孕』這種事，也不放在心上，她有太多要忙的事。春節的時候，她挖空心思，想的仍然是怎樣別出心裁，設計一些節目，讓皇阿瑪和宮裡的妃嬪阿哥格格們，大家樂一樂。

大年初三，宮裡舉行了一年一度的『跳駝比賽』。

跳駝比賽！這是皇宮裡各種表演中，最最刺激的一項。這本來是蒙古武士的一種競技賽，因為乾隆喜歡觀賞，逐漸變成一種表演。到了這天，蒙古武士，個個盛裝前來表演『跳駝』。宮裡所有的親王福晉、阿哥格格都來觀賞，熱鬧非凡。小燕子愛這個比賽，絕對不輸給熱中武術的乾隆。比賽是在皇宮競技場舉行的。

乾隆帶著妃嬪、令妃坐在觀眾席上，華蓋重重，嘉賓雲集。競技場兩旁，站滿了衛隊，旗幟迎風飛舞。

乾隆居中而坐，永琪陪著乾隆，坐在乾隆左邊，太后坐在右邊。晴兒坐在太后身邊，依次是皇后、令妃和其他妃嬪。永琪旁邊，是紫薇、及其他阿哥和格格。

比賽開始前，照例有蒙古美女，跳舞助興。舞者服裝艷麗，舞步神奇，看得皇室成員，個個目不暇給。

乾隆左顧右盼，見場面浩大，龍心大悅。忽然發現少了一個人，驚奇的問永琪：

『怎麼沒有看到小燕子？』

『回皇阿瑪，小燕子今天有些不舒服，恐怕不能來了！』

『不舒服？她連這種熱鬧都會錯過？太不可思議了！是不是很嚴重？』

『不不不，不嚴重，不嚴重。』永琪一疊連聲說。

太后眼睛一亮，看看永琪：

『是不是有好消息了？有好消息可要告訴我！』

又來了！太后最關心的，就是小燕子有沒有『好消息』。永琪聽到這個題目就頭痛，趕快顧左右而言他：

『什麼什麼？風太大，聽不清楚！』

『聽不清楚嗎？我幫老佛爺再問你一次，是不是你要當阿瑪了？』令妃笑了。

『也該有消息了，兩個格格同時成親的，紫薇的兒子東兒，都三歲了！小燕子上次那個，又晒書給晒掉了！真是天下奇談！』太后嘟囔著。

紫薇不好意思的微笑了一下，永琪有點坐立不安了。幸好這時，比武開始了。

主持比賽的是爾康，他騎著一匹駿馬，雄赳赳、氣昂昂的奔進比武場，許多蒙古武士，穿著蒙古服飾，跟著爾康的馬，跑步進場。到了乾隆面前。爾康翻身下馬，甩袖跪倒，朗聲說：

『兒臣福爾康帶領蒙古武士十二名，叩見皇阿瑪，老佛爺，皇額娘，各位娘娘，皇伯皇叔！』

蒙古武士全部匍匐於地，聲震四野的喊：

『皇上萬歲萬歲萬萬歲！老佛爺千歲千歲千千歲！各位娘娘千歲千歲千千歲！各位阿哥格格千歲千歲千千歲！』

乾隆興高采烈的說：

『蒙古武士免禮！今天這個跳駝比賽，希望你們拿出蒙古的看家本領來！得到第一名的武士，朕有重賞！』

『謝皇上恩典！』蒙古武士齊聲說著。

爾康站起身子，打開名單，朗聲報告：

『蒙古武士騰爾丹上場！』

只見一名蒙古武士，牽著三隻駱駝進場。駱駝身上，滿身披掛，戴著駝鈴，頭上插著羽毛，煞是好看。三隻駱駝在看台前站定，武士站在駱駝一邊，摩拳擦掌，躍躍欲試。原來『跳駝』是讓駱駝排成一排站著，武士要一個觔斗跳越過這幾隻駱駝，有人一次可以翻過四、五隻駱駝，甚至有跳過八隻駱駝的記錄。當然跳越得越多，就是功夫越好。武士們通常跳越過駱駝之後，還會跳上駱駝的駝峰上，做一些個人精彩的表演。這個比賽最好玩的地方，是那些駱駝，牠們畢竟是動物，不會乖乖的站在那兒讓你跳，何況駱駝的壞脾氣是有名的，常常在表演中，駱駝會有各種狀況發生，出人意外。這些武士，不止要考驗武術，還要考驗應變能力，是個集武術、特技、表演，和趣味於一爐的比賽。難怪乾隆和宮中諸人，都對這個比賽著迷。當然，有時駱駝出奇的聽話，讓每個武士都能盡興表演，那也是很好看的。

這時，那個騰爾丹一個空翻，俐落的跳過了三隻駱駝，大家掌聲雷動。武士在掌聲中，飛身上了一隻駱駝的背，然後，又一個空翻下地，然後，連續的空翻，上駱駝，下駱駝，上下自如，身手靈活，看得人眼花撩亂。

『好！太好了！』乾隆忍不住大喊。

看台上掌聲雷動，歡呼不斷。

一個人表演完了，爾康再度報名：

『第二位武士，穆沙格上場！』

第二個牽出了四隻駱駝，大家屏息以待。只見武士也是一躍而過，再在四隻駱駝的駝峰上，腳步輕盈的跳來跳去，從這個駝峰，跳到那個駝峰上，跳了半天，不曾落地。大家看得嘆爲觀止。

乾隆鼓掌叫好，大家跟著鼓掌。

第三位武士牽出五隻駱駝，跳越之後，也開始跳上跳下，在駱駝背上施展各種絕技。有時站在駱駝背上，有時又倒吊在駱駝的肚子下面，有時正面騎著駱駝，有時又倒著騎著駱駝，看得大家眼花撩亂，乾隆更是心花怒放。這樣一個一個武士出場，個個都身懷絕技，表演得精彩萬分。然後，爾康聲音一揚，朗聲再報：

『第六位武士，是戈戈紫宴曉！』

場上出現的，是一位體形瘦小的武士，身上穿著黑紅相間的蒙古服，頭上戴著黑色武士頭巾，彩色的條紋裙子，打扮非常亮眼。這個武士一出場，就引起了大家一陣驚呼，因爲，他居然牽出了十隻駱駝！

『十隻駱駝！』乾隆嚷著：『難道他想創紀錄？從來沒有人跳越過十隻駱駝！』

武士一翻身，先給乾隆一跪。這個武士十分年輕，卻留著兩撇大鬍子，頭巾戴得很低，乾隆看不清楚他的面貌，覺得他貌不驚人，個子矮小，有股滑稽相。

『嘰嘰哇哇底哩吐嚕吱吱嘎嘎……』戈戈紫宴曉口齒不清的嘰咕著。說了一句誰都聽不清楚的蒙古話。

乾隆搖搖頭，發表意見：

『這個武士個兒太小，話都說不清楚，看樣子就不行！十隻駱駝，哼！』

永琪和紫薇交換了一個視線，兩人忍不住悄悄的笑。這個武士不是別人，正是古靈精怪的小燕子！所有的嬪妃親王阿哥格格都被蒙在鼓裡，誰也沒有看出來。

只見小燕子站在一排駱駝的左邊，先上上下下審察一番，再摩拳擦掌一番，再吐氣揚眉一番，再裝腔作勢一番……終於，鼓足勇氣，對著駱駝衝去，誰知，該躍起時算錯了時間，沒有躍起，反而一頭撞在駱駝的肚子上，頓時撞得仰天一摔，摔了個四仰八叉。

乾隆那兒見過這樣離譜的表演，笑得上氣不接下氣。眾人也是笑得前俯後仰，嬪妃娘娘們，個個花枝亂顫。

只見武士爬起身子，再度摩拳擦掌，裝腔作勢……又對駱駝衝去，誰知，這次他沒有從駱駝背上飛躍過去，卻『嗤溜』一聲，從十隻駱駝的肚子下面，鑽過去了。

看台上一片笑聲。乾隆揉著肚子，笑得差點岔了氣。永琪又笑又搖頭，這個小燕子，臨時加了這麼多動作，眞是虧了她！她大概是大清開國以來，第一個表演『跳駝』的福晉吧！

在大家的大笑聲中，小燕子放棄『跳越』這個動作了。一個倒翻，上了一隻駱駝的背。接著，就從一隻駱駝背上，一個觔斗翻到另一隻駱駝背上，再一個觔斗又翻到另一隻背上，就這樣連續翻了十隻駱駝。身子不曾落地。

乾隆大喜，站起身子拚命拍掌。

『好呀！好工夫！朕從來沒有看過這麼好的工夫，太好了！』

看台上歡聲雷動，全體瘋狂的鼓掌。

永琪看到小燕子這麼成功，又有『笑果』，又有『工夫』，眞是代她驕傲！他站起身子，滿臉的笑，鼓掌鼓得手都痛了。紫薇與有榮焉，也滿臉的笑，拚命鼓掌。

小燕子翻完，意猶未盡，居然在一隻駱駝背上，表演起特技來。忽而伏在駝峰之間，忽而跳上駝峰之巓，忽而用單手倒立在駝峰上，身子打轉，忽而站在駝峰上，轉動身子，跳起舞來。一隻駝峰不夠用，她就雙腳岔開，分別站在兩隻駱駝的駝峰上。

大家看得目瞪口呆。永琪卻越看越驚，實在代小燕子捏一把冷汗，眼睛越瞪越大。

忽然間，兩隻駱駝開始往兩邊跑去，小燕子的雙腿越拉越開，快要把她撕成兩半了，她趕緊用腳兒著駱駝，嘴裡嘰嘰咕咕的對駱駝說：

『乖駱駝，好駱駝，別走開！靠攏！靠攏……』

一邊說著，她一邊拚命用腳尖勾著駝峰，把兩隻駱駝聚攏，大家看得提心吊膽，驚呼不斷。好不容易，兩隻駱駝聚攏了，其中一隻，突然發起脾氣來，一聲狂鳴，就跳了起來，想把小燕子掀落地。

乾隆和眾人都發出驚呼。全部站起身子看。只聽到小燕子喊了一聲：

『哎呀！不好了……』

就看到那隻暴怒的駱駝，瞪大了駱駝眼，張大了駱駝鼻，狂踹著駱駝蹄，橫掃著駱駝尾……然後，駱駝騰身而起。小燕子再也支持不住，空翻下地，拔腿就跑。那隻駱駝一轉身，追著她跑。小燕子已經顧不得形象了，狼狽奔逃，身上的披披掛掛一路掉落地，連鬍子也掉了一半，只剩下半邊貼在嘴唇上。駱駝依然緊追不捨，居然一口咬住她的裙子。小燕子大驚，開始和駱駝搶裙子，只聽到嗤啦一聲，裙子撕破了。小燕子這才領教駱駝的脾氣，拚命逃，駱駝拚命追。這樣一來，引起其他駱駝的騷動，全部亂跑起來，場面一團混亂。武士們紛紛下場制伏駱駝，一時之間，駝鈴氈子掉滿地，武士駱駝滿場飛，奔前跑後，好生熱鬧。

乾隆撫掌大笑：

『哈哈哈哈！朕眞是大開眼界！哈哈哈哈……太妙了！』

看台上，人人都笑得東倒西歪。

小燕子跑著跑著，一回頭，和一隻駱駝照了面，那隻駱駝對著她張開大嘴，就噴了她滿臉的口水，這一下，她慌了，看到面前有根旗杆，就抱住旗杆往上爬。誰知，那隻駱駝居然在下面撞旗杆，旗杆那兒禁得住小燕子的力量，和駱駝的撞擊，頓時，劇烈的搖晃起來。搖了一陣，就砰然一聲，倒向看台。還好看台的邊緣支撐住旗杆，小燕子雙手抱住旗杆，身子懸在看台外面，她大喊：

『救命！救命……』

永琪看得心驚膽戰，急忙飛奔過去，抓住她的手。小燕子這才危危險險的，拉著永琪爬上看台。

『妳怎樣？』永琪著急的問：『有沒有受傷？』

小燕子對著永琪，嫣然一笑，就衝到乾隆等人的面前，一跪落地。把下巴一抬，露出半邊鬍子、滿頭大汗、眉開眼笑的臉龐。對乾隆嚷著：

『皇阿瑪新春吉祥！小燕子獻醜了！小燕子給皇阿瑪請安，給老佛爺請安，給皇額娘請安，給各位娘娘伯伯叔叔請安！』

『小燕子！居然是小燕子！』乾隆睜大眼睛，不敢相信的看著滑稽的小燕子。

永琪笑著站在小燕子身邊，對乾隆拱手說：

『皇阿瑪！一點小小的娛樂，希望博得皇阿瑪、老佛爺、皇額娘大家一笑！』

『小燕子，妳的工夫練得這麼好了，眞讓朕大爲意外呀！』乾隆驚喜的說。

乾隆一誇獎，小燕子就得意起來，起身，對乾隆嚷著：

『皇阿瑪！本來應該更好的，我設計了一大堆動作，還來不及表演呢！都是那隻駱駝，亂發脾氣，突然又抬頭又撅屁股，鬧得我手忙腳亂，還追著我跑，吃我的裙子，對我噴口水……害我都沒有表演出水準來！』

太后一聽，小燕子把『撅屁股』此等不雅的句子都說出口，不禁一嘆。

『唉！以爲當了幾年福晉，總有一些進步，怎麼說話還是這樣子？沒規沒矩！』

興匆匆的小燕子不禁一呆。

乾隆急忙接口：

『老佛爺，看在她這麼賣命的演出上，就別跟她計較那些小毛病了！』他看著小燕子笑：『妳這個蒙古武士，朕瞧著就有問題，怎麼個子那麼小？妳那個蒙古名字，也怪怪的，什麼咯咯吱吱的？』

『皇阿瑪！是戈戈紫宴曉！您倒過來唸就明白了！』紫薇忍不住笑。

『戈戈紫宴曉，曉宴紫戈戈，哦！』乾隆恍然大悟：『小燕子格格啊！』

大家都恍然大悟，全都笑了起來。只有太后悶悶不樂。自言自語：

『這樣在駱駝背上翻來翻去，大概肚子裡不可能有好消息了！』

乾隆沒注意太后的唸唸有辭，龍心大悅的大笑說：

『難得你們這些孩子這麼有心！表演這麼好的節目給朕看！好呀！這個戈戈紫宴曉拿到了比賽第一名！皇阿瑪賞妳一個吉祥如意鎖！』

乾隆把自己身上戴的金鎖給了小燕子。

『哇！皇阿瑪萬歲！』小燕子歡呼。

蒙古武士全部跟著歡呼：

『勝利！勝利！戈戈紫宴曉勝利！小燕子格格勝利！勝利……』

小燕子手舉『吉祥如意鎖』，環繞競技場一周。乾隆笑得好大聲。這次的跳駝比賽，在各種『演出失常』的情況下，卻獲得了空前的成功。

表演結束，乾隆的興致仍然高昂。和太后妃嬪們，帶著眾多的阿哥格格，走在御花園裡，乾隆的心情，好得不得了。看著滿面紅光的小燕子，乾隆真是愛進心坎裡。他心血來潮，忽然說：

『戈戈紫宴曉！朕剛剛看到了妳的武功，現在，想試試妳的文采！今年進入乾隆三十年了，新春大吉，妳說兩句吉祥話給朕聽聽！』

『皇阿瑪！』小燕子大驚：『要聽吉祥話，紫薇一定比我會說！除了紫薇，晴兒也會說，怎樣也輪不到我呀！我還是翻觔斗比較行！』

『妳翻觔斗，朕看夠了！現在，就是要聽妳說吉祥話！』

『皇阿瑪，我看，還是不要讓她說吧！』紫薇好擔心，生怕小燕子一個『失言』，把乾隆的好心情趕走了。

『就是就是！還是我來說吧！』永琪急急的說。

『你們也別老是護著小燕子，難道連幾句吉祥話，就把她難住了？』乾隆問。

小燕子被乾隆一激，就忍不住了。

『說就說嘛！我也會說！皇阿瑪……我跟您來一段「數來寶」吧！』

小燕子說著，就拿著手裡的一串駝鈴，搖著打拍子。跳到乾隆面前，開始唸：

『皇阿瑪，皇阿瑪，相貌堂堂福氣大，國有乾隆百姓誇，穀不生蟲笑哈哈，老吾老呀幼吾幼，貪官污吏一把抓，萬歲萬歲萬萬歲，年年都是……都是……』

『年年都是什麼？』乾隆問。

『活菩薩！』永琪趕緊在小燕子耳邊提示。

小燕子沒聽清楚，歡聲接口：

『年年都是泥菩薩！』

『妳說朕是「泥菩薩」？是不是說朕虛有其表，沒有用呀？』乾隆眉頭一皺。

永琪急死了，在小燕子耳邊低聲喊：

『活……活……活……活！』

小燕子點著腦袋，用力的、大聲的、跟著唸：

『活活活活菩薩！』說完，自己也笑了，更正著：『年年都是活菩薩！』

乾隆笑開了，紫薇、爾康、晴兒、永琪等人，都跟著鬆了一口氣。

小燕子又跳到太后面前，開始唸：

『老佛爺，老佛爺，眼光威嚴看大家，看得燕子就害怕，心裡哆嗦頭發麻，但願奶奶時常笑，年年開心像娃娃！』

『只能給她四個字的評語，「啼笑皆非」呀！』太后笑著搖了搖頭。

『還好還好！對小燕子，不能要求太高！』乾隆接口，看著小燕子笑。

小燕子又跳到皇后面前，紫薇生怕她胡言亂語，急著幫她解圍，趕緊搶著唸：

『皇后皇后變了樣，不再讓人心慌慌，佛前常常在燒香，見人就笑好慈祥，但願母儀滿天下，阿哥格格都喊娘！』

皇后確實變了樣，這幾年，皇后吃齋唸佛，一心向善。不知道是不是『孽債』已了，皇后完全洗心革面，與世無爭，是一個眞正的好皇后了。跟著她的容嬤嬤，也改頭換面，再也不和大家作對，專心一志的侍候皇后。有時，紫薇和小燕子談起以前種種，幾乎沒辦法把以前的皇后和容嬤嬤，和今天的二人相提並論。

晴兒聽到紫薇唸了，就技癢起來，忍不住拍拍紫薇，搶著先唸：

『紫薇紫薇好性情，琴棋書畫樣樣行，山無稜來天地合，感動爾康結婚姻。生活美滿樣樣有，祝妳再添小壯丁！』

『晴兒，妳說些什麼？』紫薇臉紅了。

小燕子忽然靈感泉湧，生怕紫薇和晴兒搶著說，飛快的跳到令妃面前，搶著唸：

『令妃令妃心地好，老天保佑不會老，今年更比去年嬌，皇上看了哈哈笑！生了格格生阿哥，今年再生小寶寶！』

令妃笑著，拚命去打小燕子。

『聽聽她這張嘴！都是皇上慣的，要她說什麼吉祥話！越說就越不像話了！』

大家都笑，乾隆也笑，太后不禁拉住令妃的手，驚訝的問：

『是不是妳又有了？』

『哎呀呀！那有？那有？大概是紫薇又有了！』

『不是啦！』紫薇也急：『你們聽晴兒胡謅！』

大家笑成一團，爾康看著晴兒，忍不住也想表演一番，跟著唸：

『晴兒晴兒眞不差，年年都像一枝花，大家每次出狀況，晴兒忙著打哈哈！聽說簫郎人品好，今年嫁個好人家！』

晴兒聽到最後兩句，臉色都變了，緊張的回頭看太后。幸好太后沒有聽出玄機。小燕子趕緊跳到爾康面前，再搶著唸：

『爾康爾康好才華，能文能武人人誇，御前侍衛新駙馬，就怕命裡犯桃花！紫薇紫薇妳別怕，他敢不乖，我……』她故意拉長聲：『踹死他！』

『小燕子福晉，』爾康笑著喊：『怎麼每個人都說得不錯，到了我這兒，就變成這樣了！』

『你不知道，她的「吉祥詞」都用完了！』永琪一直笑。

『別打斷我，輪到說你了！』

小燕子跳到永琪面前，打著拍子，還沒說話，永琪飛快的說：

『妳別說，讓我自己說吧！』就唸著：『永琪有苦說不出，眼睛瞪得圓呼呼，皇上要聽吉祥話，永琪心裡在打鼓，就怕燕子出個錯……』

『一條小命就嗚呼！』小燕子搶著大喊，笑得前俯後仰。

一時之間，御花園裡全是笑聲。太后和眾多的娘娘們，掩口的掩口，彎腰的彎腰，個個笑得花枝亂顫。阿哥格格們，更是笑得吱吱咯咯。連打著華蓋的太監，和在一邊侍候的宮女們，也都忍俊不禁了。

乾隆看著這樣的一群好兒女，大家搶著說『吉祥話』，又聽到這樣的一片笑聲，眞是開心極了。

『小燕子！朕聽妳一句句說，雖然還是沒什麼墨水，也算夠「吉祥」了，可是，怎麼到了最後一句，又把「嗚呼」兩個字用出來了，妳知道今天是大年初三嗎？』

『大家都「吉祥」，我「嗚呼」沒有關係！』小燕子笑嘻嘻的說。

就在此時，兩個大臣興匆匆的走來，往乾隆面前甩袖跪倒。

『奴才謝元叩見皇上！皇上萬歲萬歲萬萬歲！』

『起來！有什麼事？這麼急？要趕到御花園來？』乾隆驚奇的問。

一位大臣雙手高舉一個錦盒：

『皇上大喜！眞是祥瑞之兆呀！請皇上過目！』

早有太監上前接過，打開來，只見紅絲帶打著如意結，下面綁了一個制錢。

乾隆拿起制錢，不知道這兩位大臣葫蘆裡賣的是什麼藥。

兩位大臣起身，帶著一臉奉承的笑，必恭必敬的說：

『皇上！這是今年鑄幣廠第一批的制錢！剛剛出爐的，奴才們檢查的時候，發現了這一枚，上面居然有一朵「祥雲」，就在這兒！』指給乾隆看：『這是上天的異兆，預兆今年國泰民安，風調雨順！』

『啓稟皇上，這個制錢是個吉祥物兒，戴在身上，會逢凶化吉，遇難呈祥，大吉大利，永保平安！請皇上隨身配戴！』另一位大臣接口。

乾隆龍心大悅，拿著制錢左看右看。

『眞的嗎？這個制錢是個吉祥物兒？有這麼大的好處？』

兩大臣連連點首稱是。

『哈哈哈！今年眞是「吉祥年」呀！』乾隆果然吃這一套，更加興高采烈：『朕正在這兒和大家說吉祥話，就來了一個吉祥物，這個制錢，肯定會逢凶化吉，永保平安的！』說著，就環視眾人，眼光溫柔的停在紫薇臉上，喊：『紫薇！』

『皇阿瑪！』紫薇急忙上前。

『妳這孩子，從小多難，好幾次死裡逃生，讓朕隨時都爲妳擔心。這兒既然有個吉祥物，朕就把它賞給妳吧！』乾隆說著，就把制錢套在紫薇脖子上：『戴著，算是妳的護身符吧！』

紫薇驚喜交集，感動萬千，急忙請安。

『謝謝皇阿瑪！』

小燕子高興的抓著紫薇的手，跳著嚷著：

『哇！我們今年，一定會好得不得了，我有皇阿瑪的吉祥如意鎖，妳有皇阿瑪的吉祥制錢！』

永琪和爾康，忍不住互看，都有說不出的欣慰。

吉祥如意鎖，吉祥制錢，吉祥話……這一年，眞的吉祥嗎？

3

乾隆決定正月十六日，燈節之後的第二天，出發南巡，這是乾隆第四次下江南。和前面三次一樣，也是『奉皇太后南巡』，去視察民情，勘察河道。既然太后去，乾隆的幾位嬪妃，自然也要隨行侍候。同行的有皇后、令妃、晴兒、紫薇、小燕子、永琪、爾康、福倫等人，是一個浩浩蕩蕩的隊伍。本來，紫薇是不想去的，到底東兒還小，離不開親娘。但是她才對乾隆說了一句：

『皇阿瑪，我這次恐怕不能陪您了，東兒才三歲……』

乾隆立刻打斷了紫薇，不快的說：

『有了兒子，妳就沒有阿瑪了嗎？』

一句話把紫薇嚇了一跳，把爾康急得變色，把福倫也驚得魂飛魄散了。

『皇阿瑪！您言重了！』紫薇惶恐的說。

『紫薇，妳就不要掃大家的興了！』小燕子嚷嚷著：『皇阿瑪說過，我們兩個，是皇阿瑪的左右手，那有人出門不帶左右手的道理？』

『哈哈！』乾隆大笑：『小燕子這話說得有理！那有人出門把手留在家裡的？』

『皇阿瑪，您放心，』爾康趕緊說：『家裡又是嬤嬤又是奶娘，還有我額娘親自照顧，東兒被保護得好好的，實在用不著紫薇管。皇阿瑪的這隻手，是跟定皇阿瑪了！』

『這才像話！』乾隆笑了。

紫薇沒轍了，只得點頭。心裡，可是千千萬萬個無可奈何。

這晚，從宮裡回到學士府，時間已經晚了，東兒偎在福晉的懷裡睡著了。紫薇看著熟睡的東兒，離愁就把她緊緊的纏住了。不忍把東兒交給奶娘，她抱著東兒，回到臥房，親著東兒睡得紅通通的臉頰，她幾乎是痛苦的說：

『東兒，對不起，額娘進宮一整天，都沒看到你。你有沒有想額娘？額娘可是時時刻刻在想你啊！跟皇阿瑪去江南，一定很好玩，但是，要跟你分開那麼久，不是要我的命嗎？』

爾康仔細的注視紫薇和東兒，心裡有著感動，也有著疑惑。

『紫薇，東兒在妳心裡，眞的比什麼都重要嗎？比皇阿瑪都重要嗎？』

紫薇想了想，誠實的回答：

『這是不能比的，東兒還是個嬰兒，這麼脆弱，這麼小，一點生活能力都沒有，他需要我！皇阿瑪是個大人，又是個皇帝，他身邊包圍著無數有本領的人，他呼風喚雨，什麼都有，缺我一個，只是有些遺憾而已。當然……是東兒重要。』

『那麼，我呢？我和東兒，誰在妳心裡比較重？』爾康追問。

『爾康，你總不會跟自己的兒子吃醋吧？』紫薇驚奇的看爾康。

爾康眼中漾著笑意，深深切切的盯著她，煞有其事的說：

『確實會啊！總覺得，自從有了東兒，妳就變了。我再也不是妳心裡的「唯一」了。妳整天想的都是孩子，念的都是孩子，抱的都是孩子，牽牽掛掛的，都是孩子……我不知道，我在妳和東兒之間，還有沒有容身之地？』

紫薇睜大眼睛，不可思議的問：

『你在說笑話吧？』

『不！我說眞的！』爾康答得一本正經。

紫薇心中一顫，把孩子放在床上，走到爾康身邊，雙手放在他的肩上，定定的看著他。

『讓我告訴你，我爲什麼這麼愛東兒？因爲，他是我和你的！我在他的臉上，看到你的眼睛，你的眼神，你的笑，你的淚……他是另外一個你，這個你好小好小，身上有我們兩個的愛，以前總認爲愛很抽象，直到有了東兒，這才知道它是有形體有生命的！東兒凝聚了我們兩個的愛，是你給我的，最最神奇的禮物啊！』

爾康被這樣熱烈的紫薇，深深的感動了。

『是嗎？妳愛他，因爲妳愛我？』

『傻瓜！沒有你，那兒會有他？』紫薇摟住他：『怎麼會有像你這樣的人，去和兒子吃醋？難道你不愛他嗎？』

『我當然愛呀！但妳要答應我一件事。』

『什麼事？』

『妳想著東兒的時候要同時想起我，不可以想著東兒，就忘了我！』

紫薇凝視著爾康，發現他眼裡有著一種認眞的神色，這種神色，讓她驚顫了。或者，他眞的會跟東兒吃醋，或者，他眞的有失落感。或者，自己確實給東兒太多，疏忽了爾康。她拚命的思索，有些失措起來。就誠摯的，帶著幾分急促的說：

『你一直一直在我心上最重要的地方，那裡只有你和我，我心裡牽牽掛掛的，還是你！我常想，如果世上沒有你，我還會快樂嗎？如果我只有東兒，沒有你，我會滿足嗎？』她用力的搖搖頭：『不會的！你是不能取代的，什麼都不能取代的！你是我活下去的動力，我好愛好愛東兒，那是因爲他是你的兒子，我眞的很愛很愛你。』

爾康聽到她這樣的話，即使他們已經結婚好幾年了，他仍然會心跳加快。他忍不住把她一把抱進懷裡，非常懇切的說：

『妳帶給我的幸福，實在太大了！我是逗妳的，我怎麼會和東兒吃醋呢？看到妳這樣愛東兒，讓我常常陷在震撼裡！我不知道妳有多少用不完的愛？妳眞的讓我不能不愛妳！也因爲我這樣愛妳，有時，好怕和妳分開！我知道，離開東兒，對妳是件殘忍的事，但是，讓我離開妳，也是一件殘忍的事。所以，妳還是勉爲其難，跟我們一起下江南吧！』

紫薇感動的點點頭。

爾康凝視著她，情不自禁，就俯頭纏纏綿綿的吻住她。

小燕子完全無法體會紫薇的母愛，她從來沒有當母親的經驗，弄不清楚紫薇怎麼會把東兒看得比南巡還重要。但是，她瞭解簫劍對晴兒的相思，在南巡出發前，她忙得很，忙著要幫簫劍的忙，讓他有機會參加南巡的隊伍，還要安排他在行前，和晴兒見上一面。

因爲元宵節是出發南巡的前一日，大家要忙著第二天的出發，無法慶祝燈節。年初十，宮裡就提前過節，晚上，御花園裡就開始放煙火了。

這晚，簫劍進了宮，在漫天花雨中，和晴兒躲在藏書樓的後院，悄悄的見了面。本來，應該去永琪的景陽宮，但是，永琪和小燕子人緣太好，景陽宮是乾隆、太后、和幾位小阿哥格格最愛來的地方，實在有些不安全。

永琪早已把侍衛調開了，簫劍獨自在院中徘徊了許久，終於看到永琪和小燕子，帶著晴兒匆匆忙忙的奔來。

『你們趕快說話，把握時間，我們去把風！』小燕子把晴兒往簫劍身邊一推，就拉著永琪，跑到後院的門口去把風了。

小園中剩下簫劍和晴兒。四目相對，恍如隔世。簫劍凝視著晴兒，見她眼睛閃亮，跑得臉孔發紅，氣喘吁吁。眼底，又是害怕，又是期待，又是嬌羞，又是狂熱……晴兒這種能夠訴說幾千幾萬種情緒的眼光，每次都會把他所有的壯志雄心，全體融化。他不由得奔上前去，把她的手緊緊一握。

『晴兒，見妳一面，眞是難如登天！』

晴兒四面看看，緊張得不得了，被簫劍握住的手，微微震顫著。

『我覺得這樣很不好，給老佛爺發現，我一定活不了！』

『可是，妳還是來了！』

晴兒抬頭看他一眼，又低下頭去。

『我明知道不對，還是跟著小燕子跑，自從認識你，我整個人都變了，其實，我……我不是那種姑娘……』

『不是那種姑娘？』簫劍緊緊的盯著她。

『不是那種隨隨便便的姑娘……』晴兒吶吶的說：『我是很嚴肅的，平常連大笑都不敢的，我從來沒有做過這麼大膽的事……』

一朵煙火，在天空散開，無數散落的火星，跌落在晴兒的眼瞳裡，閃閃爍爍。

簫劍再也無法自持，緊握了她一下，積極的，熱烈的說：

『聽我說，我要進宮一次，實在不容易！我沒有時間慢慢來治好妳的犯罪感，消除妳的道德觀！自從在小燕子的婚禮上見到妳，我就著魔了！以前的瀟脫，都不知道跑到那兒去了？我知道，我們隔著這道宮牆，像是隔了千山萬水，未來是最渺茫的夢，但是，我還是不能不想妳！我只要妳一句話，妳對我有沒有同樣的感覺？如果有，銅牆鐵壁，我也要闖！妳，有沒有同樣的感覺？』

晴兒情不自禁，抬頭熱烈的看著他。

『到了這種時候，你還要問這樣的廢話！』

『那麼，我們兩個不能這樣拖下去了！我們現在，只有兩條路可走，一條是妳向老佛爺坦白，要求老佛爺，把妳指婚給我！』

『目前，這條路是走不通的！』晴兒哀懇的看著他：『請你再給我一點時間！』

『給妳多久？一眨眼，就四年了！為了妳，我在北京東晃西晃了四年，生活的重心全變了，什麼「兩腳踏翻塵世路，以天為蓋地為廬」，都成了廢話！生活裡剩下的，只有「等待」，這……』他痛苦的吸了口氣：『實在不是我要的日子！』

『對不起！』

『別跟我說對不起！如果妳真的對我有心，我們還有一條路！』

『你說！』

『這次皇上南巡，爾康千方百計，把我也報在隨行隊伍裡面。這樣，我和妳在路上有許多機會……』

他凝視著她，把她的手，往自己懷中緊緊一拉：『妳什麼都丟下，跟我走！』

晴兒整個人驚得一顫。

『你……你要我跟你逃走?』

『是!爾康、紫薇、永琪和小燕子都會幫我們,我們就遠走高飛吧!』

『可是……可是……這樣做,老佛爺會傷心的,我不能傷老佛爺的心!』

『到底,還是老佛爺在妳心裡,比我重!』簫劍有些生氣了。

晴兒心中一痛,傷心的凝視他,有口難言,眼淚就衝進眼眶。

簫劍頓時後悔了:

『我不該說這句話,我收回!妳有妳的立場,妳的難處!』

『我們或者還有機會,我希望老佛爺喜歡你,接受你,老佛爺雖然有些霸氣,但她老人家一直將我捧在手心上疼著,只要時機成熟,我就跟老佛爺坦白,好不好?』

簫劍沉痛的搖搖頭,忽然想起自己的身世,想起和乾隆之間的『殺父之仇』,頓時心煩意亂起來。

『妳的心我都懂,但是,我有許多事,是連妳都不知道的,我一直沒有時間,跟妳好好的談……妳的老佛爺如果明察秋毫,大概永遠不會接受我!』

晴兒驚怔著,簫劍這話是什麼意思?她還來不及細問,院子外面,忽然傳來小燕子重重的咳嗽聲,接著,就是容嬤嬤那高亢的聲音:

『老佛爺,這兒有個台階,您走好!綠娥,趕快給老佛爺照著路!燈籠舉高一點!老佛爺,這兒黑,您慢慢走……』

晴兒和簫劍,立即變色了。

院落外面的小燕子和永琪,也驚得一身冷汗。只見太后在皇后和容嬤嬤的攙扶下,尋尋覓覓的走了過來。後面跟著一排宮女，提著燈籠。太監再一排，也提著燈籠。照得四周，光亮無比。

『今晚的雜耍沒什麼意思，難怪老佛爺不愛看！』皇后說著。

『奇怪！這晴兒跑到那裡去了？』太后到處看。

小燕子趕緊湊在永琪耳邊說：

『不好！老佛爺過來了！趕快想辦法，別讓老佛爺撞個正著！』

『想辦法，想什麼辦法？』永琪急得團團轉。

永琪還在『想辦法』，太后等一行人已到眼前。情勢緊張，小燕子想也不想的衝了出去。一面給太后皇后請安，一面大聲的說：

『老佛爺吉祥！皇額娘吉祥！大家都吉祥！』

太后被突然從暗處竄出來的小燕子嚇了一大跳，拍著胸脯說：

『妳怎麼突然冒了出來？嚇我一跳！晴兒呢？有沒有跟妳在一起？』

『晴兒……晴兒……』小燕子支支吾吾的說著，眼睛望著樹梢，東張西望，忽然大叫：『什麼人？你躲在樹上幹什麼？』

小燕子一面大叫，一面飛身就上了樹梢。

太后、皇后、容嬤嬤和宮女太監們，全部驚愕的跟著小燕子往樹上看。

小燕子飛上樹梢，不料有隻大鳥，正在棲息。被小燕子所驚，發出『呱』的一聲大叫，噗喇喇的飛起。

小燕子再也想不到樹上有這隻鳥，驚得『哇』的一聲大叫，就從樹上摔落地。

『小燕子！』永琪一面喊著，一面奔出來接，已經遲了，小燕子摔在地上，哎喲哎喲哼哼。永琪趕緊把她拉起來。

『妳怎麼了？摔著沒有？不是練了好久的輕功嗎？在駱駝背上都能翻觔斗，怎麼還會摔下地？』

『哎喲哎喲！』小燕子揉揉這兒，揉揉那兒，驚魂未定：『樹上居然有隻大鳥，簡直是「一鳴驚人」，嚇得我差點「一命嗚呼」！還輕功呢？那兒來得及運功……』

『小燕子，』永琪驚喜的說：『妳連說了兩句成語耶！用得也恰到好處！』

太后狐疑的看看小燕子和永琪，再看看那棵樹。

『妳不是看到樹上有個人嗎？』太后問。

『有個人？』小燕子想了起來，急忙點頭：『是啊是啊！大概就是那隻鳥！』

『妳把一隻鳥看成一個人？我看，妳也該像皇阿瑪一樣，配一副西洋眼鏡戴戴！』太后盯著小燕子說，語氣不太高興。

『嘿嘿！是啊！嘿嘿……』小燕子對著太后傻笑。

太后對著這樣的小燕子，眞是哭笑不得，一點辦法都沒有。她不以爲然的說：

『妳這個毛躁脾氣，一點改進都沒有！怪不得連一個孩子都保不住，如果肚子裡有消息，這一摔，又摔掉了，妳就不能像個福晉的樣子嗎？這樣下去，怎麼得了？永琪老大不小了，總得有個兒子，我看，還是早點納一個側福晉，再選幾個侍妾，爲日後「選秀立妃」作個準備！』

小燕子和永琪一驚，永琪就反射一般，衝口而出：

『什麼側福晉，什麼選秀立妃，老佛爺不要開玩笑了！』

太后一本正經的直視著兩人，鄭重的說：

『我一點也不開玩笑，這事，我和皇上已經商量好久了！』她看看皇后：『妳不是在幫忙物色嗎？』

皇后趕緊回答：『回老佛爺，還在慢慢挑呢！這事也不急，小燕子還年輕，今年一定會有好消息的！』說著，就對小燕子和永琪做了一個眼色，挽住太后。『咱們往那邊走！』指指另外一個方向：『說不定，晴兒已經在慈寧宮等您了！』

皇后和容嬤嬤就簇擁著太后而去。

簫劍和晴兒的一場私會，總算有驚無險的過關了。但是，這晚，在景陽宮的臥室裡面，小燕子卻陷進深深的沮喪裡。看著永琪，困惑又委屈的問：

『什麼「選秀麗妃」？是嫌我長得不夠「秀麗」，要給你再找幾個「秀麗」的妃子嗎？我雖然長得粗一點，不夠秀麗，也是你心甘情願娶進門的，現在要把我擺在一邊，給你再「選妃」，那我算什麼？』

『是「選秀女」「立妃子」的意思，不是嫌妳不夠秀麗！』永琪陪笑的說：『說「選妃」實在有語病，我只是阿哥，那有資格「選妃」？』

『沒資格也是這麼一回事，有資格也是這麼一回事，反正就是要給你再討幾個老婆，選妃就是選妃嘛，還要囉嗦什麼？』小燕子懊惱氣憤的說。

『好好好，隨妳怎麼說！』永琪苦笑。

『老佛爺就是不喜歡我，不管我怎麼努力，她就是不喜歡我！我說什麼，做什麼，全都「不合體統」、「沒規沒矩」，我真不懂，一定要能背書說成語才合體統，才有規矩嗎？』

永琪上前拉住她，堅定的看著她。

『妳要明白，「規矩」是皇室最基本也是最重要的規範，上自老佛爺、皇后、妃嬪，下至宮女，人人都要遵守，不合禮就是不懂規矩。有時，我也覺得挺受不了，一點自由呼吸的空間都沒有。直到妳飛入皇宮，什麼規矩都不懂，完全照自己的方式過活，妳的無拘無束、妳的自由奔放、妳的直言無懼，都是我最喜歡的地方，說眞的，我一點都不希望妳改變啊！』

小燕子感動得紅了眼眶。

『我知道你對我好，我也想爲你努力的背詩學成語，希望自己可以像紫薇和晴兒一樣四個字的說話，但是，我就是說不慣嘛！老佛爺又總愛挑我的毛病，每次決心要唸書了，一氣之下又跑去練武功，我眞的不是故意的。可是……可是……我再怎麼不好，你也不能去娶側福晉、侍妾、妃子呀！』

『我跟妳發誓，我心裡除了妳之外，再也容納不下任何人，我也不要側福晉什麼的，我只要妳一個。但是，老佛爺是說到做到的，今天又對我們說了一次，看來，這事兒已擱在老佛爺心上很久了。』

小燕子一聽，就方寸大亂起來。

『那……那要怎麼辦？』她掙脫永琪的手，在房間裡焦急的走來走去。下決心的說：『那好！我先去背你給我的《成語大全》，我把三千多個成語全背起來，我就一定能夠四個字、四個字的說話，到時候，老佛爺心裡一喜歡，就不會硬要幫你選妃了。』說著，她就衝到桌子前面，打開抽屜，把永琪寫的《成語大全》翻出來，說唸就唸。四年來，這本成語大全，隨時會被她翻一翻，都快翻爛了。

『哼！』她清清嗓子，朗聲的唸：『不亢不卑，是不抵抗，也不自卑的意思。』

『後面一半對了，前面不對。』永琪更正著：『這「不亢」的「亢」字是高傲的意思，整句就是：不高傲也不自卑的意思。小燕子，有進步喔！』

小燕子被永琪一誇讚，就得意起來，一笑，繼續唸著：

『不分青紅皂白，意思就是不會分綠色、紅色、皂莢，和白色。不過，不會分辨顏色和「皂莢」有什麼關係啊？』

『這「皂」字也是顏色的一種，是黑色之意。』永琪解釋。

『可是，不會分辨顏色，這句話到底有什麼意思？』

『當然有意思囉！妳想想，顏色都分不清楚了，那麼，怎麼可能分辨其他的事？所以啊！「不分青紅皀白」就是不辨是非曲直的意思，如此一來，也就無法理解事情的眞相了。』

『是這樣的啊！』小燕子恍然大悟，眼睛一轉，像說京劇道白般說著：『老佛爺「不分青紅皀白」，小燕子就倒大楣也！』

永琪噗哧一笑。小燕子再翻頁。

『不由自主，就是不可以由自己作主。』

『意思差不多，往深一層解釋就是，由不得自己作主，自己控制不住自己的意思。』

小燕子朝永琪一笑，轉動著靈活的眼珠，說：

『永琪「不由自主」的想選妃，小燕子「不由自主」的想打人。』

永琪不禁大笑起來：

『妳這句子既不通順，意思也不對。應該是：老佛爺「不由自主」要為永琪選妃，永琪「不由自主」的奔向小燕子。這樣才對嘛！』

『是嗎？是嗎？我才不信呢！』小燕子噘起嘴。

永琪把她拉進懷中，用胳臂擁著她，鄭重的說：

『妳就是我的一切，什麼榮華富貴都比不上一個妳來得珍貴。』

他看到她明眸皓齒，巧笑嫣然，三分醋意，七分柔情，就有些意亂情迷。小燕子推開他，繼續拿起《成語大全》。

『不要打斷我，我要唸成語！』她唸著：『不亦樂乎、不甘示弱、不可救藥、不可思議、不倫不類、不屈不撓……唉！』她瞪著成語大全，自言自語：『永琪選妃，不亦樂乎！小燕子不甘示弱，背成語背得不可救藥，笨得不可思議，解得不倫不類，還好不屈不撓……』

永琪越聽越驚奇，怎能說小燕子毫無進步呢？她非但能夠唸出這些成語，還能活用這些成語了。這四年，她的努力是有目共睹的，只怪太后卻看不出來。他心裡感動，忍不住把她一抱：

『小燕子，妳眞聰明。妳讓我「不由自主」「不能不愛」。別唸成語了，我們先惡補另外一項更重要的功課吧！』

『還有更重要的功課？』小燕子一驚。

永琪一低頭，吻著她的唇，再在她耳邊低語：『趕快生個孩子啊！』

小燕子又羞又笑，情不自禁的摟住他的脖子，反應著他的吻。然後，兩人吃吃笑著，雙雙滾上床。

4

乾隆三十年正月十六日。

車隊、儀隊、馬隊、侍衛隊……浩浩蕩蕩的停在宮門前。

太后、乾隆、皇后、令妃、永琪、小燕子、紫薇、爾康、晴兒、簫劍、福倫和眾多隨行的宮女太監們……正在上車的上車，上馬的上馬，宮女嬤嬤太監們還在奔前奔後的爲自家主子遞上箱籠物品。送行的文武百官，列隊在白玉橋上，等著送行。太后嬪妃們，這個掉了釵環，那個掉了帕子，場面又是熱鬧，又是興奮，又是緊張。

太后在一群人的前呼後擁下上了一輛車，晴兒跟在後面。

簫劍、爾康、永琪都上了馬，簫劍忍不住回頭看晴兒。

晴兒和簫劍四目一接，就閃神了。

容嬤嬤扶著皇后，上了另一輛車。

乾隆也在眾人簇擁下，準備上車。上車前，忽然站住。想了想說：

『朕先陪老佛爺坐車，坐一段再換車吧！來！』嚷著：『小燕子！紫薇，妳們兩個也來，陪著朕和老佛爺！』

小燕子和紫薇剛剛上了另一輛車，聽到乾隆的呼喚，急忙下車。奔向前面。

『來了！來了！』兩位格格不住口的應著。

小燕子猛然站住，摸摸自己的腰和口袋，忽然掉頭就往宮門裡面跑，對紫薇喊：

『糟糕！忘了一件很重要的東西！我回去拿！』

『不要拿了，大家都在等我們了！』紫薇急呼。

小燕子早已像箭一般的衝進宮裡去了。

永琪和爾康在馬背上，看得一驚。

『五阿哥，這怎麼辦？總不能讓皇上等她吧！』爾康著急的問。這些年，爾康在皇室眾人面前，都喊永琪五阿哥，私下裡，才直呼名字。永琪的地位，越來越尊貴，他們兩個感情再好，宮裡的禮數，還是不能不顧。

『我去把她追回來！』

永琪翻身落馬，也像箭一般的追去了。

小燕子衝進了臥室，一陣翻箱倒櫃，永琪跟著衝了進來。明月彩霞看得發呆。

『忘了什麼？不要拿了！快走！』永琪去拉小燕子。

『不行！不行！一定要拿！這東西太重要了……我放在那兒了？』小燕子拚命找，衣服帕子被她拉了一地。

『格格在找什麼？我們也來找！』明月和彩霞也急急幫忙，大家翻箱倒櫃。

小燕子找到了自己的鞭子，急忙纏在腰間。

『鞭子啊？這也值得回來拿！』

『不是鞭子，還有更重要的東西……』她忽然喜悅的大喊：『找到了！找到了！』她拿出一個錦盒，打開來，原來是乾隆給她的那塊免死金牌！她一把抓起金牌，揚起眉毛說：『皇阿瑪給我的免死金牌！這一路，會不會掉腦袋，誰都不知道，還是帶著比較好！』說著，就把金牌揣進懷裡。

『哎喲！小燕子……』永琪驚出一身冷汗。『我早晚會被妳嚇死，到時候連免死金牌都救不了！皇阿瑪、老佛爺都在那兒等，妳居然在找這個！』

『呸呸呸！出發第一天，要說吉祥話，懂不懂？』小燕子連聲『呸』著，拉著永琪，腳不沾地的奔回隊伍。

站在廣場上送行的文武百官，妃嬪太監宮女們人人側目。車上、馬上……所有的人早已各就各位。大家目瞪口呆的看著永琪和小燕子直衝過來。

太后和乾隆從車窗伸頭往外看。太后不住的搖頭，問乾隆：

『皇帝，你瞧，這小燕子改好了嗎？我看她一點都沒變！這宮廷禮儀，她到底懂不懂？那有讓長輩在這兒等她的道理？』

『所謂江山易改本性難移，總要給她時間嘛！』乾隆儘管搖頭嘆氣，語氣還是縱容寵愛的。

小燕子終於奔到車子前面，眾宮女在外面推，許多手在裡面拉，小燕子跳上車。一面喘著氣，一面對太后乾隆打躬作揖帶請安：

『皇阿瑪，老佛爺！對不起！對不起……』

『好了！好了！趕快坐定吧！』

小燕子擠到紫薇和晴兒的中間坐下。

紫薇拍著胸口，晴兒搖著頭，小燕子訕訕的笑。

永琪回到前面，飛身上馬。簫劍對他搖搖頭，眼裡帶著無奈的笑意，這個妹妹，真虧永琪受得了她！爾康策馬，前前後後的巡視，再看向乾隆。乾隆舉手示意。

爾康見一切就位，就快馬上前，對永琪說道：

『五阿哥！可以出發了！』

永琪舉手，大聲說道：

『出發！』

浩浩蕩蕩的隊伍，往前動了起來。

大殿前，文武百官全部躬身。朗聲高呼：

『奴才恭送皇上老佛爺，一路平安！』

無數的太監宮女妃嬪們，全部跪了下去，驚天動地的喊著：

『皇上一路吉祥！老佛爺一路吉祥！各位娘娘一路吉祥！各位阿哥格格一路吉祥……』

就在這一路吉祥聲中，馬蹄聲，車輪聲，腳步聲響起。儀隊、車隊、馬隊、衛隊，浩浩蕩蕩的前進。

旗海飄揚，馬蹄雜沓，車輪轆轆，腳步匆匆……乾隆的隊伍綿延不斷，煞是壯觀。出了城，郊外那撲鼻的青草和泥土味，就給大家帶來一陣清新的感覺。還是正月，大地還沒從隆冬中復甦，景致有些蕭索。但是，許多青草已經掙扎著想冒出頭來，枯黃的大地上，散播著東一片西一片的早綠。給『野火吹不盡，春風吹又生』的唐詩，寫下最清楚的註解。

太后看著窗外，不禁高興起來：

『出了城，空氣聞起來都不一樣了！』

『老佛爺不知道，今年出門比較早，如果是三月出來，到處都聞到花香呢！』紫薇笑著說，想起上次和乾隆『微服出巡』的經過。

晴兒不住伸頭往車子外面看，簫劍騎馬在外，也不住回頭往裡看。不知不覺，簫劍的馬，就傍著乾隆的馬車而行。紫薇和小燕子發現這個，兩人互視一眼，就趕快換位子，把晴兒換到窗邊去。

『不要這樣子，我坐那邊就好！』晴兒緊張的低聲說。

晴兒要躲，小燕子拚命推，三個姑娘推來推去。

『晴兒，妳今天怎麼啦？坐立不安的？』太后奇怪的問。

『回老佛爺，是……小燕子……』晴兒哼哼著。

『小燕子，妳又怎麼了？』乾隆奇怪的問。

『我……我……』小燕子笑著：『我們在看，有沒有蜜蜂蝴蝶……』

『我記得，妳們有一首歌……』乾隆想了起來：『什麼蝴蝶兒忙，蜜蜂也忙的，唱來聽聽！』乾隆說道。

三個姑娘彼此互看，開始唱歌。

車外，爾康、永琪、簫劍聽到車內的歌聲，依稀回到往日，不禁相視而笑。但是，簫劍的笑容帶著苦澀。爾康就催馬過去，和他並行。

『你跟晴兒談出結論嗎？這次南巡，如果有機會，要不要行動？』爾康低問。

簫劍沮喪的搖搖頭：

『晴兒不肯，她那個人，心地太善良，責任感太重。從小受著宮裡的教育，傳統的道德觀，早把她牢牢的鎖住了！她不像紫薇也不像小燕子，她是一個囚犯，是她自己的囚犯，除非她願意掙脫枷鎖，否則，永遠不能自由！』

爾康點頭，對於晴兒，他是深深瞭解的。簫劍說得不錯，晴兒是自己的囚犯！他暗中嘆息，不行！他不能坐視晴兒老死在皇宮裡，除非晴兒獲得幸福，他和紫薇才會沒有遺憾。

三位格格的歌聲清脆悠揚，傳進了皇后和容嬤嬤的車裡。皇后看看窗外，聽著歌聲，覺得這一切都好不眞實。這是自己嗎？往日種種，還在心底燒灼著。

『容嬤嬤，我不是在作夢吧！』她輕聲問。

『皇后娘娘，咱們早晚一炷香，總算感動了菩薩。您不是作夢，奴才給您賀喜了！多少年的等待，等到了今天，又可以和皇上一起出門！奴才會每天爲皇上燒香，爲娘娘燒香……還爲那兩位格格燒香！』

『容嬤嬤，妳知道嗎？』皇后誠心誠意的說：『我已經一點也不爲自己著想，我只想著皇上！但願皇上一路平平安安，福體健康，精神愉快，爲老百姓多做一些事，成爲眾望所歸！至於我和十二阿哥，我都不在意了！』

容嬤嬤含淚，感動而瞭解的拍著皇后的手，拚命點頭。

『奴才懂！奴才都懂！』

皇后不再是以前的皇后，她重生了。容嬤嬤跟著她，也重生了。

乾隆南巡，主要是從運河直下江南。但是，水路與水路之間，都要車車馬馬來接駁。這一路，實在是勞師動眾。隊伍所經之地，地方官都會帶著百姓，夾道歡呼。

這天，隊伍進入了山東境內，馬車外的景致有些荒涼。大隊人馬正在前進，就看到一隊馬隊，舉著旗幟，迎面而來。身先士卒的官員，身穿正二品官服，長得人高馬大，帶著武士，飛馬迎來。

『前面是什麼人？』福倫趕緊喊，伸手讓乾隆的隊伍停下。

來人帶著官兵和武士，全部滾鞍落馬，匍匐於地。

『卑職山東巡撫方式舟迎駕來遲！』官員謙卑的朗聲說道。

『原來我們已經到了山東境內了。方巡撫，請起！我帶你參見皇上！』爾康說。

爾康就帶著方式舟到了乾隆面前。方式舟行禮如儀：

『卑職方式舟參見皇上，參見老佛爺，接駕來遲，罪該萬死！』

『起來！起來！』乾隆心情良好的說：『剛剛才入境，你們就到了，怎麼還說「來遲」呢？不遲不遲，你帶路！咱們趕快上路吧！』

『喳！奴才遵命！』

方式舟起身，上馬，帶著精銳武士們前行。

整個隊伍跟著方式舟的隊伍前進。

隊伍進入小村莊，只見百姓們衣著光鮮，匍匐於地，夾道歡呼：

『皇上萬歲萬歲萬萬歲！老佛爺千歲千歲千千歲！皇后娘娘千歲千歲千千歲！阿哥格格千歲千歲千千歲……』

乾隆向百姓揮手，百姓更是歡呼雷動。

驀然間，在百姓群中，有一個中年人，衝出人群，對著乾隆的車子，飛奔而來。手裡高舉一份奏摺，是個長長的紙卷，沒命的大喊：

『皇上！請明察秋毫……爲老百姓作主啊……皇上……』

永琪、爾康、福倫、簫劍全部大驚。永琪大吼：

『什麼人？快保護皇上！』

四人趕緊策馬過來，保護著乾隆的馬車。

同時，方式舟一聲大喝：

『居然敢攔皇上的路，殺了他！』

方式舟的手下，幾個身手不凡的武士就飛身而起，直撲攔路人。

爾康急忙阻止，大喊：

『慢著！不能殺……』

永琪也大喊：

『審問清楚，再殺不遲！』

說時遲，那時快，武士們已經捉住了攔路人，攔路人悽厲的喊著。

『皇上！百姓苦……百姓苦……百姓苦苦苦……』

只見一個武士，乾淨俐落的手起刀落，卡喳一聲，攔路人的腦袋已經滾落地。

隨著鮮血的四濺，百姓們發出驚呼。乾隆的車隊，也個個震驚。太后驚呼，皇后驚呼，令妃驚呼，小燕子驚呼……晴兒急忙把太后抱進懷裡，嚇得臉色發白。紫薇蒙住臉不敢看。

乾隆驟然變色。

小燕子再也忍不住，摸了摸腰間的鞭子，就從車窗裡飛了出去。喊著：

『大膽！老佛爺在此，你們居然敢當著老佛爺面前殺人！』

小燕子一面喊著，一面拔出腰間的鞭子，一鞭打向那個武士。武士大驚之下，倉卒應戰，舞著長劍還擊。這樣一來，永琪眞是怒不可遏。大叫：

『好呀，你敢和格格動手！』

永琪一劍劈了過去，其他幾個武士倉卒應戰。

簫劍一看不對，方式舟的武士，居然敢和阿哥格格動手，豈不是反了？而且個個身手不凡！擒賊要擒王，他拔劍在手，直奔方式舟。豈料，方式舟的武士，把他圍在中間，竟然和他也打了起來。刹那間，大家已經打成一團。

這樣一場混亂，驚得乾隆目瞪口呆。

地上，風吹著那張奏摺，一路捲走。

一個方式舟的武士，迅速的衝上前去，彎腰去撿那張奏摺。

爾康眼觀四面，耳聽八方，忽然長劍出手，直射向那張奏摺，把奏摺釘在地上。武士大驚，慌忙站起身子：

『額駙大人！奴才正要給皇上呈上去！』

『不用了！我來！』

爾康飛馳過去，拾起長劍和奏摺。

這時，簫劍一番猛攻，把武士們紛紛打退，一劍直指方式舟的咽喉：

『方大人！你到底在做什麼？你看看清楚，你的手下，在和誰動手？』

方式舟如夢初醒，這才反應過來，對武士們大喊：

『怎麼敢跟五阿哥和還珠格格動手，你們瘋了嗎？不要腦袋了？停止！停止！』

武士們長劍乒乒乓乓，落了一地，全部跪倒在地。齊聲大喊：

『五阿哥饒命！還珠格格饒命！』

方式舟撲奔乾隆面前，一跪落地。顫聲說道：

『奴才罪該萬死！沒有調教好手下，他們經驗不夠，這是第一次接駕，生怕皇上有閃失，全心要護駕……奴才殺了他們，給萬歲爺壓驚……』

乾隆惱怒的大聲說：

『還要殺人嗎？還沒殺夠？』

『是是是！』方式舟磕頭如搗蒜，想想不對，趕緊改口：『不是不是不是！奴才不殺人……奴才不敢了！萬歲爺息怒！』

乾隆皺皺眉頭，十分不悅：

『起來！不要再嚇到老佛爺！』

『是是是是是是……』

爾康已經拾起那張奏摺，策馬過來。把奏摺遞給乾隆：

『皇阿瑪！奏摺在這兒！不管那個人是什麼來路，爲這張奏摺已經送了命！看看奏摺，說不定眞有冤屈呢！』

乾隆接過奏摺，方式舟忍不住抬頭看。

晴兒、紫薇、太后、和車外的福倫、爾康、小燕子、永琪、簫劍等人，也都圍過來看。乾隆打開奏摺。不料，奏摺竟是一張白紙，什麼字都沒有。

『一張白紙？』乾隆瞪大眼睛。

『啊？一張白紙！』大家都驚奇不已。

方式舟趕緊奏道：

『啓稟皇上！奏摺顯然是假，皇上這次南巡，路線早就擬定，如果有人存心不良，攔路喊冤再下手，是最可能的辦法，卑職不能不防！』

乾隆看看方式舟，看看跪了一地的武士和老百姓，想到竟有刺客，心裡一寒，遊興全消，黯然的說：

『大家不要跪了，繼續向前走吧！』

方式舟和眾武士急忙謝恩起身。方式舟一個手勢，老百姓又夾道歡呼起來。

『皇上萬歲萬歲萬萬歲！老佛爺千歲千歲千千歲！各位娘娘千歲千千歲……』

乾隆不動聲色，把那張奏摺收進了衣袖裡。

5

這天，大家在方式舟的隆重接待下，住進了一棟畫棟雕梁的客棧裡。大家幾乎沒有休息，幾個小輩和福倫等，全部聚集在乾隆房裡，研究那張白紙奏摺。

乾隆背負著手，在書桌前走來走去，不時看著那張白紙沉思。

『皇上！臣覺得，這件事從頭到尾，都透著一股邪氣！怎麼有人攔路上書，準備的奏摺是一張白紙，這實在太奇怪了！』福倫忍不住說。

乾隆遲疑的看著眾人：

『你們覺得，那人眞的是刺客嗎？』

『皇阿瑪，這事一定有問題！方式舟下手的時候，我距離最近，那個人手上什麼武器都沒有！那有刺客不帶武器的！』永琪滿心的懷疑。

『就是！』爾康接口：『別說沒帶武器，他轉眼間就被抓住了，連抵抗都不會！如果是刺客，總應該有一身武功吧！所以，這絕對不是刺客！』

『皇阿瑪！這事要好好調查，那個攔路人，大概眞的有寃屈，就這麼莫名其妙送掉一條命！我們把方式舟抓起來，審問一下看看！』小燕子急沖沖的建議。

『小燕子就是沉不住氣！』乾隆瞬了小燕子一眼：『那能這麼莽撞？又沒證據，怎麼抓人？萬一方式舟忠心耿耿，一心就是保護朕的安全，難道朕就這樣不分青紅皀白，把一個忠臣給抓來審問？以後，還有誰敢對朕效忠？』

『對對！皇上考慮得確實有道理！』福倫說，眾大臣也忙不迭的點頭稱是。

這時，紫薇上前，拿起那張奏摺細看。

『如果有人想寫一篇奏摺，又知道自身難保，很怕奏摺落進壞人手裡，牽連更多無辜的生命，他會怎麼辦？』

大家都看紫薇。

『我聽說，有一種藥水，寫了字看不出來，要浸在水裡才看得出來！還有一種藥水，寫了字要用火烤才看得出來！』紫薇繼續說。

小燕子一拍手喊著：

『對呀！趕快……先拿到火盆上試試，再拿到水盆裡試試！我來！』

小燕子拿了奏摺就走，永琪趕緊把奏摺搶了過來。

『還是我來，交給妳，說不定就燒成灰了！』

大家想著小燕子的莽撞個性，都不禁失笑了。永琪就就急急忙忙，把白紙拿到火上去烤，烤了半天，什麼字跡都沒有。大家又對著那張白紙灑水，灑了半天，紫薇小心的拿起半濕的紙張，也是什麼字跡都沒有。

『火烤也沒用，水浸也沒用，眞的是一張無字天書呢！』永琪失望的說。

『其實，這張白紙嚴格說起來，根本不是一份奏摺，只是一張白紙卷……』紫薇深思的看著那張奏摺：『我看那個攔路人的樣子，也不是什麼有學問的人，要他寫一篇奏摺，大概也不容易吧！或者，這本來就是一張白紙，攔路人只是要用它引起皇阿瑪的注意，眞正的目的，是要見到皇阿瑪，再說出心裡的話！』

『如果是這樣，那就死無對證了！』乾隆嗒然若失。

爾康深邃的眼神，一直看著那張紙，眼前掠過方式舟的武士，飛身上前，彎腰去撿奏摺的畫面，不禁點頭說：

『還有一個可能，就是我釘住這張白紙的時候，奏摺已經被掉包了！』

大家全部點頭，都覺得這個可能也很大。

『反正，現在，這是一個解不開的疑團了！空白奏摺，什麼意義都沒有！』乾隆背負著手，走來走去。

『那也不見得！』紫薇忽然說，就拿著白紙看著：『皇阿瑪，我唸給您聽！』

大家都看著紫薇，紫薇就從容的、正色的唸了起來：

『皇上面前呈素封，奏摺從頭到尾空，應是不平說不盡，悲情全在不言中！』

乾隆驚看紫薇，大家也都驚看著她，全被她的機智和文采收服了。

『唸得好！朕這才知道，上面寫些什麼！』乾隆嘆賞的說。

『還沒完呢！這兒還有幾句！』紫薇又唸：『情長紙短費心神，奏摺無言勝有聲，萬語千言都是恨，兩字冤屈寫不成！』

『朕明白了！』乾隆一擊掌：『從明天起，大家都注意一點，路上有任何風吹草動，都不要放過！對那個方式舟，尤其要注意！好了，夜深了，大家散會吧！』

大家趕緊請安，退出房間。乾隆忽然喊：

『紫薇！』

紫薇站住了，爾康跟著站住。乾隆的眼光，溫柔的停駐在紫薇臉龐上。

『妳眞是朕的好女兒！朕以妳爲榮。』他頓了頓，深深看她：『自從進了山東境內，妳的眼神裡就充滿了心事，不要以爲朕是那麼薄情的人，朕已經命令隊伍，在進入濟南以前，先去千佛山下小住，朕要帶著妳和爾康，去祭妳的親娘！』

紫薇一聽，整個臉龐都發光起來，眼裡充滿了感動。驚喜萬狀的喊了一聲：

『皇阿瑪！』

隨著這聲喊，紫薇就忘形的撲進乾隆懷裡，乾隆憐惜的拍著她。遺憾的說：

『只是，朕還是沒有辦法，把妳娘遷葬到皇陵去。』

『我瞭解，我想，我娘和我，都不會在乎這個。』

爾康站在一邊，看著這樣的父女，看著冰雪聰明的紫薇，深受感動。

雨荷的墳墓，早已重修過了，十分考究，墓碑上刻著『先母夏雨荷之墓，不孝女紫薇敬立』。

乾隆帶著紫薇、爾康、小燕子、簫劍、晴兒、福倫等人，一清早就來祭雨荷。墓前，滿滿的祭品，雞鴨魚肉，新鮮水果，和無數的鮮花。十幾個和尙，手持木魚，繞著墳墓，不斷誦經。

乾隆手持一杯酒，在墓前祭奠。爾康紫薇站在乾隆身後，小燕子、永琪、簫劍、晴兒站在紫薇身後，大家感動的看著。

福倫帶著皇家衛隊，很小心的在四周巡視。

方式舟帶著他的精銳的武士，也很小心的巡視。

和尚誦經告一段落，乾隆就看著墳墓，誠摯的，充滿感性的說：

『雨荷，沒想到當初跟妳匆匆一別，就二十幾年了，臨別時對妳的承諾，都成了空話，現在想要彌補，看到的卻是妳的墳墓！朕心裡的愧疚和遺憾，實在不是幾句話可以說完的！謝謝妳給了朕一個紫薇，妳不知道她帶給朕多大的震撼！感謝上蒼，我們的一番相遇，在紫薇和小燕子身上，讓朕看到了意義！朕一直相信，人間的愛，不會因爲死亡而結束，天若有情，不論是天上人間，雨荷，但願我們有緣再聚！』

乾隆祭完酒，紫薇上前燒香。聽了乾隆一篇話，她早已感動得一塌糊塗。

『娘！您的遺言，我都做到了！我認了爹，現在，也成親做了娘，對於您栽培我，愛我的一份心，有了更深刻的體會。娘！我現在過得很好，什麼都不缺了，最遺憾的，就是沒有您在……好多貼心的話，沒有親娘可以說……』說著就落淚了。

爾康看到紫薇這樣，一個激動，捧香上前，誠心誠意的說：

『額娘！我是爾康，您生前從來沒有認識過我，但是，您是我這一生，最感激的一個人！如果沒有您的拉拔和教育，怎麼會有一個冰雪聰明的紫薇？額娘，請您放心的安息吧！紫薇以後有我了，我會看著她，守著她，愛著她，一生一世！不，正像皇阿瑪說的，愛不會因爲死亡而結束，那麼，我和紫薇，是生生世世的！』

小燕子聽得好感動，抬頭看永琪：

『我太感動了！』就抽抽鼻子說：『永琪，人家爾康說得那麼好，你從來沒有說那麼好聽的話給我聽！』

『是！我現在說，我跟妳，也是生生世世的！』永琪趕緊接口。

『你學爾康，難道你自己就沒有句子嗎？』

簫劍看看晴兒，心裡充滿了難言的感慨，一嘆，深刻的說：

『爾康說得太好，對天下有情人而言，什麼誓言能夠超過「生生世世」呢！一生的承諾都太渺小了，愛到深處，眞想超越時空，生生世世在一起！』簫劍說著，眼光看著晴兒。

晴兒一震，痛楚的低語：

『就怕一生一世都是妄想，那兒敢再奢求生生世世？』

簫劍呆住了，深受震撼。小燕子、永琪、爾康和紫薇，深知兩人的無奈，都跟著沉重同情起來。

這時，那十幾個和尚又開始繞著墳墓唸經，越唸經越逼近乾隆，其中一個老和尚，就在走到乾隆面前時，突然大喊出聲：

『皇上！你的百姓都快餓死了！活人都沒有東西吃，皇上還在這兒大魚大肉祭死人？你知不知道鄒縣、平陰、蘭山的老百姓都在吃草根樹皮？』

和尚這樣一喊，大家全部驚動，乾隆大驚。

『什麼？老百姓在吃草根樹皮？』

方式舟一聽不對，衝上前來，大喊：

『這個該死的禿驢！妖言惑眾！一派胡言亂語，把他抓起來！』

幾個武士，就近一把抓住了和尚，死命的拖走。和尚大喊：

『皇上！老百姓民不聊生，皇上還有興致遊山玩水嗎？』

『該死！你敢對皇上不敬！』

武士一拳打過去，爾康早有防備，立刻飛身而起，衝上前去擋住和尚，接住這一拳，按住了武士的手。

『住手！你們幹什麼？又想殺人滅口嗎？』

和尚不顧一切，淒厲的喊著：

『皇上！皇上！看看你的老百姓，救救你的老百姓……』

幾個武士，蠢蠢欲動，都去摸腰上的佩劍。永琪給了簫劍一個眼光，兩人也飛身上前，擋在眾武士前面。永琪大喊：

『皇上沒有命令，誰也不許動手！』

爾康把武士摔倒在地，直衝到方式舟的面前，掄劍一攔。義正辭嚴的喊：

『方大人！皇阿瑪這次南巡，目的就是和老百姓接近，要聽聽百姓的聲音，你三番兩次，攔住百姓，到底是為了什麼？』

方式舟一聽，不勝惶恐，急促的喊：

『額駙大人言重了，冤枉奴才啊！』

小燕子和福倫，就護在乾隆、紫薇、晴兒身前。乾隆對和尚喊道：

『有什麼話？快說清楚！誰也不許攔他！』

和尚立刻匍匐於地，哀聲喊：

『皇上！老百姓苦啊！多少爹娘在賣孩子，多少老人餓死在家，山東在鬧旱災，難道皇上不知道嗎？』

頓時間，所有的和尚也都匍匐於地，對乾隆不住磕頭。

『旱災？旱災不是去年的事嗎？福倫！』乾隆驚喊。

『臣在！』福倫急忙上前。

『去年，朝廷不是撥了大筆款項賑災嗎？』乾隆問。

『是！確實撥了大筆款項賑災，還撥了幾萬石的糧食，數字臣記不清了！』

這時，方式舟往前一衝，對著乾隆跪下了。懇切的，熱淚盈眶的說：

『皇上請息怒！鄒縣、平陰一帶，確實在鬧旱災，奴才已經發放了糧食在賑災，皇上這次是帶著老佛爺出門，奴才怎樣也不敢讓這樣的消息，破壞了老佛爺和皇上的心情，這才沒有奏明皇上！但是，請皇上相信奴才，鄒縣一帶，災情並不嚴重！現在還沒開春，天寒地凍，農作物當然沒收成。等到開春了，一切都會好轉。請皇上放心，千萬不要驚擾到老佛爺！』

方式舟說得誠誠懇懇，合情合理，乾隆怔住了。

紫薇把乾隆拉到一邊，低聲說：

『皇阿瑪！方巡撫說得有理，如果事情不嚴重，千萬不要驚擾到老佛爺！我想，讓方巡撫先回客棧，去陪著老佛爺，我們有車有馬，不妨到附近走走！我們雖然沒辦法去鄒縣，但是，這山東的土地，都連在一塊兒，總不會這一塊鬧旱災，那一塊大豐收吧！』

乾隆明白了，大聲吩咐：

『福倫，你陪方大人一起回去照顧老佛爺！讓孩子們陪著朕，朕還要在這兒和雨荷說說話！』

『是！』福倫心領神會，大聲應著：『臣會「陪著」方大人，保護老佛爺和娘娘，皇上放心！』

方式舟一臉的不安，卻只得拱手說：

『臣遵旨！』

乾隆這一趟名副其實的『微服私訪』，把這個整天生活在錦衣玉食中的皇帝，陷進了空前的震驚裡。在宮裡，幾乎年年得到有關水災和旱災的信息，不過，他卻從來沒有親眼看過眞實的情形。這次，在簫劍、爾康的尋訪下，大家騎著馬，到了一處又一處的災區。原野上，土地都已龜裂，所有樹木，只剩下了枯枝，但是，卻有許多衣不蔽體，拖兒帶女的災民，在那兒挖著寸草不生的荒地，不知道在找尋什麼。乾隆身不由己，去看一個究竟。只見災民們身前放著籃子，籃子裡盛著一些枯草和灰白色的泥塊。

『你們在挖什麼東西？籃子裡是什麼？』紫薇驚愕的問一個形容枯槁的母親。

『挖不到草根，孩子快要餓死了，大家說，這種白色的泥塊煮一煮，也可以吃……不知道行不行？總比餓死好，先挖一點回去試試！』骨瘦如柴的母親，抱著骨瘦如柴的孩子，毫無表情的說，對於這群衣著光鮮的陌生人，也無動於衷。

紫薇低頭看了看籃子裡的泥塊，驚喊出聲：

『不行啊！這種泥塊裡大概有石灰，吃了會沒命的！趕快丟掉！』

小燕子一聽紫薇這樣說，趕緊拿起籃子，就把泥塊倒掉。

泥塊一落地，許多災民，就撲了過來搶泥塊。同時，那個母親大驚，發狂一般，抓住小燕子衣服的下襬，就大哭大鬧：

『我挖了半天，才挖到這麼一點點，妳給我倒掉了！我的孩子吃什麼？還給我……還給我……』

母親身邊的孩子放聲大哭，喊爹喊娘，場面慘烈。永琪急忙說：

『妳不要哭，不要吵！我們車上還有幾個饅頭，我去拿來！』

晴兒、簫劍、爾康、永琪就全部奔到馬車那兒，拿了饅頭、點心、和祭祀用的雞鴨魚肉奔來。邊奔邊喊：

『來了來了！這兒有吃的！大家過來分一分，先吃一點！』

剎那間，災民全部聚集過來，你爭我奪，一片混亂。大家七嘴八舌的吆喝著同伴，一邊搶一邊喊：

『有東西吃了！阿牛，阿土……老伴兒……爺爺……奶奶……爹……娘……快來吃啊！快來啊……有雞啊……鴨啊……菩薩來了啊……吃啊……快吃啊……』

乾隆、永琪、爾康、簫劍看得目瞪口呆。

這時，有一個婦人，抱著一個嬰兒，腳步蹣跚不穩，跌跌撞撞的走來，大概渾身無力，走了一半，就跌倒在地。嬰兒大哭，只見婦人用力咬破手指，把手指塞進嬰兒嘴裡。

乾隆走過去，驚愕的看著。

『妳給孩子吃什麼？』

婦人悽慘的回答：

『沒有奶水啊！我咬破手指，讓他吸我的血，可是……血也快沒有了……』婦人就在地上磕頭，哀求的顫聲喊：『菩薩……請賞一點東西吃……謝謝謝謝……』

乾隆大震，跟在乾隆身後的爾康、永琪也大驚失色，看得慘不忍睹。

爾康當機立斷：

『皇阿瑪！我快馬回客棧，把我們的糧食運來！五阿哥，簫劍，保護皇阿瑪！』

那天，乾隆忙到近中午，才趕回客棧，要陪老佛爺吃中膳。永琪、爾康和簫劍把乾隆送回客棧，就匆匆忙忙的離去了，他們還有事情要辦。

到了晌午，永琪等人還沒回來，太后早就餓了，大家就走進餐廳用膳。方巡撫不在，派了另外一位大臣作陪。

在餐桌上坐定，乾隆就呆了呆，只見滿桌子山珍海味，雞鴨魚肉。無數侍者，穿流不息的上菜。乳豬、烤鴨、炸鴿子、富貴雞……一一送上桌。

乾隆瞪著餐桌，面無表情。

小燕子和紫薇坐在一起，小燕子用手托著腮，瞪著桌上的山珍海味生大氣。礙著太后在場，不好發作。晴兒陪在太后身邊，臉色凝肅。

太后完全沒有進入狀況，心情良好的看著大家：

『大家多吃一點呀！難得方大人弄了這麼豐盛的酒席！』

乾隆哼了一聲，舉著筷子，食不知味。令妃拿著碗，給乾隆盛湯：

『皇上，這香菇雞湯，還算清淡，您嚐嚐！』

『皇上，累了一天，也該餓了，怎麼胃口不好啊？有沒有那兒不舒服？』皇后關心的看乾隆。

乾隆一肚子氣，被皇后這樣一問，就按捺不住，憤憤的接口：

『朕是不舒服！那兒都不舒服，心裡不舒服，胃裡不舒服，眼裡不舒服，全身上下，處處不舒服！』

『啊？這還得了？容嬤嬤，趕快宣太醫！』太后急呼。

『喳！』容嬤嬤轉身就要走。

『回來！』乾隆喊。

『喳！』容嬤嬤又趕快站住。

『老佛爺不要著急，兒子沒事！隨便說說而已……來！大家吃飯吧！』乾隆看看四周：『那位方巡撫到那兒去了？』

『回皇上，方大人還在張羅皇上的點心，說是等會兒就來，他好像忙得不得了！』福倫稟告。

乾隆哼了一聲，拿起飯碗，食不知味的扒了一口飯。大家有的瞭解，有的不解，吃得戰戰兢兢。紫薇看著桌上的菜，感慨萬千，忍不住說：

『這麼多的菜，雞鴨魚肉全都有！』就放下飯碗，難過的說：『我吃不下！』

紫薇這樣一來，小燕子更是情緒激動，碗筷竟然『砰』的一聲落在桌上。

『我也吃不下！』

太后、皇后、令妃、容嬤嬤等人都一驚，莫名其妙的看著這兩位格格。

『晴兒，她們兩個是怎麼了？』太后就問晴兒。

『是……是……』晴兒想著災民，滿臉不忍之色：『是有感而發吧！』

『有感？有什麼感？』太后想想，自以為瞭解了，看看乾隆又看看紫薇：『我明白了！紫薇，今天妳去上墳了，是不是？想著娘也算是有孝心，但是，這會兒，一家子都在吃飯，妳那些多愁善感，就暫時收起來吧！』

『老佛爺教訓得是！紫薇知錯了！』紫薇趕緊端起飯碗。

紫薇低頭吃飯，小燕子卻仍然情緒激動，看著那些山珍海味，就是無法下筷。

『小燕子，妳怎麼了？』令妃著急的問：『別這樣呀！是不是想起自己沒娘，跟著紫薇難過呢？老佛爺在，妳不要鬧彆扭，快吃吧！』

小燕子瞪著餐桌，衝口而出：

『這些菜……我看著這些菜就傷心、就痛心，就噁心……跟皇阿瑪一樣，渾身不舒服！』

那位作陪的大臣一聽，就惶恐的起身，趕緊對乾隆和小燕子躬身說：

『皇上格格請息怒！方大人知道今天的菜色不好，和皇宮裡的酒席不能比……還在想辦法，臣馬上吩咐廚房，再去添幾個菜……』

這一下，乾隆再也無法控制，桌子一拍，憤然起立，怒喊：

『福倫！你去把那位方大人請來，朕要問問清楚！』

『皇上……』福倫看看太后：『是不是先用膳，只怕……驚嚇到老佛爺……』

太后和皇后等人，看到乾隆發怒，個個驚疑不定。

乾隆掉頭看著太后，嚴肅的說：

『老佛爺，朕不能再瞞您了，朕是皇帝，您是太后，老百姓的苦，就是咱們的苦！您知道嗎？我們這兒正在大魚大肉，老百姓卻在用自己的鮮血餵孩子！去年賑災的糧食，不知道發放到那兒去了？』越說越氣：『快去把方式舟找來！』

『喳！臣去請！臣馬上去！』大臣慌忙躬身說。

福倫一個箭步上前，把大臣一把拉住。

『你不用去！我去！』

正在這個時候，永琪和爾康回來了，兩人行色匆匆，臉色凝重，雙雙大步進門來。永琪也顧不得太后在場，連請安都沒請，就激動的說：

『皇阿瑪！我們回來了，全城的災民，沒有人知道發放糧食的事，旱災從去年鬧到今年，早已民不聊生，城外鄭家村，幾乎全村的人都活活餓死了！』

太后、皇后等人大驚失色，乾隆更是怒不可遏。

爾康接著大聲稟告：

『皇阿瑪！我們帶了很多人回來，他們的說服力，比我們強！只怕驚擾了老佛爺！』

『帶進來！帶進來！』乾隆嚷著：『老佛爺和朕一樣，要知道事情的眞相！』

爾康就把房門大開。只見門外，簫劍帶著許多骨瘦如柴，衣不蔽體的災民，在那兒守候。災民們看到滿桌酒菜，聞到香味撲鼻，全部如瘋如狂，喊叫著衝進門來。有的老者，見乾隆等人衣著光鮮，不敢造次，就撲跪於地，哀號著：

『各位老爺，太太……賞口飯吃，我們都要餓死了！好久都沒吃過東西了……』

有的忍受不了菜香的誘惑，什麼都顧不得了，直奔那張餐桌，喊著叫著：

『有東西吃！哇……哇……有雞有鴨……天啊！菩薩啊……』

就有災民撲上桌，二話不說，用手抓著飯菜，狼吞虎嚥的塞進嘴裡。

太后、皇后、令妃嚇得擠在一塊兒，容嬤嬤護著三人，驚心動魄的看著。

『吃吃吃！大家儘管吃，慢慢吃，別噎著……』太后顫巍巍的說，從來沒有見過這樣的場面，震撼已極。

簫劍昂首進房，義憤塡膺的看著乾隆：

『皇上！我們都弄清楚了！原來，自從進了山東境內，咱們走過的路，都經過「方大人」的「清場」，小村莊也都經過「方大人」的「整容」！就連這兒，也是一樣！』簫劍說著，一抬頭，沒看到方式舟，急忙大聲問：『那個「方大人」在那兒？』

小燕子跳了起來，驚喊：

『不好！他一定看到苗頭不對，跑掉了！怪不得沒來吃飯……這種該死的貪官，不能讓他逃掉，我去追他！』

小燕子說著，就如箭一般，衝出門去。永琪轉身就追：

『妳到那兒去追？他家住在東山路……我跟妳一起去！』

『小燕子！我去，妳回來！』簫劍一面喊，一面跟著飛奔而去。

『阿瑪，這兒交給您了！您保護皇阿瑪，我去幫忙逮捕那個方大人！』爾康急忙對福倫說。跟著小燕子等人，也衝出了餐廳。

轉眼間，四個人全部跑了，剩下乾隆等人看著災民狼吞虎嚥。

6

確實，方式舟落跑了。

在雨荷墳前，方式舟已經知道大事不妙。乾隆凌厲的眼光，五阿哥爾康等人的敏銳，連那個文弱的紫薇格格，都不是省油的燈。所有作賊的人，都有心虛的地方。方式舟不是一般的小人物，他很工心計，是經過大陣仗，經過鬥爭傾軋，不擇手段，才有今天的地位。像他這樣的人，是不會倉卒逃亡的。可是，這次接駕，從攔路人現身，小燕子等人動手開始，他就感到背脊發冷，寒毛直豎。他深知乾隆的厲害，也早就有三十六計，走爲上計的打算。所以，當乾隆用膳時，他已經帶著兩輛馬車，裡面是他的家小和財物，再帶著一群武士，亡命天涯。那些武士，都有把柄揑在他的手裡，不能不從。

一行人向前疾奔。

忽然，後面煙塵大作，小燕子、永琪、簫劍在前，策馬狂奔。爾康帶著一隊衛隊在後，大家飛快的追了上來。簫劍大喊：

『方式舟！你果然是個大貪官，居然畏罪潛逃！我簫劍來也，看你往那兒跑？趕快投降！』

『方式舟！』小燕子追在最前面，大叫：『皇阿瑪已經佈下天羅地網捉拿你！你還敢逃？我小燕子要爲所有餓死的老百姓，向你討命！』

『不要再逃了！』永琪也喊著：『你跑不掉的，趕快跟我們去見皇阿瑪！』

『皇家侍衛在這兒，全是最好的高手，你作惡多端，死期已到，還不下馬認罪！』爾康更是威風凜凜，帶著的衛隊，個個精悍。

方式舟回頭一看，對武士們大喊：

『大家擋住他們！快上！』

那些武士，就揮舞著武器，掉頭對簫劍等人直衝過來。

『把那個假格格捉住帶走！』方式舟下令。

『想捉住我，你試試看！』

小燕子怒不可遏，一鞭子揮向方式舟，早有武士圍攻而來，她只好先和武士交手。雖然她這些年，工夫練得不錯，要和訓練有術的武士交手，還是有些捉襟見肘，何況寡不敵眾，幾下子，她在馬背上就坐不住了，只得翻身下馬，和武士奮戰。

永琪生怕小燕子有失，飛躍到小燕子身邊，保護著她，和幾個武士打得天翻地覆。永琪看到那些武士，居然再一次，膽敢和阿哥格格動手，實在太可疑了，大聲問：

『你們都不要命了嗎？我是五阿哥，這是還珠格格，你們爲什麼不效忠皇上，要效忠這個大貪官？趕快投降，或者可以饒你們死罪！』

永琪喊話中，一個武士長劍直逼他的面門，竟然武功了得。永琪大驚，不敢分心了，急忙應戰。小燕子大喊：

『不要跟他們講理了，全是「一兵之貓」，物以類聚！打呀！』

永琪手裡的長劍，舞得密不透風，心裡仍然一喜。小燕子的成語，確實進步了，把『一丘之貉』唸成『一兵之貓』是大家最愛的笑話之一，和她的『一鳥罵人』並列『小燕子語錄』裡的前幾條，她也常常用來『自嘲』一番。但是，那句『物以類聚』卻用得恰當之極。他心裡想著，手上不敢鬆懈，左刺右刺，前刺後刺，一連刺傷了好幾個敵人。

『五阿哥！』爾康大喊：『你保護小燕子，我帶人去圍堵那兩輛馬車！』

爾康就帶著幾個侍衛，直奔馬車，方式舟大驚，對武士們急喊：

『保護幾位夫人和少爺小姐……』

簫劍連續摔倒幾個圍攻的武士，直奔方式舟。大叫：

『爾康！你去抓那些「夫人、小姐、少爺」！這個方大人就交給我！』說著，就像大鳥般飛身而起，直撲方式舟，嘴裡大喊著：『你惡貫滿盈，我簫劍來也！』

方式舟抬頭一看，簫劍像隻大老鷹般從空中飛撲而下，大驚。正想奔逃，那兒來得及，簫劍已經落在方式舟的馬背上，馬兒長嘶，帶著二人狂奔。奔了一段，簫劍拉著方式舟的衣領一摔，方式舟落下馬背，一翻身，拔劍在手，和簫劍大打。

『不得了！原來你還會武功，真是深藏不露！你是何方妖孽……』簫劍嚷。

方式舟邊打邊喊：

『簫大俠！你又不是皇室的人，跟了我，我包你一生吃喝不盡，那個皇帝在宮裡，難道不是天天雞鴨魚肉嗎？災民跟你非親非故，中國人這麼多，死幾個沒關係，你何不跟我遠走江湖？』

『你想造反！死到臨頭，還沒有絲毫悔意！嘴裡說的不是人話，聽你這幾句話，是非不明，黑白不分，草菅人命……你簡直是死有餘辜！我簫劍非殺了你不可……你納命來吧！』

簫劍邊說邊打，招招凶狠，方式舟拚死迎戰，越打越是招架不住。

至於爾康，帶著衛隊，直撲馬車。雖然武士們圍著馬車，拚命保護，但是爾康勇不可當，侍衛又個個都是高手，武士們那兒打得過。只見爾康連續打倒幾個武士，忽然拔地而起，大喊：

『夫人！小姐！少爺……你們的好日子結束了！』

爾康手中的劍，用力的劈向馬車的車頂，回手再一劍刺向馬車夫，車夫落地，爾康揚劍再一劈，砍斷了馬車的韁繩，馬兒長嘶狂奔而去。那輛馬車怎麼禁得起這樣的折騰，頓時傾倒崩塌，方式舟的妻妻妾妾和孩子們全部滾落在地上，一片慘叫聲。

『式舟！快救我們呀！救命呀……』方妻尖聲哭喊。

方式舟聽到聲音，回頭一看，魂飛魄散。手裡的長劍落地，對簫劍一跪：

『簫大俠請饒命，我一人做事一人當！請不要殺我的老婆和孩子，他們什麼都不知道！』

簫劍看到方式舟投降了，就把長劍一收，回頭急喊：

『小燕子！永琪！不要再打了！我們把這個「方大人」押解回去吧！』

小燕子和永琪，已經把一群武士，打得東倒西歪。永琪就對一地的武士厲聲說：

『你們再不投降，難道要我一個一個殺了你們嗎？』

一個武士，這才跪地磕頭，哀聲說：

『我們都有把柄在方大人的手上，方大人會讓我們誅九族……』

『誅九族？豈有此理！天下只有一個人才能下令誅九族，他有什麼權力？』

小燕子抬頭一看，忽然大喊：

『哥！當心那個方式舟呀……』

原來，方式舟是詐降，乘簫劍收劍不防，忽然拾起地上的劍，閃電般直刺簫劍，嘴裡大喊：

『姓簫的，我跟你冤有頭債有主，總有一天會跟你算帳……』

方式舟說著，乘簫劍閃避，竟然飛躍上一匹馬背，策馬疾奔，捨妻子兒女而去。

方式舟的妻妻妾妾，一片尖叫：

『老爺……老爺……你不要我們了嗎？』

『爹！爹……』孩子們也呼天搶地。

方式舟卻頭也不回的策馬疾奔，邊跑邊喊：

『夫人……大難來時各自飛，我管不著你們了！』

小燕子簡直不敢相信，大喊：

『這個人狼心狗肺，居然連老婆和孩子的死活都不顧！』

小燕子從來沒有遇到過這麼狠心的人，太生氣了，不知道從那兒生出一股力量，奮不顧身的向前飛竄，居然一竄就竄到了方式舟的馬後，想也沒想，她長鞭一揮，一鞭纏上馬腿，再奮力一拉，馬兒哀號著撲跪在地，把方式舟掀在地上。

等到方式舟狼狽的爬起身，只見簫劍的長劍，抵在自己的咽喉上，永琪的長劍，抵在自己的腦門上，爾康的長劍，抵在自己的鼻梁上。那個『假格格』小燕子，正橫握著鞭子，威風凜凜的站在他前面，四周侍衛環侍。

方式舟這才知道插翅難飛，長劍落地，頓時磕頭如搗蒜，一疊連聲的喊：

『五阿哥饒命！還珠格格饒命！額駙大人饒命！簫大俠饒命……』

簫劍和永琪、爾康、小燕子互視，怎麼有這樣沒人品也沒格調的人呢？

『殺了這個人，會污了我的劍！我們把他交給皇上發落吧！』簫劍說。

當方式舟被捉拿到乾隆面前時，乾隆早已嚴審了當地所有官員，把方式舟的罪行都調查得一清二楚了，看到五花大綁，磕頭不止的方式舟，乾隆震怒已極的宣判：

『方式舟！你所有的罪行，朕已經一條一條的調查清楚了！你在山東據地為王，姦淫擄掠，無惡不作！還陷人於罪，逼迫武士為你賣命！貪污賑災的銀子糧食，害死無數的百姓，你把朕都陷於不仁不義的境地！今天你死有餘辜！福倫，爾康，把他押出去，立刻砍頭！就地正法！殺無赦！』

『臣遵旨！』

福倫和爾康，就押解著方式舟出門去，方式舟一路喊著：

『皇上，冤枉啊！皇上，饒命啊……皇上，臣也是有過大功的人，當初除過亂黨，抓過叛徒……也有功勞啊……』

兩天後，方式舟就伏法了。

那天，在城門口，真是熱鬧極了。老百姓連饑荒也忘了，大家都趕到城門口來看方式舟的人頭落地。這真是一次大快人心的『行刑』。

方式舟跪在斷頭台上，群眾們萬頭鑽動，聚集在台前，紛紛拿起石塊，丟向方式舟。大家群情激憤，喊聲震天：

『你這個貪官，給你一刀太便宜你！還我兒子的命來……』

『為我們死去的親人討命呀……打死他！打死他！打死他……』

無數的石頭，泥塊，瓦片……向方式舟扔去。

小燕子、永琪、簫劍、紫薇、爾康五個人，也在人群的一隅觀看著。紫薇本來是怎麼也不敢看的，小燕子卻興奮得不得了，一定親眼看到這個『惡貫滿盈』的人，得到報應。簫劍和永琪，也想目睹一次行刑，結果，五個人都來了。

『我從來沒有覺得「死刑」是正確的，只有這一次，我覺得這個方式舟，死一百次都太便宜了！』簫劍瞪著那個方式舟說。

『我也第一次，覺得皇阿瑪那一句「殺無赦」實在過癮！好高興是我們把他抓住的！沒有讓他捲款逃走！』小燕子說。

『聽說，』爾康說：『這濟南還有一個童謠，街頭巷尾都在唱，裡面有這樣兩句「金滿倉，銀滿倉，瘦了百姓肥了方！」』

『現在，』永琪接口：『總算是「金也空，銀也空，賠了腦袋事事空！」』

終於，行刑官高舉令旗，鼓聲大作。

『時辰到！準備行刑！』

群情激昂，個個伸長腦袋觀望。大家狂喊著：

『殺了他！殺了他！殺了他……』

方式舟的腦袋被按進凹槽裡。他兀自在那兒哀號：

『皇上！皇上！饒命啊……饒命啊……各位大人，趕快去問皇上，有沒有特赦令？饒命呀……我也建過功勳啊……』

『這個人還口口聲聲說他建過功勳，不知道是不是踐踏著別人的血來立自己的功？』簫劍沉吟著說，目不轉睛的看著那個方式舟。

『皇上有令，殺無赦！行刑！』行刑官的旗子一揮而下。

只見劊子手高舉的斧頭，對著方式舟的脖子直劈而下。

紫薇急忙轉頭，不敢看，爾康趕快把她的眼睛蒙住。

方式舟的人頭落地，群眾激動到了極點，簡直是沸騰狀態，大家跳著叫著，把帽子扔在空中，高呼『皇上萬歲萬歲萬萬歲』。簫劍心裡一抽，忽然想著，不知道當初乾隆處死自己的父親時，是不是也有這樣熱鬧的場面？老百姓是慶幸，還是悲哀呢？這樣想著，他的心就一路沉進了地底。這幾年來，他雖然拚命想忘掉自己和乾隆的血海深仇，只是力不從心。每次想到身世，都不免在腦海裡勾畫父親被砍頭的場面，直到這次親眼看到砍頭，才瞭解刑場是怎麼一回事。他一方面，爲那個『文字獄』送命的父親，陷進深深的悲哀裡。另一方面，也爲這個貪贓枉法的大奸臣方式舟的送命，感到大快人心。對於這次幫著乾隆『除惡』，還頗有一份榮譽感。如果乾隆不曾殺掉自己的父親，說不定，他會效忠這個皇帝吧！但是，對於已經發生過的事，人生沒有『如果』。

處死方式舟，這是乾隆這次南巡的第一件大事。這件事，給了乾隆很大的衝擊，也給了永琪、爾康、小燕子、紫薇、晴兒等人，很大的衝擊。給簫劍的衝擊，尤其巨大。他看著一路上親親愛愛的永琪和小燕子，心裡充滿了矛盾的痛楚，看著不知情的晴兒，只覺得自己越陷越深，前途也越來越渺茫。

接下來的一路，乾隆的隊伍，幾乎是一次『賑災之旅』。所有地方官都接到命令，把『迎駕』的排場省下來，把省下的銀子，發放給災民。至於沿路的糧倉，都爲山東百姓大開，江浙幾省，全部運了糧食來救急。乾隆的船隊，更是走走停停，隨時上岸察看民情，再把船上準備的糧食，送給沿途的災民。

這樣，一直到了江蘇境內，終於看到山明水秀，綠野平疇，水田裡，春耕的秧苗迎風招展，農民們一面工作，一面唱歌。這樣的景致，才讓乾隆有了笑容。爲了太后，他振作起來，把賑災的事，一一交代，就開始遊山玩水，陪著太后到處參觀。太后篤信佛教，幾乎逢廟必進，爲百姓祈福。至於小燕子，生性活潑樂觀，很快就把方式舟的事拋開了，又恢復了她的嘻嘻哈哈。沿途爲乾隆製造笑料，讓乾隆心境大開。

這天，乾隆等一行人，到了海寧境內。下船上岸，乾隆心情開朗了，和太后、晴兒、小燕子、紫薇一車。小燕子看到車窗外，簫劍不時的看進來，和晴兒眼光一接，又默默的掉頭而去。晴兒嗒然若失，簫劍愁眉不展，小燕子就著急起來。太后覺得有些異狀，忍不住也看看車外，那個氣宇軒昂的簫劍。

『小燕子，你們方家，除了妳哥哥，還有什麼人？』太后忽然問。

『什麼人都沒有了，只有我們兄妹兩個！』小燕子看看晴兒，就急促的坐到太后身邊，討好的說：『老佛爺，其實我哥哥好厲害，工夫好，身手好，人品好，學問也好。他還會唸詩，會吹奏好美的曲子，那些四個字四個字的成語，他說起來一點也不含糊，是個好能幹的人！他是我哥哥，您不要再把他看成「外人」嘛！』

小燕子說了一大串，晴兒莫名其妙就臉紅了。

『妳那個哥哥不是也很奇怪嗎？明明姓方，爲什麼又叫簫劍呢？這個姓也能改來改去嗎？』太后好奇的問。

『老佛爺，簫劍是指他身上那支簫和那把劍，本來只是一個綽號。簫劍和小燕子，家裡也是有名的望族，是書香門第，可惜沒落了。』晴兒怯怯的接口了。心裡，有著暗暗的希冀。

『說起來，這個簫劍也有一些怪脾氣！』乾隆也看了簫劍一眼：『朕多少次要給他一個官兒做，他說什麼都不要！瞧，現在他跟著隊伍，也只能用家屬的名義，不管怎樣，朕也可以給他一個侍衛的頭銜呀！』

『哦？不肯給朝廷效力，不要功名，那他想做什麼？』太后再問。

『我哥哥不是普通的人，他要自由，喜歡到東到西去流浪，他有一句詩「一簫一劍走江湖」，就是他要過的日子！』小燕子解釋。

不解釋還好，越解釋，太后越困惑。皺皺眉說：

『這種生活，怪不得娶不到媳婦！』不禁看著小燕子出神。當初，乾隆一意指婚，太后也被小燕子和紫薇收服了，就不曾細問過小燕子的身世，也沒調查過她的出生。反正是孤兒，在江湖中混大的，怎麼調查，都不是光彩的事，不如睜一眼，閉一眼，糊塗一點算了。可是，心底還是對於小燕子的身世，放心不下。『小燕子，妳家沒落了，總還有一些人吧？其他的人呢？』

小燕子衝口而出：

『死掉了！跟我爹娘一樣，通通都被「壞人」害死了！』

太后一驚，紫薇嚇了一跳。晴兒聞所未聞，睜大眼睛盯著小燕子看，乾隆也吃驚的看著小燕子。

『給壞人害死了？壞人是誰？怎麼以前都沒人告訴我？』太后驚問。

『是啊！小燕子，朕只知道妳爹娘都去世了，是被人害死的？怎麼害死的？』乾隆也驚問：『告訴朕，妳現在是朕的兒媳婦，朕為妳作主！』

紫薇一聽，可急壞了，這事怎能捅出來？這是天大的祕密呀！她急忙去拉小燕子的衣服，示意她不要再說。笑著打岔：

『其實，小燕子對那些事，也弄不清楚。』

『是呀是呀！反正都是過去的事了。』小燕子應著，看看紫薇。紫薇既然阻止她說，一定不該說，就機警的打住。

太后還想追問，紫薇拍拍小燕子：

『好不容易，咱們走出災區了，大家談一點輕鬆的不好嗎？小燕子，妳家那些古老的故事，就不要提了！』紫薇說著，就笑看乾隆：『皇阿瑪，到海寧了，我們今晚要住在那兒？』

乾隆精神一振：

『今晚啊？今晚住在陳家！海寧的陳邦直，是朕的老朋友了！他家那個「陳園」，比蘇州的幾家庭園，也差不了多少！』

陳邦直？紫薇精神也一振，這位陳邦直來頭不小，是乾隆多年的知交，情同兄弟。江湖中，還一直有個傳說，說乾隆本來是漢人，就是陳家的兒子，被太后掉包，抱進宮裡去撫養長大。當然，這些傳言毫無根據，都是街頭巷尾的穿鑿附會而已。但是，乾隆、太后和陳家的交情，就可想而知了。

果然，太后的精神也來了，興匆匆的說：

『是啊，上次南巡咱們也住在他們家！』突然想起什麼，看著乾隆：『皇帝！他們那「琴棋書畫」四個女兒，現在應該也長大了吧！我印象深刻呢！』

『琴棋書畫？』小燕子一怔，怎麼有人家剛好有四個女兒，取名『琴棋書畫』？

7

這晚，在陳家那畫棟雕梁的大廳裡，小燕子終於見識了『琴棋書畫』。

陳家從海寧城外，就大張旗鼓的迎接了乾隆。

進了大廳，丫頭們穿流不息，張羅著乾隆等人。大家剛剛坐定，陳邦直就把四個女兒喚了出來，獻寶似的，一排站在太后面前。這四個姑娘，個個亭亭玉立，長得明眸皓齒，美麗無比。四人站在那兒，簡直有種奪人的氣勢。就連永琪和爾康，從小在宮廷裡長大，看多了漂亮的姑娘，現在，也不禁對她們多看幾眼。不知道是不是江南的水好，氣候好，這四個姑娘，個個都是『眼如秋水，膚若凝脂』。

乾隆和太后、皇后、令妃等人，也看得呆住了。陳邦直呵呵笑著，一個一個的介紹過去：

『老佛爺，這就是我家四個小女，知琴、知棋、知書、知畫！』

四個少女，一個個給太后請安，每個都十分得體的說一句『老佛爺吉祥』。

太后眉開眼笑的注視著四個姑娘，讚不絕口：

『這海寧所有的靈氣，都讓你們陳家給佔盡了。怎麼會調教出這樣四個閨女來？皇帝，咱們家的格格，都輸給她們了！』

小燕子聽了，背脊本能的一挺，很不服氣，看看紫薇和晴兒。心想，我不如也就算了，這紫薇和晴兒，也不見得會輸呀！

『謝老佛爺誇獎！』陳邦直笑著道謝：『老佛爺這麼說，臣可不敢當！臣看到這次同行的三位格格，每一位都氣度高貴，靈氣逼人，都是人中之鳳呀！』

陳夫人看看小燕子、紫薇和晴兒，也跟著接口：

『可不是嗎？咱們家的閨女，小家子氣，沒法比了！』

『哈哈！』乾隆大笑起來：『紫薇和晴兒還不錯，我們這個小燕子格格，要用「靈氣逼人」四個字形容，就有些誇張了！老佛爺說得不錯，這陳家四位千金，才是鳳毛麟角，幾萬個裡也挑不出一個來的！』

小燕子悄悄問紫薇：

『鳳毛麟角是什麼東西？』

『就是鳳凰毛麒麟角，非常稀少和珍貴的意思。』紫薇也悄悄回答。

小燕子轉動眼珠，對那四個美女橫看豎看，看不出她們和『鳳凰毛，麒麟角』有什麼相似之處？既沒看到這個頭上有羽毛，也沒看到那個頭上有犄角，聽得糊裡糊塗。太后卻目不轉睛的打量著那四個美女，問陳邦直：

『你這四位千金，許了人家沒有？』

『回老佛爺，』陳邦直恭敬的回答：『知琴，知棋，知書都有人家了，只有知畫，還沒婆家！老佛爺是不是想給她說個媒？那就是她的福氣了！』

太后一聽，興致就來了，伸手拉住知畫的手，細細的看。

『知畫，妳多少歲啦？』

知畫迎視著太后，有些害羞，臉孔紅紅的，卻禮貌而大方的回答：

『回老佛爺，十七歲了！』

『平常唸些什麼書？』

『回老佛爺，知畫唸得不多，只唸了列女傳、四書、唐詩三百首、全宋詞……爹還教了資治通鑑和史記，爹說，中國人，不能不知道中國的歷史！』知畫從容不迫的回答。

太后驚訝的看著知畫，這個姑娘，是四個姐妹裡最出色的，眞是唇不點而紅，眉不畫而翠，聲音如出谷黃鶯。太后上看下看，越看越喜歡。

永琪聽到一個姑娘家，居然唸了這麼多書，實在驚奇，就不由自主的看了知畫一眼。偏偏小燕子轉頭過來看永琪，永琪這一眼，就完全看在小燕子眼裡。

『聽聽！這才是有家教的女兒。』太后讚歎著，忍不住也看了永琪一眼，情不自禁就脫口而出：『可惜……永琪……』太后想起小燕子在座，猛然嚥住了，出起神來：『唔，讓我仔細盤算盤算！』就看看陳家夫婦，忽然有些興奮：『這可是你們自己說的，要讓我給她作媒，如果我給她找了婆家，你們不可以賴啊！』

『老佛爺說那裡話？不管老佛爺說的是那家人家，都是陳家的光彩！』陳邦直誠心誠意的說。

『那麼，』太后熱心的盯著陳邦直：『我們愛新覺羅家怎樣？』

乾隆驚愕的看了太后一眼。永琪和小燕子一驚，大家都震動了，陳邦直夫婦更是手足無措起來。

『不知道老佛爺指的是誰？』陳邦直問。

『再說吧！』太后笑吟吟：『當著孩子的面，別讓她難爲情。這樣的好女兒，不能糟蹋了，好歹，要給她一個福晉當當……』說著，就再看了永琪和小燕子一眼：『我心裡已經有主意了！』

小燕子再笨，也瞭解了太后的意思。她的心，猛然一沉，就沉進了地底。

大廳的見面禮結束之後，小燕子和永琪回到陳家給他們安排的臥室裡。小燕子的臉色難看極了，爾康和紫薇不放心，陪著永琪一起進房。進了房間，小燕子就衝到床邊，氣呼呼的往床上一坐。

『小燕子！妳這是跟誰生氣？我從頭到尾，一句話都沒說！』永琪著急的說。

小燕子跳起身子，對永琪委屈的喊：

『你沒說，比說了還可惡！老佛爺才說要幫那個畫畫作媒，你的眼睛就盯著人家看！我知道，自從上次老佛爺說，要給你娶個側福晉還要選妃，你就心動了！現在，看到這麼漂亮，又這麼有學問的姑娘，你就「不由自主」「不亦樂乎」了！』

『那有那有？妳少冤我了！我坐在那兒，總不能什麼都不看，看一眼也錯了嗎？』永琪心裡也急，但是，總不能先被小燕子冤死。

『錯了！就是錯了！你一眼都不能看！』小燕子跳腳，任性的喊。

『妳怎麼這麼小心眼，這麼不講理！』永琪有些氣了。

小燕子心裡翻攪著痛楚和著急，太后那樣說，一定會有行動。知畫那麼優秀，比自己年輕，又比自己有學問，簡直是個大威脅！她唯一可以依賴的，就是永琪不變的愛，如果永琪也爲知畫動了心，她還有什麼？她每次都是這樣，心裡越著急，嘴裡越強硬，就對永琪紅著眼眶喊：

『我小心眼，我不講理，我壞，我不會唸那個「蜘蛛通通見」，什麼「全宋詞」「全唐詩」我是「通通看不見」！』

『資治通鑑！不是「蜘蛛通通見」！』永琪嘆氣更正。

『我管他什麼「通見」不「通見」！我反正「看不見」！我也不是鳳凰毛麒麟角，你把我休了算了！你去娶一大堆鳳凰毛喜鵲毛烏鴉毛孔雀毛，麒麟角水牛角大象角山羊角好了！』

『這說的是什麼話？』永琪瞪大眼睛喊，聽得匪夷所思。

『中國話，你聽不懂，就去聽鳳凰話好了！』

爾康聽小燕子說得稀奇，想笑，極力忍住，依然插了一句嘴：

『大象沒有角，只有象牙！』

小燕子一聽，眼淚立刻衝進了眼眶，含淚對爾康喊：

『我的大象就有角，行不行？』

爾康縮縮脖子，慌忙說：

『行行行！有角有角！』

永琪氣得臉紅脖子粗，瞪著小燕子直呼氣。每次都是這樣，事情還沒弄清楚，她就會敵我不分，亂發脾氣。幾年了，還是改不好。

紫薇再也看不下去了，上前拉住小燕子，婉轉的說：

『小燕子，妳實在有點過分耶！老佛爺也沒說什麼，永琪也沒說什麼，皇阿瑪也沒說什麼……妳就急著吃醋，是不是吃得太早了！』

『就是就是！』爾康接口：『依我看來，這事沒有那麼簡單！妳想想，以陳家在海寧的名望和地位，他們家的女兒，怎樣也不會輪到當側室。老佛爺就算有這個心，大概也開不了口！妳就不要亂生氣亂著急了！』

小燕子跺腳，問到紫薇臉上去：

『你們不要說得輕鬆，反正老佛爺不是要給爾康娶側福晉，如果今天，老佛爺是在動爾康的腦筋，爾康也在客廳和琴棋書畫眉來眼去，妳受得了還是受不了？』

這一下，永琪眞的生氣了，瞪著小燕子，聲音也大了：

『妳說我和誰眉來眼去？妳把我說得像個大色鬼一樣！我以爲，這幾年的夫妻生活，妳對我的人品總該有一些瞭解，妳也該有些進步，不是當初爲一個採蓮鬧得天翻地覆的小燕子了，但是，現在看來，妳一點進步都沒有，還越來越變本加厲了！』

小燕子氣得發抖，眼淚盈眶：

『好好好……好好好……是我沒進步，是我越來越壞，變笨又加什麼厲鬼的，你這樣罵我，這樣看不起我！我拚命唸成語，拚命學你們說話，拚命討老佛爺的歡心……到今天，換來你的一句「一點進步都沒有」！你變了，你的心已經變了……』說著說著，傷心已極，眼淚就奪眶而出了：『我明白了，我走！』

說完，對著門外衝去。

紫薇趕緊過去拉住，著急的說：

『這是怎麼一回事嘛！我們還在人家家裡作客，妳要到那裡去？如果給老佛爺知道，又要派妳的不是……五阿哥，你還不趕快過來拉她！』

『她愛去那裡去那裡！她不在乎老佛爺的看法，我一個人在乎，有什麼用？你們也看到了，到底是我錯還是她錯？』

『這種時候，以我的經驗，不是你錯，也算你錯，才能大事化小，小事化無！』爾康對永琪笑笑：『你想想看，如果小燕子不在乎你，她會這麼著急，這麼生氣嗎？千言萬語，不是一個「愛」字嗎？想想她的動機，你還有什麼理由生氣？』

爾康說到了重點，永琪臉色緩和下來，心裡已經柔軟了。但是，小燕子卻越想越委屈，眼淚就無法控制的往下掉，哽咽著喊：

『爾康！不用你幫我說情了，他看不起我，這也不是第一次了！我看，他巴不得把那些琴棋書畫通通娶進門，我這個沒進步的小燕子，自己飛掉算了！我那個「正福晉」，也讓給她們去！』

小燕子說完，打開房門，就衝出去了。

『五阿哥！你去追她！這事不能鬧，鬧大了，丟臉的還是小燕子！』爾康急喊。

『我才不要管她！隨她去鬧！』

紫薇急壞了，對永琪喊：

『怎麼隨她去鬧呢？上次跑到翰軒棋社，吃盡苦頭的事，你忘了嗎？這個海寧，又是個陌生城市！如果她跑丟了，皇阿瑪那兒怎麼交代？你真的不要她，不管她了嗎？快去快去！』

永琪一呆，前情往事，如在目前，他心裡一痛，拔腳對門外衝去。

永琪在陳園的湖邊，找到了小燕子。她獨自一個人坐在那兒，看著湖裡的幾隻鴛鴦發呆，生悶氣。永琪急急的趕過來，鬆了一口氣。走到她面前，他定定的看了她一會兒，見她頭也不抬，就訕訕的在她身邊坐下。

小燕子看到他來了，就把身子一移，坐開去。永琪也把身子一移，再擠過來。小燕子再一移，他也跟著一移。兩人移來移去，小燕子退無可退了，只得讓他坐著，他就祈諒的看著她，同時，去拉她的手。

『你不要理我！』小燕子色厲內荏。

『我不理妳我理誰？』永琪苦笑。

『你高興理誰就理誰！』

『唉！今晚，妳這個脾氣，發得確實沒什麼道理！那有這樣冤枉我的嘛！我不是跟妳發過好多誓嗎？除了妳，我心裡再也容不下別人。』永琪嘆氣，聲音溫柔。

『不要聽你花言巧語！』小燕子衝口而出。

永琪心裡一樂，開心的、驚喜的喊：

『小燕子，妳說了一個成語耶！花言巧語，用得對極了！』

小燕子聽到成語二字，更加委屈：

『我再也不要學成語，我再也不要為你做任何事！我再也不要讀那些書，你不要管我，讓我自生自滅好了！』

『自生自滅！』永琪又驚喜的嚷：『妳進步了！』

小燕子瞪大眼睛，跳起身子。

『我完了！我怎麼說話變成這個樣子了？』

永琪凝視她，四顧無人，就從她身後，一把抱住了她，熱情奔放的說：

『小燕子！我真的喜歡妳，好喜歡妳！不管是當初那個什麼成語都不會的妳，還是今天這個為了我，已經進步好多的妳！我看著妳學習，看著妳努力，心裡是充滿感動和感激的……剛剛在房裡，實在不應該說妳「一點進步都沒有」，那是氣話！今晚這場架，吵得好無聊……』想想，不知從何說起，放開小燕子，長嘆一聲：『唉！』

小燕子感動了，心裡的火氣，早就化成了一片溫柔，嘴裡卻依然倔強：

『你嘆氣幹嘛？反正你還是認為我不對！』

『妳對妳對！妳都對！』永琪慌忙接口：『今晚都是我不好，人家客廳裡站著四個美人，我就應該把眼睛閉起來，我不閉起來，居然還敢看人家！老佛爺要給美人作媒，我就應該把耳朵塞起來，我不塞起來，居然還敢在旁邊聽！戈戈紫宴曉發脾氣了，我就該認錯，我又不認錯，還敢辯嘴……』

永琪話沒說完，小燕子再也忍不住，噗哧一笑。

永琪看到她笑了，就輕聲說：

『妳「噗哧噗哧」，我是不是就可以「呼嚕呼嚕」了？』

小燕子想到從前，更是忍不住要笑，轉過身子，倚在他懷裡，仰頭看著他。

『你不要以為跟我打個馬虎眼，我就放過你了！不管怎樣，你就要像爾康當初拒絕娥皇女英一樣，不可以對那個畫畫動心！』

『是！我會跟老佛爺力爭，這件事，主權還在我，沒有人可以勉強我的！』

『不管她們是鳳凰毛喜鵲毛烏鴉毛孔雀毛，你都不可以要！』她又鄭重的叮囑。

永琪深深的盯著她，這種語言，只有小燕子會說。他愛的，不就是這樣的小燕子嗎？他凝視她，眞是愛之入骨，他鄭重的許諾：

『是！我只要燕子毛！』

小燕子又噗哧一笑，看到她淚痕未乾，笑容已經像盛開的花瓣一樣，在唇邊綻開，他的心臟一陣急跳，這個燕子毛，得來非易，他用整顆心來裝她都不夠了，那兒還能裝下別人？他把她往懷裡緊緊一帶，就俯頭纏纏綿綿的吻住了她。

小燕子是個樂觀派，有了永琪的保證，她就放心了，把知畫的威脅，暫時拋開。現在，她要操心的，不止自己，簫劍和晴兒才是她心裡的大問題。這晚，在暗沉沉的黑夜裡，她牽著晴兒的手，穿過花間小路，穿過樓台亭閣，在那陌生的『陳園』裡往一處疾奔。晴兒跑得氣喘吁吁，緊張得不得了，低聲的說：

『我不要去了，我覺得這樣不好，萬一老佛爺醒了，找不到我怎麼辦？我還是回去吧！』

『不行不行！我哥等了好久了，妳不要怕這個怕那個嘛！老佛爺已經睡下了，不會再爬起來的！妳不利用老佛爺睡覺的時間，妳就什麼機會都沒有了！』

小燕子一邊說著，一邊拉著晴兒，穿花拂柳，拐彎抹角，走過小橋，走過花台水榭，真是『庭院深深深幾許』！晴兒越走越害怕：

『這是那兒？等會兒迷路了，這是陳家，不是咱們宮裡！小燕子，我不去了，妳去跟他說，我實在走不開！』

『什麼話？不行！』小燕子拖著晴兒跑：『跟我來沒錯！有我保護妳，妳怕什麼？妳要讓我哥害相思病死掉嗎？』

兩人拖拖拉拉，往花木扶疏處跑。一個轉彎，兩人幾乎撞在一群人身上，晴兒大驚抬頭，只見陳夫人帶著琴、棋、書、畫四個小姐，幾個丫頭，提著燈籠，和皇后容嬤嬤迎面走來。在燈籠的照耀下，兩人連閃避的餘地都沒有。

『晴格格！』容嬤嬤驚喊，趕緊請安：『晴格格吉祥，還珠格格吉祥！』

『晴格格吉祥！還珠格格吉祥！』陳夫人和小姐們也趕緊請安。

『這麼晚了，兩位格格去那裡？』皇后驚愕的問，看晴兒：『老佛爺睡了嗎？』

晴兒狼狽的站在那兒，眞恨不得有個地洞可以鑽下去。

小燕子眼珠一轉，順口胡謅：

『這花園好漂亮，跟皇宮也差不多，我和晴兒，在這兒逛花園！』

『我們正陪著皇后娘娘，也在逛花園，』陳夫人立刻歡聲說：『那……我們一路走！天黑，沒燈籠容易摔跤！來！丫頭，照著路！』

『不不不！』小燕子急忙說：『妳們逛妳們的，我們逛我們的……』

晴兒看到容嬤嬤和皇后，已經嚇壞了，慌張的擺脫掉小燕子，急急的說：

『不不不！我跟陳夫人一起走！小燕子……我……我不陪妳了，我走走，就要回去照顧老佛爺！』

晴兒這樣一說，知琴就非常體貼的走過來，挽住晴兒的手。

『那麼，我陪晴格格！我們園子裡種了好多牡丹花，都有花苞了，要不要看？』

『是……是是……』晴兒囁嚅著，身不由己的跟著知琴走。

小燕子一籌莫展，急得臉紅脖子粗，不知是該跟大夥一起走，還是一個人走。正在猶豫中，容嬤嬤走過來，扶著小燕子說：

『格格一個人，逛什麼花園？黑糊糊的，那條小路不好走，又是假山又是石階的！還是跟我們一起去看牡丹花吧！』

『是啊是啊！咱們人多，在一塊兒比較好！』皇后也說。

知畫帶著滿臉眞摯的笑，奔過來，熱情的把小燕子一挽，嚷著說：

『格格要單獨逛花園，也好！娘，妳們去吧！讓知畫陪著小燕子格格！』

小燕子瞪著知畫那張美麗純眞的臉龐，心裡的醋罈子，一下子就打翻了，酸意直衝腦門。誰要跟妳逛花園？她回頭看看，想著在亭子裡苦等的簫劍，她眞是又氣又急又無奈，只得一跺腳說：

『算了算了！我們大家一路走！』

大家就嘻嘻哈哈向前走去。

小燕子不住回頭看。

在綠蔭深處的『綠漪亭』裡，簫劍正靠在柱子上，抬頭看著天空。天上的星星不多，月色卻非常好。『月明星稀，烏鵲南飛，繞樹三匝，何枝可依？』他心裡浮起古詩的句子，一嘆。看看毫無動靜的庭園，知道不會有人來了。小燕子的穿針引線，一定碰到了阻攔。他再一嘆，這樣被動的等待，在『期待』和『失望』中徘徊，四年裡，已經不知重複了多少次？這種日子，還要繼續下去嗎？他坐下，不由自主的拿出簫來，吹著。怕驚擾到陳家和皇室，他吹得很小聲，但是，他的簫聲婉轉清幽，仍然穿牆越戶而去。

在太后房裡，晴兒倚著窗檽，聽著簫聲，看著月亮，滿臉的震動和痛楚。簫劍吹奏的，是那首『你是風兒我是沙』。跟著小燕子和紫薇，她早已熟背了歌詞：『你是風兒我是沙，纏纏綿綿繞天涯！』她願意爲他變成風兒變成沙，跟著他，纏纏綿綿繞天涯，但是，她能嗎？

8

這天，乾隆在連日勘察海堤，聽取大臣們『防潮』計劃之後，終於有了一天假期，可以輕鬆一下了，就帶著小燕子、紫薇、晴兒、爾康、永琪、簫劍、知畫等年輕小輩，陪著太后去逛海寧的一個以奇石假山聞名的花園，陳邦直當然作陪。

花園裡，到處都是天然的太湖石，形形色色，千奇百怪。乾隆最愛這種石頭，不禁心花怒放，對年輕一輩解釋：

『看！這南方的假山，都很有意境！這兒跟蘇州的獅子林異曲同工，叫做「小小獅子林」。不錯吧？』

小燕子東張西望，納悶起來：

『小小獅子林，我一隻獅子也沒看到！』

『是啊！我也沒看到獅子！』太后難得和小燕子看法一致。

知畫立刻拉著太后的手，親熱而熱心的東指西指：

『回老佛爺，這兒的「獅子」不是眞的獅子，是指這些石頭，您看！那塊石頭像一隻睡著的獅子，那塊又像一隻坐著的獅子，那兒，是兩隻在打架的獅子！那邊，是一隻獅子的鼻子，那兒，又像一隻獅子的眼睛……』

『哦，原來是這樣，知畫這樣一解釋，看起來是有些像了。』太后恍然大悟。

小燕子歪著頭東看西看，對知畫的醋意，又油然而生，不服氣的說：

『我正看反看，前看後看，它們都不像獅子，像另外一種東西！』

永琪走在小燕子身邊，爲了討好小燕子，趕緊問：

『像什麼東西？』

『石頭！』小燕子大聲的回答：『就是石頭！大石頭，小石頭，長石頭，扁石頭，高石頭，矮石頭，胖石頭，瘦石頭……全是石頭！』

眾人鬨堂大笑。紫薇打了小燕子一下，笑著說：

『妳也發揮一下想像力好不好？這是一種意境，妳再看一下，就知道妙不可言了！』

『就是！』知畫接口：『正像陶淵明的詩，「此中有眞意，欲辯已忘言」。』

小燕子一楞，瞪著知畫：

『陶淵明的詩，妳脫口就唸出來了？這麼厲害！』

『哈哈哈哈！』乾隆大笑：『小燕子，妳也見識見識，什麼叫做大家閨秀！』

太后寵愛的看著知畫，一股喜歡得不得了的樣子，說：

『是啊！又一個晴兒。』就看著陳邦直問：『我實在喜歡你家的知畫，讓我帶進宮去，再幫她物色婆家，如何？』

『老佛爺看得起她，儘管帶去調教！就怕她太笨，讓老佛爺操心呢！』陳邦直驚喜的回答，一臉受寵若驚的樣子。

這還得了？如果知畫進宮，豈不成了永久的威脅？小燕子臉色一變，看了永琪一眼。永琪接觸到小燕子的眼光，生怕這場莫名其妙的戰爭再起，趕緊掉頭去看風景。爾康看到兩人如此，急忙轉變太后的話題，就指著山山水水說：

『皇阿瑪！您看，這湖光山色，美不勝收！』

乾隆興致來了，看著年輕一輩說：

『你們幾個，好像個個有文采，來比賽一下，聯句作詩如何？』

『聯句作詩？好呀！限韻嗎？』爾康問。

『就用「東」字韻好了！你們就以這春光爛漫，庭園景致爲主題！』乾隆說。

聯句作詩？永琪心裡一慌，這不是要小燕子的命嗎？他看看小燕子，急忙說：

『不要太難，不要論對仗，我看……這平仄也馬馬虎虎，如果用現成的詩句也行，好嗎？』

乾隆知道永琪在幫著小燕子，不禁也看了小燕子一眼，一笑：

『那還成詩嗎？好吧好吧，就馬虎一點，現成的詩句也成！』

於是，年輕的一輩，晴兒、簫劍、爾康、紫薇、小燕子、永琪和知畫都聚在一起，大家躍躍欲試，只有小燕子愁眉苦臉。

『我來開始吧！』爾康看看四周，唸：『山色湖光兩濛濛，』

『柳浪生煙百卉紅。』紫薇立刻接了一句。

晴兒站在紫薇身邊，看看四周，從容的接了下去：

『幾處嬌鶯爭碧樹，』

簫劍馬上接口：

『滿園桃李鬧春風！』

『好句子！接得好！』乾隆忍不住看了簫劍一眼，這個奇人，一身武功，還會聯句作詩，實在是個人才啊！

小燕子聽到簫劍被稱讚，得意極了，問乾隆：

『我就說我哥哥有才華，不是我吹牛吧？』

簫劍帶著一股落寞，淡淡一笑，看著晴兒。晴兒也正凝視他，兩人眼光一接，晴兒慌忙調開眼光，去照顧太后了。簫劍眼神一暗，落寞就飄進了眼底。太后覺得晴兒臉色有異，跟著晴兒的視線，深深的看了簫劍一眼。

永琪很著急，就怕小燕子出醜，拉拉她的衣袖，示意她注意聽，唸了一句：

『奇花奇石渾似畫，』

小燕子拚命眨巴眼睛，還沒想出來，知畫就欣然的接口：

『遠山遠樹有無中！』

『太好了！好！』乾隆脫口稱讚。

小燕子一呆，永琪更急，也不管是不是還該自己接，就搶著再說了一句：

『粉蝶紛紛過牆去，』說完，就急忙推小燕子，低聲說：『快接！』

小燕子不得不接，抬頭看天，冒出一句：

『燕子傻傻看天空！』

小燕子這句話一出口，大家就忍不住，爆發了一陣鬨堂大笑。

『哈哈哈哈！』乾隆笑得最大聲，這個小燕子，真是他的開心果！聯句作詩，也能作出『笑果』，眞是出人意料！乾隆邊笑邊說：『小燕子，朕服了妳了！』

小燕子瞪大眼睛，一臉的挫敗感，深吸了一口氣，大聲的說：

『皇阿瑪，要聯句作詩，我是比下去了！不過，我會別的，您今天這麼有興致，我跟您唱一段「蹦蹦戲」吧！』

『蹦蹦戲？』乾隆驚訝的問：『妳還會唱蹦蹦戲？』

『是啊！當初爲了討生活，什麼都得會，除了作詩以外！』

小燕子說著，就對乾隆請了一個安，開始唱作俱佳的唱起『蹦蹦戲』來。這個『蹦蹦戲』到底是那個地方的戲曲，小燕子也弄不清楚，至於戲詞，她也記不住。看著永琪，又看看知畫，她只能邊唱邊掰，她意有所指的唱到永琪面前來：

『張口啐，呸呸呸，
狠心的郎君去不回，
說我是鬼，我就是鬼，
我那個冤家心有不軌！』

唱到這兒，她的眼光在永琪臉上溜了一圈，繼續唱：

『張口啐，呸呸呸，
你要是狠心我也不回，
說我不對，我就不對，
誰教你無情無義心兒黑！』

小燕子唱完，大家都聞所未聞，覺得新鮮，爆發了一陣掌聲。

乾隆聽得希奇極了，想不到這樣『通俗』的句子，也能成歌，想必民間的歌曲，就是這樣『直率』的吧？他欣賞的看小燕子，很樂，誇獎著說：

『蹦蹦戲，朕從來沒聽過，挺新鮮的！好聽，很有意思！』

永琪看著小燕子笑，知道她拐著彎在說他，心裡可有點冤枉。但是，小燕子被乾隆誇獎，他也感到驕傲。一時之間，不知是高興還是不高興，臉色有點尷尬。

太后沒有鼓掌也沒笑，心裡在嘀咕著：

『什麼「蹦蹦戲」？還唱得挺樂的，簡直不登大雅之堂！』

知畫希奇的看著小燕子，心想，這個格格不簡單，來自民間，居然能把乾隆收得服服貼貼。作詩作得亂七八糟，乾隆還會笑；幾句蹦蹦戲，是『物以稀爲貴』，輕鬆的收拾了聯句作詩的殘局。這樣想著，她那黑白分明的大眼睛裡，就綻放出一抹挑戰的光芒，好奇的看著小燕子。

這天午後，乾隆帶著所有的家眷，聚在陳家花園，看『琴、棋、書、畫』四個姑娘爲乾隆準備的一點『小小的節目』。『小小的節目』是知畫說的，太后和乾隆興致勃勃，皇后令妃當然陪著看，至於永琪、爾康、小燕子、紫薇、晴兒、簫劍等小輩，也就全體出席了。

花園裡，美妙的絲竹之聲，抑揚頓挫的響起，原來是知琴、知書、知棋三個姑娘，撫琴的撫琴，彈琵琶的彈琵琶，拉胡琴的拉胡琴，合奏著一曲天籟之音。小燕子沒看到知畫，不禁奇怪著，這位『主角』怎麼不見了？正在狐疑中，忽然看到丫頭們推出四扇裱著白絹的屏風，等距離的放在園內。

『老佛爺，』陳夫人不好意思的對太后說：『您別見笑，四個丫頭沒事的時候，就自己鬧著玩，只是家庭遊戲，不登大雅之堂的！』

『還說什麼不登大雅之堂，這音樂就演奏得好聽極了！』太后讚美著。

小燕子心裡有點嘔，紫薇的琴，不會比她們差，簫劍的簫，更是沒話說，怎麼老佛爺從來不讚美呢？人家說『別人家的飯比較香』，看樣子，老佛爺是『別人家的孩子比較強』，未免太偏袒了吧！小燕子正在胡思亂想，音樂突然加強，琴聲如行雲流水般，迸落出一串清脆的『叮咚』聲，大家的精神都不由自主的一震。

只見音樂裊裊中，知畫穿著一身白色有彩繪的紗衣，隨著音樂，曼妙的舞蹈而出。幾個丫頭，身穿綠衣，手捧筆硯顏料，也舞蹈而出，跟在知畫的身旁。

大家都瞪大了眼睛，看著那婷婷嫋嫋的知畫。她一身彩繪，穿梭在四片白絹屏風中，像一抹變幻的朝霞，被白雲烘托著。她舞動的身姿，忽而疾如閃電，忽而柔如微風，眞是衣袂飄飄，如詩如夢。這樣的舞蹈，還不算什麼，原來，她不止在舞蹈，她竟然一面舞蹈，一面用曼妙的舞姿，拿起丫頭的筆，在白絹上畫畫。

乾隆、太后、皇后、令妃、福倫……等人，個個看得目瞪口呆。永琪、爾康……這些小輩，也看得目瞪口呆。連小燕子，也看得目不轉睛。

只見知畫在四扇屏風中，繞來繞去，轉眼間，已將四扇屏風，全部畫完。當知畫在『琤』然一聲的琴韻下，畫完最後一筆，退在一旁，大家才看出，那四扇屏風上，竟然畫著『梅、蘭、竹、菊』四幅畫，而且畫得好極了。

知畫把畫筆交給丫頭，對著乾隆和眾人，深深一福，清脆的說：

『皇上、老佛爺、皇后娘娘，令妃娘娘，還有各位格格阿哥，不要笑我，知畫獻醜了！』

乾隆驚喜莫名，拍著陳邦直的肩膀嚷：

『賢卿!這樣的女兒,你怎麼教出來的?』

知畫走到太后身邊,太后愛極了,拉著她的手不放:

『這個孩子,眞讓我愛進心坎裡去了!』

頓時間,滿園子裡響起了讚美的聲音,皇后、令妃、福倫……個個讚不絕口。就連爾康,也呼出一口氣,對紫薇低聲說:

『老早就聽說,海寧陳家是個傳奇,現在才明白了!跳舞畫畫,還沒什麼,難得的,是畫得眞不賴!』

『就是!』紫薇心服口服,由衷的回答:『尤其那幅梅花,傳神極了!枝幹也蒼勁有力,不像一個才十七歲的姑娘畫的,如果不是我親眼看到,根本不能相信!』

永琪也從小學畫,看得嘆爲觀止,忘記小燕子會吃醋,衝口而出:

『那幾枝墨竹,比梅花還好!你看,每片竹葉,都飄向左邊,她畫出了「風」的感覺!還有那幅蘭花……』

小燕子瞪了永琪一眼,永琪猛然醒覺,趕緊住口不說了。

晴兒看看知畫,看看太后,對太后微微一笑,帶著撒嬌口吻,一語雙關的說:

『老佛爺,晴兒被知畫比下去了,老佛爺儘早接知畫進宮,晴兒也有人接棒了!』

太后就左手握著知畫,右手就拉住晴兒,開心的說:

『哈哈!晴兒吃醋了!我看,妳們兩個都陪著我,皇帝有左右手,是紫薇和小燕子,我也有左右手,是晴兒和知畫!』

晴兒勉強的笑,不由自主去看簫劍,簫劍臉色更加落寞了。

知畫低頭一笑，抬眼看了小燕子一眼，柔聲的說：

『謝謝大家誇獎，這跳舞，還是還珠格格跳得好！』

小燕子背脊一挺，聽出知畫有挑戰的意味，一時之間，再也無法控制，也不管自己有幾斤幾兩重，就推著紫薇說：

『紫薇！妳也彈彈琴，唱首歌給陳大人，陳夫人，還有各位琴棋書畫聽聽！這跳舞畫畫，我不會，可是翻觔斗畫畫，我會！妳來奏樂，我來表演……』

紫薇大驚，急忙說：

『啊？小燕子，這不好……』

簫劍也嚇了一大跳，眼看這個妹妹又要鬧笑話，急忙上前阻止：

『小燕子，翻觔斗畫畫，不成體統！妳還是藏拙吧！』

永琪更急，人家『琴棋書畫』的表演，融合了音樂、藝術、舞蹈於一爐，確實不同凡響，而且，顯然訓練有素。小燕子居然敢挑戰，簡直是不知天高地厚！他也顧不得小燕子的感覺了，趕緊勸止：

『這翻觔斗妳還行，畫畫不是那麼簡單的事，妳表演翻觔斗就算了！』

知畫大眼珠一轉，不依了，看看小燕子，對永琪抗議的說：

『小燕子格格要教一教我們姐妹，你們大家不要太吝嗇好不好？我們還沒見識過翻觔斗畫畫呢！』

陳夫人更是積極，立刻拍拍手，喊著：

『丫頭們！還不趕快換白絹屏風！文房四寶侍候！』

丫頭們大聲答應，就迅速的把屏風推走，再換了四扇白絹屏風出來。綠衣丫頭捧著筆硯侍候，情勢已經如箭在弦，不得不發。

紫薇、簫劍、永琪、爾康、晴兒大家都傻眼，彼此互看。

『我看這是「在劫難逃」，大家快想辦法吧！』爾康低聲說，生平還沒碰到更尷尬的事。

紫薇就急忙在小燕子耳邊，說了幾句悄悄話。小燕子拚命點頭。

『好吧！簫劍！』紫薇站起身子，說：『我彈琴，你吹簫，我們合奏一曲「浪淘沙」吧！』說著，就看看陳家夫婦和琴棋書畫，笑了笑：『這也是我們在宮裡的「家庭遊戲」，沒辦法和琴棋書畫四位小姐比，現在是「打著鴨子上架」，各位包涵了！』就看著永琪說：『永琪，與其翻觔斗畫畫，不如比劍畫畫，如何？』

『比劍畫畫？』永琪一楞，不知道這個『家庭遊戲』從何而來？

『是啊！』紫薇提醒著：『記得當初，你們跟小燕子練劍背唐詩嗎？現在，來一個練劍畫畫，你和小燕子一起比劍，一起畫畫！我們表演一個「文武合一」！』

永琪立刻明白了，要依照當初教小燕子那首『白日登山望烽火，黃昏飲馬傍交河』的劍訣來比劃，至於這四幅畫，小燕子那兒會畫，只能靠自己來完成了。他領會了紫薇的指點，就拚命點頭。

『我明白了，就這麼辦！容嬤嬤！去我房裡，把我和小燕子的劍拿來！』

『喳！』容嬤嬤應著，趕緊奔去拿劍。

劍拿來了，永琪和小燕子就雙雙持劍，各就各位。紫薇和簫劍也開始彈琴吹簫。紫薇故意讓簫劍的簫聲，先來一段小小的獨奏，再用琴聲相和。簫劍的簫，本來就已經出神入化，現在知道要幫小燕子挽回一城，更是用功，吹奏得忽而高亢，忽覺低迴，忽而如輕風拂面，忽然如急雨敲窗……眞是『此曲只應天上有，人間那得幾回聞？』聽得大家大氣都不敢出，太后聽到這樣的簫聲，不覺驚奇的看簫劍，再看看眼光定定的停留在簫劍臉上的晴兒，心裡若有所觸，若有所覺。

紫薇開始彈琴了，琴聲的琤琮，配合著簫聲凝噎，這首『浪淘沙』竟然演奏出一種悲涼壯烈的意味。知畫和幾個姐姐面面相覷，這才知道，宮裡眞是人才濟濟，對於自己的演出，已經有些自愧不如了。乾隆和皇后，也不禁暗暗頷首。

就在眾人凝神細聽之際，小燕子一劍刺向永琪。

永琪和小燕子就比起劍來，兩人都是高手，默契第一流，兩把長劍，舞得虎虎生風。只見劍氣如虹，閃閃發光，人影綽綽，來往穿梭，兩人忽高忽低，煞是好看。

陳家夫婦和琴棋書畫，這回也是大開眼界，大家從來沒有看過這樣的表演，忍不住鼓掌叫好。

比劍不難，演奏不難，最難的是畫畫。永琪抓了一個破綻，對小燕子一劍刺去，乘小燕子騰身跳開之際，飛躍到丫頭面前，拿了畫筆，在第一幅畫絹上，畫了一筆水波。不料，小燕子突然被永琪逼退，覺得很沒面子，心裡一氣，就大喝一聲，手中長劍，直刺永琪的面門。永琪大驚，只得放下畫筆應戰，暗暗著急。小燕子看到永琪畫了一條貌不驚人的曲線，心裡想：

『這樣畫，有什麼難？我也會！不能讓永琪一個人畫，我也來！』

小燕子連續幾劍，逼得永琪連連後退，她就拿了畫筆，在水波上加了一橫。誰知用墨太多，墨汁迅速化開，變成兩條橫浪，慘不忍睹。

永琪大驚，趕快去搶救第二幅畫，用淡墨畫了天空。

小燕子依樣畫葫蘆，用淡墨畫了地，畫得一片茫茫然，眾人全部傻眼。

紫薇和簫劍好著急，音樂不禁高亢起來。

乾隆有些提心吊膽，睜大眼睛看著。

太后、皇后、令妃、爾康等人，更是人人擔心。

小燕子聽到音樂激昂，手中的劍更是舞得密不透風。永琪急於要去畫畫，無奈小燕子纏鬥不休，永琪一急，急攻數劍，劍劍直奔小燕子面門。小燕子見永琪招招不留情，氣壞了，一個觔斗翻了出去。這個觔斗竟不偏不倚的翻在捧筆硯的丫頭身上。丫頭失聲大叫，摔倒下去，同時，手裡的硯台筆墨也跟著摔了出去，墨汁飛濺起來，全部灑在第三幅白絹上，滴滴流下來，成爲許多黑點和黑線。

小燕子和丫頭一撞，差點摔跤，及時飛身而起，想搶救硯台，卻搶到了一支大筆，她翻身落在第四幅白絹前，誰知踩到了一地的筆墨，身子站不穩，一路骨碌碌的滑了出去，墨筆在第四幅畫上，就一筆畫了過去，變成一條長長的黑線。

永琪看到小燕子像在表演特技，也顧不了畫了，伸手一拉，小燕子一個美妙的飛躍，站穩了，雙手抱著劍，盈盈而立。永琪趕緊收劍，站在她身邊。

大家拚命鼓掌，音樂也停止了。大家鼓完掌，都瞪著小燕子的畫。

乾隆十分尷尬，勉強的笑著：

『哈哈！比劍還有一點看頭，至於畫畫嘛……哈哈，咱們這個小燕子格格的畫，要用一點想像力！』

永琪也尷尬的笑著，說：

『和那個獅子林裡的獅子差不多！大石頭，小石頭，都是石頭！』

大家都附和著笑，只見紫薇不慌不忙的站了起來，走到畫前，提起筆來說：

『皇阿瑪！你知道的，小燕子畫畫，一向要我來幫她題畫！』就看著爾康說：『題什麼詞，你說，我寫！』

爾康一笑，很有默契的走了過去，看著第一幅畫，從容不迫的說：

『第一幅是唐詩兩句：「長風幾萬里，吹度玉門關」。』

眾人哦的驚呼一聲，覺得合適極了。紫薇再題第二幅，全是淡墨的。

『第二幅又是唐詩兩句；「雲青青兮欲雨，水淡淡兮生煙」。』爾康再說。

眾人再度驚呼，越看越傳神。紫薇再題第三幅，全是黑點和黑線的。

『第三幅還是唐詩兩句；「野雲萬里無城郭，雨雪紛紛連大漠」！』爾康說。

大家都傻眼了，看著紫薇和爾康，個個驚佩。第四幅畫，一條長長的黑線。

爾康實在技窮了，看著這條黑線發呆，唐詩宋詞全部在腦海裡打結。紫薇微微一笑，提筆寫下兩句話。爾康眼睛一亮，朗聲唸：

『這第四幅，是李後主的詞；「問君能有幾多愁，恰似一江春水向東流」。』

紫薇放下筆，拉著小燕子，向大家行禮，說：

『小燕子和永琪演出失常，紫薇和爾康只好圓場，眞正的「獻醜」了，要讓大家開心而已！別笑話我們就好！』

大家呆了片刻，這才不約而同，爆出如雷的掌聲。乾隆興高采烈嚷著：

『好！咱們家這兩個格格也不差！』

陳邦直心悅誠服的恭維：

『臣總算見識到「文武合一」了！』

陳家的大大小小，全部折服了，就都鼓起掌來。

小燕子不禁得意的看知畫，知畫也看著她，兩人都微微一笑。小燕子和知畫的第一回合交手，就這樣結束了。兩人都衡量出對方的力量，小燕子知道，知畫是眞才實學，自嘆不如。知畫卻知道，小燕子能做到眾志成城，自有一套。兩人都有些佩服對方。這場較勁，幾乎是各有千秋的。

9

當晚，太后把永琪召進了房間，當著乾隆、太后、令妃、皇后、晴兒的面前，開門見山的跟永琪攤牌了：

『永琪，有件好事要跟你商量！』

『好事？什麼好事？』永琪心裡有些明白，就著急起來。

『是這樣的，』乾隆接口，臉色是柔和喜悅的：『老佛爺有意要把知畫指給你當側福晉，要問問你的意見！』

永琪頓時大驚失色。脫口驚呼：

『老佛爺！皇阿瑪！這事萬萬不可！』

又來了！就不知道這些孩子是怎麼回事？以前要給爾康娶晴兒，爾康是『萬萬不可』，現在要給永琪娶知畫，又是一個『萬萬不可』。爾康也就算了，反正紫薇也生了兒子。這個永琪，身爲皇子，至今沒有子嗣，難道他也不急嗎？太后笑容一僵：

『什麼叫做「萬萬不可」！這麼好的姑娘，你還要怎樣？』

『就是人家姑娘太好了，給我當「側福晉」，實在太委屈她了！不行不行！』

『委屈？』太后皺皺眉：『只要陳家不覺得委屈，就沒有什麼委屈！這個，你根本不要擔心！你的身分與眾不同，皇帝對你特別器重，能夠進景陽宮，當側福晉，也是一種光彩，怎麼還會委屈知畫呢？』就看著令妃問：『令妃，妳當一個妃子，覺得委屈嗎？』

『回老佛爺，這「委屈」兩個字，從那兒說起？能夠侍候皇上，是臣妾的光榮啊！』令妃慌忙回答。

『永琪，你明白了嗎？』

『就算知畫不委屈……小燕子也會委屈！』

太后又回頭去看皇后：

『皇后，皇帝有三宮六院，妳覺得委屈嗎？』

皇后趕緊回答：

『當然不會，我還委屈，三宮六院不是人人委屈了？』

『聽到了吧？』太后勝利的看永琪：『這知畫進了景陽宮，就跟令妃和皇后一樣！誰都不會委屈。我已經向陳夫人試探過，陳家，是一百二十萬分的願意，你皇阿瑪也沒話可說，現在，就看你的意思了！』

永琪大急，知道乾隆寵愛小燕子，就求救的看著乾隆說：

『皇阿瑪！這事一定要從長計議，你知道小燕子的，這樣做……太狠了！我做不到！』

乾隆想到小燕子，那種眼裡揉不進一顆沙的個性，就看看太后。

『朕也覺得，這事有點操之過急。老佛爺，大家還是考慮考慮再說吧！』

『還考慮什麼？像知畫這樣好的姑娘，錯過了，那兒再去找？』

晴兒看永琪滿臉著急，實在忍不住了，上前對太后說：

『老佛爺，小燕子和五阿哥，他們從認識到成親，走了一條非常辛苦的路，好不容易才有今天！我跟他們走得很近，對他們的思想，比任何人都瞭解。小燕子本來就不是宮裡的人，她不受宮裡許多規矩的約束，是自由自在的！在她的觀念裡，夫妻兩人是一體，中間是不容第三者闖入的！』

永琪拚命點頭：

『就是這樣！就是這樣！』

『這是什麼話？夫妻怎麼會變成一體呢？怎麼變的？』太后聽不懂。

『兩人一心，就是一體！有了二心，就不是一體了。』永琪急急解釋：『在小燕子心裡，男女是平等的，誰都不能負了誰，這是一種尊重，一種完整的愛。爾康跟紫薇的觀念也一樣，我以為，老佛爺對這種感情，已經深深瞭解了！』

『我瞭解？我從來沒有瞭解過！』太后有些生氣了：『你們感情好，我也高興。但是，小燕子一直這樣瘋瘋癲癲，一會兒跳駱駝，一會兒比劍，我看，是不可能生出兒子來的，難道，你連兒子都不要嗎？』

這個問題好尷尬，永琪著急，卻不知怎樣說才好。令妃也忍不住上前幫忙：

『老佛爺，這事不要急好不好？再給小燕子一點時間，他們年輕夫妻，要孩子不難，為了這個，急給五阿哥娶側福晉，一定會讓小燕子傷心的！』

『令妃這話說得是！』乾隆沉吟著接口，畢竟，心裡寵著小燕子，不忍讓她受到傷害：『別看小燕子大而化之，她還來得愛吃醋！這小燕子，朕也觀察了好幾年，她真的進步了！雖然個性沒變，說起話來，比以前得體多了！偶爾，還會用幾句成語呢！』

永琪拚命點頭，激動的說：

『就是就是！老佛爺，您不知道，小燕子常常捧著一本成語大全，白日黑夜都在唸。她嘴裡不說，心裡是拚命想配合我，做個好福晉的。如果您也像我一樣，看到她的努力，您一定會感動的！』

『不管她怎麼努力，她的水準，永遠沒辦法跟知畫比！』太后說出心裡的話。

『那也不見得！她們兩個，是各有各的好！』乾隆說：『這樣吧……這事先擱著，過兩天，咱們就要動身去杭州了，老佛爺再急，也不能把知畫帶著走！等到過兩年，如果小燕子還沒生兒子，咱們再接知畫進宮，如何？』

『也不止生兒子這一件事，我就覺得，永琪缺一個「賢內助」！』太后堅持著。

『老佛爺，小燕子就是我的「賢內助」！』永琪幾乎是痛苦的說：『我不要再娶任何側福晉，也不要任何妃子，我只要小燕子一個！』

『永琪！』太后勃然大怒，一拍桌子站起來：『這件事我根本不需要你的同意！小燕子如果反對你娶側福晉，就是不賢慧！』

太后一兇，永琪也沉不住氣了，衝口而出：

『老佛爺如果勉強去做，娶進門也休想生兒子！』

『你這是什麼話？』

『我不合作，娶進門也是守空房，那來的兒子？您何必糟蹋陳家姑娘呢？』

『你……』太后瞪著永琪，怒不可遏。

『老佛爺，』晴兒又急著幫忙：『這不是賢慧不賢慧的問題，爾康以前說的「情有獨鍾」，老佛爺一定還記憶深刻。這種「情有獨鍾」的思想，也不是他們發明的。想當年，司馬相如要娶二夫人，卓文君曾經作了「白頭吟」一首，給司馬相如……』

晴兒話沒說完，太后就惱怒的轉向晴兒，聲色俱厲的大聲說：

『不要提那個司馬相如了，所有古人裡，我最討厭司馬相如！沒事去彈琴挑逗人家的閨女，還帶著卓文君私奔，成什麼體統？那個卓文君也淫蕩無恥，那有好人家的女兒會被什麼琴聲簫聲所誘惑！』

晴兒一聽『琴聲簫聲』云云，如遭雷擊般，頓時變色了。

永琪聽到這兒，神色也爲之一變。大家看到太后發怒了，個個鴉雀無聲。太后看到臉色灰敗的晴兒，覺得自己言重了，忽然握住晴兒的手，充滿感情的再說：

『晴兒，妳在我心裡的地位，是沒有人可以取代的，知畫也不能！我這麼看重妳，希望妳也不要辜負我！』

晴兒的心臟緊緊一抽，眼裡，立刻充滿了淚水。

當永琪滿懷心事的從太后那兒回到房裡，只見滿屋子鋪天鋪地，全是宣紙。一張張宣紙，攤在桌上、床上、茶几上……不止宣紙，還有畫冊，畫冊左一本，右一本攤開著。而小燕子，臉上有一團墨跡，手裡又是畫筆又是畫冊，她正忙得不可開交，對著畫冊在臨摹。拿著畫筆，在這張紙上畫畫，覺得不好，又在另一張紙上畫畫。

永琪驚訝的看著這一切。小燕子一看到他，就興匆匆的喊：

『永琪！趕快來教我！這畫畫應該先畫什麼？怎麼我畫的樹幹都像石頭，我畫石頭，又都像樹幹呢？』

原來她在學畫畫！永琪走過來，悶悶不樂的問：『爲什麼要學畫畫？』

『總不能老是輸給別人嘛！』小燕子羨慕的說：『那個知畫，實在太厲害了！我看她畫起來好輕鬆，居然畫得那麼好！那個風吹竹葉，我也試了，你看！怎麼竹葉都像鳥爪子呢？』

小燕子一面說，一面把自己的『鳥爪子』拿給永琪看。永琪注視著她，原來，自己讚美知畫的話，她已經記在心裡了。他看看那張『鳥爪』，再看看小燕子。小燕子一臉的笑，燦爛明亮，仍然和她剛進宮時一樣，但是，眼底卻失去了當年的自信和驕傲。學畫，那個只想打拳舞劍的小燕子，何時開始，必須被『規矩、成語』鎖住，現在，還要學畫畫？他心裡一酸，把畫紙搶下，往桌上一放，激動的說：

『不要學畫了！沒有人是十全十美的，更沒有人是什麼都會的！妳的畫，怎麼學也不會趕上知畫，可是，她不會舞劍，不會翻觔斗，不會唱蹦蹦戲……和妳比起來，她遠不如妳！』

永琪這樣一說，小燕子好感動，抽抽鼻子，自卑的說：

『不是的，你不用安慰我，我知道我比不上她……我讓大家丟臉了！我願意爲你學畫，只要有人教我！』她忽然發現他的臉色不對了：『你怎麼了？臉色好難看……』突然緊張起來：『老佛爺找你去幹什麼？你挨罵了？』就怯怯的、小小聲的說：『因爲我又出了錯？我又「成何體統」了？』

永琪憐惜的撫摸她臉上的墨跡，她這樣拚命想做一個稱職的『福晉』，卻不知道無論怎麼努力，都趕不上知畫，因爲在『出身』這一項上，她已經輸得一敗塗地了。看著她徒勞的努力，他眞爲她感到難過，默然不語。

『我臉上有什麼？你一直盯著我的臉看？』小燕子問。

『有一隻小獅子……』永琪勉強的笑了笑，輕聲說。

小燕子推開永琪，衝到鏡子前面去看。看到自己臉上的墨漬，就笑得嘻嘻哈哈。

『哎呀哎呀，不是小獅子，是「雲青青兮欲雨」！』

『妳記住了這句詩？』永琪驚奇的問，記住這句詩並不容易。

『我讓紫薇教我的，她一句一句寫給我看，我一句一句背！』小燕子笑著，得意的說。一面說，一面用手擦著墨跡，不料墨跡暈開，變成了一大片。『哈哈！這一下，變成「水淡淡兮生煙」了！』

永琪深深的凝視她，一個激動，把她緊擁入懷。他的雙眼，就深深切切的看著她，鄭而重之的承諾：

『小燕子，讓我告訴妳，如果有一天，我負了妳，或是對別的女人動了心，我會被亂刀砍死，而且，死無葬身之地！』

『為什麼要說這麼嚴重的話？』小燕子的笑容收住了，狐疑的看著他。

『因為妳這麼好……因為我這麼愛妳！』

小燕子攬住他的脖子，感動得一塌糊塗，眼中含淚了，輕聲說：

『我以後再也不會懷疑你，再也不亂七八糟吃醋，再也不跟你吵架了！』

永琪點頭，把她緊緊的摟在胸前，心裡在輾轉的說著：只有妳，只有妳，只有妳……他的胳臂緊緊的纏著她，好像生怕一鬆手，她就會融化掉消失掉一樣。

小燕子和永琪之間，已經湧起了暗潮，知畫的威脅，正在悄悄的逼近。儘管兩人的深情不變，永琪信誓旦旦，堅定不移。但是，身為皇子，永琪到底對自身的事，能夠作主，還是不能作主？在海寧的這段日子裡，永琪心煩意亂，他不止為自己和小燕子傷腦筋，也為簫劍和晴兒傷腦筋。

這晚，大夥聚集在爾康房裡，小燕子與匆匆，帶了一封晴兒的信給簫劍。小燕子做兩人的信差，由來已久。簫劍迫不及待的拆開了信，只見信箋上這樣寫著：

『簫劍，這是我給你的最後一封信，我終於明白，「相見不如不見，有情不如無情」。我承認，這幾年以來，我非常痛苦，有時，會懷念沒有認識你的日子。我仔細思量，我是沒有辦法背叛老佛爺的，我的身上，沉重的壓著我對傳統道德的尊重，對老佛爺的敬愛，許多觀念，在我心底已經生了根，去不掉了。你那天要我在老佛爺和你之間選擇，我只能告訴你，我選擇了老佛爺！對不起，請忘了我吧！晴兒。』

簫劍唸完了信，臉色蒼白，一語不發。

『信裡寫些什麼？可不可以告訴我們？』紫薇看到簫劍臉色慘淡，趕緊問。

簫劍不說話。小燕子急了，一跺腳，喊：

『哥！你說話呀！晴兒寫了什麼？』

簫劍把那封信，重重的拍在桌子上，簡短的說：

『你們自己看！看完了，把它燒掉！』

簫劍說完，拿起桌上自己的簫，轉身就要出門去。爾康覺得不對，衝上前來，攔住了他。誠摯的說：

『你別走！這些年來，我們每一個人有問題，你都參加，幫我們解決！如果你有問題，我們也不會旁觀，讓我先看看晴兒的信，我們再一起研究，怎樣？』

簫劍看著爾康，長長一嘆，走到窗前去。

紫薇急忙拿起那張信箋，大家都擠過來看。看完，人人神色凝重。

『怎麼會這樣？爲什麼晴兒突然寫這樣一封信？』小燕子困惑的問。

『因爲老佛爺已經知道了！』永琪回答。

『老佛爺怎麼會知道？』紫薇不解。

『一定是容嬤嬤說的！』小燕子咬牙切齒：『那晚，我要帶晴兒去見哥哥，撞到了皇后和容嬤嬤，我還以為她們兩個變好了呢！看樣子，都是騙我們的！我去找容嬤嬤算帳！』說著，往門外就衝。永琪一把拉住她：

『妳又毛躁了，也不一定是容嬤嬤說的，妳去算帳，反而弄得人盡皆知，不要去！不能去！』

簫劍從窗前回頭，冷靜而落寞的說：

『是誰說的根本不重要，老佛爺遲早要知道！就是別人不說，我也準備要親自告訴老佛爺！』

『對！』爾康深思的說：『誰說的不重要，重要的是晴兒的態度，她怎麼可以用這樣短短幾句話，就把四年的感情給一筆勾消了？』

簫劍眉頭一皺，轉身又向門外衝去。

『大家再見！我走了！反正杭州我也不想去！』

小燕子大驚，飛快的攔了過去。

『什麼叫你走了，你要走到那裡去？』

簫劍停住，很捨不得的看了小燕子一眼，對她交代著：

『妳跟著永琪，好好的過日子，自己的脾氣，要控制一點……』

簫劍話沒說完，小燕子就又急又傷心的喊了起來：

『你想離開我們大家，是不是？晴兒寫了一封絕交信給你，你就連妹妹也不要了？我怎麼這麼苦命，好不容易認一個哥哥，他動不動就要走……』小燕子快哭了。

紫薇往前一步，站在簫劍面前，盯著他說：

『她沒有一筆勾消，她說了，她非常痛苦。我想，這一路南巡，她每天都和你見面，可是，一句話都不能說，眞是「相見不如不見，有情不如無情」！這種煎熬，誰都受不了！何況她還要在老佛爺跟前，察言觀色。如果你連她這種心情，都不能瞭解，不能體會，晴兒也白愛你一場！』

簫劍楞住了。

爾康就重重的拍了拍他的肩，語重心長的說：

『聽紫薇的沒錯！以前，紫薇也曾經留了一張短短的條子給我，就出走了。但是，我們卻衝破了重重困難，結爲夫妻。晴兒這封信，不是她的眞心，你沒有弄清楚她的眞心之前，不能走！否則，你會鑄成大錯！』

永琪也急切的說：

『簫劍，在陳家一點辦法都沒有，耳目太多！你不要煩，到了杭州，我一定幫你安排！讓妳和晴兒好好的談一次，怎樣？』

大家你一言，我一語，圍著簫劍，不許他走。簫劍的心，有說不出來的痛楚；晴兒，她不瞭解他身負血海深仇，但是，她起碼該瞭解，他是怎樣一個瀟脫不羈，四海爲家的人物，卻爲了她，放棄了所有的自我，身不由己，跟隨著她的腳步走。這樣一份感情，怎能輕易說分手？他這麼想著，深深的受傷了。

『她寫這樣的信給我，她不在乎我的感覺嗎？』

『你怎麼知道她不在乎？』紫薇沉重的說：『我想，她的痛絕對不比你少！你的身邊，還有我們大家包圍著，她現在的情形，才是「慘慘慘」呢！』

簫劍就一臉惻然的傻住了。是啊，她侍候著老佛爺，無論心裡翻騰著多少熱情，卻絲毫不能流露，身邊，連一個可以講講知心話的人都沒有，她的日子，是怎樣挨過去的呢？他想著，就出神了，走也不是，不走也不是。小燕子挨到他身邊，抱住了他的胳臂，歪著頭看他，輕聲說：

『哥！好不容易要去杭州了，你怎麼也不能離開我，杭州，不是我們的老家嗎？不知道爹和娘當初住的房子還在不在？』

簫劍如同被利箭穿心，一個踉蹌，連退了好幾步。杭州，是他們的老家！杭州，也是父母慘死的地方！他悲涼的喊了一聲：『杭州！我眞的不要去杭州！』

小燕子趕緊拉住他，自怨自艾的說：

『我又錯了嘛！好好的去提爹和娘幹什麼？哥，你不要難過，爹和娘雖然不在了，你還有我呀！還有我們大家呀！是誰說的名言，我們不能爲過去而活，只能爲未來而活！到了杭州，我要快快樂樂的遊西湖，再也不去想悲傷的事了！』

簫劍被留了下來。與其說是被紫薇等人說服了，不如說是被晴兒那股無形的力量所控制了。晴兒，像是幾千幾萬隻蠶，吐出無數的絲，纏繞著他，他被包裹在一個厚厚的繭裡，掙扎不出這個繭。奇怪，那麼柔軟的、脆弱的絲，怎會有這麼強大的力量？他悲哀的明白，除非自己停止愛晴兒，否則永遠走不出這個繭！

幾天之後，乾隆帶著眾人，離開了海寧，大家動身去杭州。

陳家夫婦帶著琴棋書畫四個姑娘，一直送行到城外。陳家還準備了好幾車的禮物，穿的吃的戴的，應有盡有。到了城外，大家不能不分手了。太后拉著知畫的手，一直捨不得放開，不住的叮嚀：

『咱們就這麼說定了，等我派人來接妳的時候，妳一定要到北京來，聽到嗎？』

知畫也依依不捨，拚命點頭：

『是！老佛爺一路吉祥！』就俯在太后耳邊悄悄說：『我做了一些雪片糕，老佛爺最愛吃的，在那個食籃裡，是我自己做的，您一定要吃，不要給別人吃了！』

『我知道了！』太后窩心極了，指了指那個食籃，也悄悄問：『那個紅色的食籃啊？』

知畫微笑點頭，太后就擁抱了她一下。

『眞是個貼心的孩子，我還眞捨不得妳呢！』

小燕子看著這一幕，對紫薇說：

『老佛爺渾身黏著鳳凰毛，好像扯都扯不下來了！』

『只要永琪渾身黏著燕子毛就好了，老佛爺怎樣，妳就別管了！』紫薇笑著說。

晴兒坐在太后的車上，自從上車，她的眼光都沒有和簫劍接觸過。儘管簫劍故意走在她的身邊，拚命去搜尋她的眼光，她就是目不斜視，抱著太后的衣物披風，逕自上車去。簫劍鬱悶得不得了，騎在馬背上，不知道自己到底在做什麼。

爾康策馬走在他身邊，瞭解的、同情的、鄭重的叮囑：

『我們馬上要到杭州了，我知道，杭州是你的故鄉，也是你父母昇天的地方，你一定有很多感觸，近鄉情怯。但是，我必須警告你，關於你父母的事，千萬不要露出痕跡來！知道嗎？小燕子現在好幸福！』

『唉！』簫劍一嘆。『總覺得那些往事，早就該埋葬了，但是，它們就會時時刻刻從記憶裡鑽出來，在你沒有防備的時候，刺你一劍，捅你一刀！』

正講著，永琪策馬而來。

『你們在談什麼，臉色那麼沉重？』看看太后的車，再看看簫劍，明白了。就一本正經的承諾：『不要急，到了杭州，我一定幫你安排！』

簫劍苦笑。

這時，送行的人都退開了，老百姓們擠在道路上看熱鬧，福倫騎馬過來，喊：

『出發！』

送行的百姓，全部跪下去，夾道歡呼。

『皇上萬歲萬歲萬萬歲！老佛爺千歲千歲千千歲！皇后娘娘千歲千歲千千歲……』

陳邦直、陳夫人、帶著琴棋書畫拚命揮手，也拚命喊著：

『皇上一路吉祥，老佛爺一路吉祥……』

就在這一片歡送聲中，乾隆的車隊馬隊，繼續向前行去。

永琪看看還在路邊拚命揮手的知畫，終於鬆了一口氣，總算離開了這個『是非之地』！

10

乾隆到了杭州，驚動了所有的地方官。

乾隆受到歐陽修的影響，對西湖深深迷戀。『輕舟短棹西湖好，綠水逶迤，芳草長堤，隱隱笙歌處處隨。無風水面琉璃滑，不覺船移，微動漣漪，驚起沙禽掠岸飛。』『畫船載酒西湖好，急管繁弦，玉盞催傳，穩泛平波任醉眠。行雲卻在行舟下，空水澄鮮，俯仰留連，疑是湖中別有天。』至於『春深雨過西湖好』，『天容水色西湖好』，『殘霞夕照西湖好』……種種歌頌西湖的句子，都在腦中縈繞。

杭州的官員，知道乾隆喜歡遊西湖，早在湖邊，準備了一條大龍船給乾隆，還有好幾條中型龍船給太后、皇后、令妃，再改造了幾條大型畫舫，給阿哥格格們。每條船都張燈結綵，排成一列，停在碼頭上，壯觀極了。乾隆一看到這個船隊，就龍心大悅。上船一看，船上應有盡有，舒服極了，窗外一片湖光山色，美不勝收。乾隆立刻決定，他要住在龍船上，夜裡，可以享受西湖的月夜，早晨，可以迎接西湖的朝霞。乾隆這樣決定，年輕的一輩，更是興匆匆的附議。於是，太后皇后和所有的人，都放棄客棧，選擇了龍船。這個決定，可忙壞了那些『大人』們，安全問題、船隻問題、衛隊駐紮問題、水面管理問題……一件一件，都要慎重，絕對不能有絲毫疏忽。

還好隨行的有福倫和爾康，父子二人，帶著侍衛，早就把碼頭附近，重重防衛。至於水上的遊船，在乾隆堅持『不擾民』的原則下，並沒有封鎖水路。但是，皇上駕到，一班老百姓，誰還敢遊湖呢？鎮守杭州的孟大人，生怕有閃失，對福倫建議：

『還是暫時封閉西湖比較好，讓所有的船隻全部禁止出入，比較容易管理！』

『不行！皇上再三叮嚀，不能驚擾百姓，尤其不能因爲皇上來了，就不許百姓來，這樣太霸道了！皇阿瑪喜歡看到西湖上，遊船來來往往，看不到會不高興的！』爾康對乾隆的脾氣，已經摸得一清二楚了。

『額駙說的是！卑職知道了！』

『有沒有加派武功高手，在岸上巡邏？』福倫問。

『已經把浙江和江蘇所有的武功高手，全部調來了！』孟大人指著岸邊：『瞧，那些穿著紅背心的，都是武功高手！』

爾康看過去，目光所及，都看到三五成群的武士，在來回巡視。看樣子，這安全問題，是滴水不漏了。但是，如果他們這些格格阿哥和額駙，想要做一些『餘興節目』，大概也不容易。

到了晚上，這條船隊眞是壯觀極了，船上懸掛的大小燈籠，全部點燃了。一片燈燭輝煌。乾隆的龍船上，更有許多美麗的女子，在演奏著音樂，跳著乾隆從來沒有看過的艷舞。乾隆和許多大臣，難得這麼輕鬆，暫時放下一切公事，開懷暢飲，享受著『歌舞昇平』的滋味。在這一刻，乾隆放鬆了，不再爲山東的旱災操心，不再爲方式舟那種奸臣生氣，不再爲運河的疏濬勞神，也不再爲海寧的堤防擔心。他看著那些只穿了一些薄紗的姑娘，露著肚臍，跳著奇怪的舞步，不禁驚奇的問：

『這是什麼打扮？』

『回皇上，』孟大人討好的說：『是印度打扮！臣想，皇上在宮裡，什麼表演都看過了，特地準備了一點不一樣的！不過，這兩個姑娘，不是印度人喲，她們是咱們杭州的姑娘！』

『啊？長得很漂亮啊！』乾隆看福倫：『應該讓永琪和爾康也見識見識！』

福倫趕緊回答：

『他們都在老佛爺船上，陪老佛爺聊天呢！』

『陪老佛爺……那就別叫他們了！』乾隆看著舞孃，拍手：『好！跳得好！』

孟大人惋惜的一嘆：

『其實她們都不怎麼樣，杭州最出名的姑娘是夏盈盈，她今晚沒來！』

『夏盈盈？為什麼沒來？』乾隆不在意的問。

孟大人突然發現失言了，小心翼翼的回答：

『回皇上，她有點彆扭……不肯來……』

『不肯來？』乾隆的好奇心大起，挑起了眉毛：『居然有姑娘不肯來？』

乾隆在這兒喝酒作樂，另外一條船上的皇后倚著船窗，看著乾隆船上的衣香鬢影，聽著那歌聲曲聲，不勝感慨。

『皇帝也太任性了，這是和老佛爺出門，怎麼不收斂一點？』

『噓！當心隔牆有耳。』容嬤嬤趕緊四看。一揮手，摒退了宮女們。

皇后和容嬤嬤就倚窗凝望。印度音樂喧囂的，熱鬧的傳了過來。

『山東的旱災，還在眼前，皇上已經忘了嗎？到了杭州，他好像就換了一個人，這樣飲酒作樂，會不會太過分了？』皇后說。

『娘娘！這兒的地方官，籌備了一年半載，就為了討好皇上。這江南，又是出產美女的地方，娘娘已經看開了，就睜一隻眼，閉一隻眼吧！』容嬤嬤說。

『我也這樣想啊！我把兩隻眼睛都閉起來也可以啊！事實上，我早就不問世事了。我絕對不會為了那些女色，去和皇上吃醋的。但是，這次跟著皇上南巡，我就下定決心，奉獻我自己，全心全意來幫助皇上！我眞怕，皇上這樣沉迷女色，會不會讓他的名譽和身體，都受到影響呢？是不是應該去提醒他一下？』

容嬤嬤一震，懇切而著急的看著皇后：

『娘娘！萬萬不可！奴才知道娘娘的一片心，但是，皇上是不能勸的！就算老佛爺，她也聽到那些音樂，也看到那些舞孃了，她都不說話，娘娘怎麼可以去提醒呢？皇上的弱點，您知道的，碰到絕色美女，他就沒辦法。娘娘，什麼都別說，就當妳什麼都沒看見，明哲保身吧！啊？』

『明哲保身？人人都明哲保身，誰為皇上盡忠呢？』

皇后深深的吸了口氣，這四年來，她是徹頭徹尾的改變了。對於乾隆，她眞的只有一片忠心了。

『只怕娘娘盡了忠，也沒有人感激，還給娘娘扣上很多帽子，娘娘的心，除了奴才，再沒有第二個人會瞭解了！』容嬤嬤坦率的說，警告的看著皇后。

『我不能為了沒人感激，就不盡忠啊！』皇后悲哀的說：『容嬤嬤！幫我把香點燃，我只能為皇上燒香祈福了！』

太后確實聽到、也看到乾隆船上的情形了。帶著令妃和晴兒，她一面喝茶，一面賞月，一面注意著乾隆船上的情形。西湖太大，水面平靜無波，月亮高掛在天上，在水面灑落許多的光點，像是無數的星星，跌落在水面上。

太后打了一個哈欠。令妃趕緊說：

『老佛爺大概睏了吧！明兒一早，還要遊湖，今晚早些睡吧！晴兒，床鋪好了嗎？老佛爺睡在船上，會不會不習慣呀？』

『床早就鋪好了，老佛爺，要不要晴兒侍候您去睡覺？』

『難得這麼好的月色，我還想坐一坐！』太后看著乾隆的船：『皇帝還在宴客啊？這麼晚了，還不散會？』

『聽說，這浙江的地方官，全部到齊，孟大人、李大人、朱大人、田大人……都在，大家雖然做官，卻難得見到皇上。所以，大概有許多公事，要乘這個機會，跟皇上面談吧！』令妃幫乾隆掩飾著。

太后深深看了令妃一眼，話中有話的說：

『令妃，妳真是皇帝的心腹，難怪皇帝對妳，這麼多年了，一直有感情。妳對皇上好，我也高興，可是，也別太偏袒他了！今晚，會和皇帝談「公事」的大臣，恐怕不多吧！』

令妃一楞，訕訕的說：

『臣妾也只是推測而已。』

『不過，』太后嘆了口氣：『咱們這一路，也夠辛苦了！尤其在山東賑災的那些日子，皇帝又勞心又勞力，到了西湖，就讓他放鬆一下也好！』

忽然間，船頭上有一陣騷動，就聽到小燕子歡笑的聲音，輕快的傳了過來：

『拉我一把，好了！上來了……』

晴兒眼睛一亮，喜悅的喊：『是小燕子！她上船了！』

才說著，小燕子就帶著一臉歡笑，奔進船艙，嚷著：

『小燕子上船來向老佛爺、令妃娘娘請安了！』

『難得妳這麼有心！永琪和紫薇他們呢？』太后笑著問。

小燕子指指船窗外：

『在那條小船上，又作詩又背詩，把所有關於西湖的詩，背了幾百首！我快要被他們悶死了！就不知道那些古人，爲什麼要作那麼多的詩！』她站在太后面前，突然對太后深深的請了一個安，懇求的說：『小燕子有事要請求老佛爺批准！』

『什麼事？』太后一楞。

『永琪他們在船上比賽背詩，我都不會！我要搬一個救兵去幫我！』

太后明白了，眼珠一轉：

『妳要晴兒去跟你們一塊玩，是不是？』

『是！』小燕子拉著太后，走到窗前：『您瞧，就是那條船，只有爾康、紫薇、永琪和我，沒有外人！我向您借一借晴兒，大概一個時辰，就送她回來！』

太后轉頭看晴兒，只見晴兒滿臉發光，眼神裡充滿了祈求。

『老佛爺，』令妃不忍的說：『讓晴兒去吧！他們年輕人，在一塊兒有話好談，這兒，有我侍候您！』

『是呀是呀！』小燕子接口：『我們都是第一次來西湖，下次，也不知道那一年才會再來，讓我們也盡興的玩一玩，好不好？我們不會做壞事，只是嗑瓜子，吃點心，賞月，背詩，說笑話！』

太后再看晴兒，晴兒就急切的向太后說：

『我知道老佛爺不放心什麼，我向老佛爺保證，不該做的事，我一定不會做！』

太后凝視晴兒，搖了搖頭：

『妳保證不了什麼！如果妳想做我心裡那個晴兒，就留下來陪著我！』太后說著，抬頭看小燕子：『你們的賞月背詩，我聽起來有很多的不妥當，妳和紫薇，好歹是成親了，晴兒還是閨女，我不放心把她交給妳！妳那兒沒「外人」，我也不大相信！妳那位哥哥，怎樣都不是「內人」！』

小燕子一怔，看晴兒。晴兒就無奈的說：

『我還是在這兒侍候老佛爺吧！』

『算了算了！老佛爺吉祥，令妃娘娘吉祥，我走了！』小燕子懊惱的說，匆匆對太后行禮，轉身就走。

小燕子鑽出船艙，晴兒滿肚子的話，一句也出不了口，只能送了出來。小燕子乘大家不注意，飛快的把一張小紙卷塞進晴兒手裡，朗聲的說：

『晴兒，再見！』

晴兒一個顫慄，握緊了那張紙條。小燕子給了她深深的一瞥，下船去了。

小燕子回到自己的小船上，簫劍、爾康、紫薇、永琪都迎了過來。

『怎樣？晴兒沒有一起來，大路走不通了？』爾康問。

『是！』小燕子看著大家，堅定的說：『大路走不通，只好走小路，山路走不通，只好走水路！』

『紙條給她了嗎？』紫薇問。

『是！塞給她了！』

『我們的第一個計劃失敗，趕快去實行第二個計劃吧！』永琪急促的說。

簫劍臉色猶豫，抬頭看天：

『晴兒怎麼表示？如果傳統道德對她那麼重要，她也不會去實行第二個計劃的，我看，大家不要白忙了！』

小燕子衝到簫劍身邊，急切的搖了搖他。

『你這個慢郎中，要急死我！紙條都塞給她了，到時候，她會等我們的！我們已經是那個什麼箭和弦……』想了起來：『如箭在弦，非做不可了！』

簫劍面無表情，爾康一手拍在他左肩上。

『一切按計劃去做，不要三心兩意了！』

永琪走過來，一手拍在他右肩上。

『不到黃河心不死！要知道晴兒有心沒有心，就看她今夜來不來！』

結果，這夜，他們做了一件非常冒險的事。當月明星稀，夜色已深，整個船隊，都熄了大燈，只燃著幾盞小燈。那些侍衛，怕驚擾了乾隆太后等人的睡眠，都駐守在碼頭上面，船艙裡靜悄悄，船艙外也靜悄悄。

這時，一條有竹篷的小船，悄無聲息的划到太后的龍船旁。

晴兒披著一件斗篷，正緊張的站在甲板上等候，她手心裡全是冷汗，心臟『崩咚崩咚』的跳，快要從口腔裡跳出去了。她緊緊的盯著水面，看著那條小船靠攏。小船貼近，就看到爾康、永琪、簫劍三個人，都穿著老百姓的便服，手裡拿著槳，拚命把船划過來。三人看到晴兒，就趕緊跟晴兒作手勢。簫劍縱身一躍，輕得像根羽毛，上了大船，他一伸手，把晴兒一抱，再縱身而起，就把晴兒從大船上，接到小船上了。

簫劍緊緊的凝視晴兒，晴兒眼裡，凝聚著淚，激動得一塌糊塗。來不及說什麼，簫劍把晴兒推進船艙，就抓起木槳，拚命划船。小船在人不知鬼不覺的情況下，迅速的離開了。

晴兒進了船艙，發現船艙裡一片漆黑，然後，紫薇的手摸過來，拉住了她的左手，小燕子的手又摸過去，拉住了她的右手。

『妳的手好冷！妳渾身都在發抖！』紫薇悄聲說。

『不要怕！有我們在，我們都安排好了！』小燕子也悄聲說。

天啊！怎能不怕？到底自己在做些什麼？有了犯罪的心，就有大膽的行爲！是對是錯，不知道！以後會怎樣？不知道！老佛爺發現怎麼辦？不知道……唯一知道的，是那顆狂跳的心，跳出了一個靈魂深處的渴求：簫劍！簫劍！簫劍！簫劍！簫劍……

終於，小船來到一個很荒僻的岸邊，距離龍船好遠好遠，一棵大大的垂楊，枝葉都垂在水面上，小船鑽進垂楊下面，楊柳成了小船天然的帘幔。簫劍、爾康、永琪三個，忙著把小船停妥，上岸繫上繩索。

小燕子伸頭對外面看了看，伸伸腰桿，呼出一口氣來。

『好了！到達安全地帶，大家放心吧！』

爾康、簫劍、永琪停好船，奔進船艙。爾康喊：

『紫薇，我們點燈吧！』

船艙裡，忽然燈火通明。

晴兒四看，頓時驚得目瞪口呆。原來，小船的外表，雖然貌不驚人，但是，船艙裡，卻經過佈置，是浪漫而詩意的。只見，船艙四周，都垂著白色的紗幔，掛著許多紅色的小燈籠。船上，有張桌子，桌上，點燃了無數的蠟燭，還有許多鮮花，鮮花之中，放著酒壺和酒菜，兩雙碗筷。桌邊，兩張藤椅，一切完美得像個夢境。

晴兒怔著，不敢相信的看著四周。簫劍靜靜的站著，深深的看著她。

爾康、永琪、小燕子、紫薇圍繞著她。紫薇就上前，拉住她的手，凝視她。

『晴兒，』紫薇懇切的說：『我一直記得，當我和小燕子，陷在水深火熱裡的時候，妳曾經怎樣幫助我們！現在，我們易地而處，是妳陷在水深火熱裡了！我誠心的希望，妳和我們一樣，有勇氣衝破妳的障礙，追求到妳的幸福！』

『妳要勇敢一點，不要怕老佛爺，把妳心裡的話，都告訴我哥，他是悶葫蘆，有苦只會往自己肚子裡嚥，妳……不要欺負他！』小燕子說得激動。

永琪過來，拉開小燕子。

『時間不多，妳就讓他們自己去談吧！』永琪看了簫劍一眼，叮囑：『把握時間！我們到外面去把風！』

『如果聽到口哨的聲音，就趕快吹燈，懂了嗎？你們大概有一個時辰可以說話，四更的時候，一定要把晴兒送回到大船上去！好了！紫薇，我們退場了！』爾康說。

小燕子、紫薇、永琪、爾康就走出船艙，上岸去把風了。

船艙裡，簫劍和晴兒相對注視，似乎天地萬物，都不存在了。兩人就這樣痴痴的看著，晴兒眼中逐漸充滿淚水。簫劍低喊一聲：『晴兒！』

晴兒一奔，簫劍就把她緊擁在懷裡了，在她耳邊飛快的說：

『妳那封信，是妳的決定嗎？是妳心裡的話嗎？妳眞的要跟我斬斷關係嗎？妳眞的選擇了老佛爺嗎？這些天以來，我腦子裡，全是妳那封信！晴兒，妳好狠心！』

晴兒一聽，眼淚不停的落下。

『我一點辦法都沒有啊！你不明白，我生長的環境跟你不一樣，老佛爺對於我，像一個神一樣，我沒有辦法去背叛我的信仰，我的神靈呀！』

簫劍把她的身子推開了一些，雙手握住她的胳臂，眼光緊緊的盯著她。

『晴兒，我只要妳一句話，告訴我，妳心裡有沒有我？』他有力的說。

『如果我心裡沒有你，我現在會站在這兒嗎？我……』晴兒喉嚨裡哽住了，一邊落淚，一邊肯定的說：『我心裡除了你，就是你！幾百個你，幾千個你，幾萬個你！』

簫劍眼睛一閉，吸了口氣，急促的接口：

『那麼，聽我說，現在就跟我走！不要再回到那條龍船上去，我們離開這兒，像含香和蒙丹一樣，去過屬於我們的生活！』

晴兒大震。

『你說什麼？我怎麼可能……現在就跟你走？』

簫劍積極的，熱烈的說：

『可能的！晴兒，讓我們一起遠走高飛吧！我有預感，如果我們一直這樣拖拖拉拉，我們就再也沒有機會了！老佛爺不會放妳的，妳的良心和道德觀也不會放妳的！既然妳心裡都是我，還有什麼比我更重要的呢？我們就這樣走！』

『這是你和大家的決定嗎？小燕子也同意這樣？紫薇也同意這樣？』

『不！他們都不知道我會有這個提議，這是我見到妳之後，突然決定的！我強烈的要求妳，懇求妳，跟我走！』

『不不不！一定不能這樣，不行的！』晴兒看著他：『聽我說！上次，皇上說，他有意給你一個寶石頂戴，但是你沒有接受！這次南巡，皇上對你的印象很好，回北京以後，一定會論功行賞，你千萬不要再拒絕，你有了功名，我也比較好跟老佛爺開口……』

簫劍聽到這兒，把她一把推開，退後一步，冷冷的說：

『原來！妳要我有了功名，才要跟我！』

小船被簫劍弄得一歪，晴兒好不容易才站穩，著急的說：

『不是這樣，不是我貪圖名利，是我無可奈何，我希望在老佛爺的祝福下，得到幸福，像紫薇和爾康一樣，像小燕子和五阿哥一樣！我不要成為私奔的卓文君……』

『妳不用說了！』簫劍心底的仇恨，又陡然冒了出來，大聲起來：『我告訴妳，我永遠不會接受皇上的恩惠，我永遠不會接受任何功名，我和那個皇帝誓不……』他噤住，喊：『那是不可能的！如果妳想當福晉夫人，妳就應該去找個王孫公子！』

晴兒一呆，這是什麼話？她用手拭去淚痕。

『我知道了！我不該冒險跟你見面……真是「相見不如不見」，不見時，心裡還能保留一些幻想。原來，你把我想成這樣，我們還有什麼可談呢？我要回去了！』

晴兒說著，就往船艙外奔去，喊：『爾康！小燕子……送我回去！』

簫劍一急，就撲過來拉她。

『晴兒！不是這樣……』

晴兒一奔，簫劍一追，小船就東倒西歪，晴兒站不住，就摔了下去。

簫劍一把接住她，把她抱在懷裡。他凝視她那淚汪汪的眸子，那閃爍的淚光，訴說著千古以來的痴狂，是前生就開始的尋尋覓覓？是失落了幾輩子的幸福？是今生才找到的永恆？天上有數不清的星星，每一顆都在她眼中跳躍，人世有數不清的女人，只有她是他千萬年的等待。他再也忍不住，迷失在這樣的眼光和深情裡，低下頭，他忘形的、火熱的吻住了她。

晴兒沒有掙扎，什麼道德倫理，是非對錯，禮教規矩……一起灰飛煙滅。她崩潰在這雙有力的胳臂裡，融化在這團燃燒的火焰裡。她不由自主的反應著他，心底，彷彿有無數璀璨的煙火，綻放著滿天的火花，每一個火星裡，都跳躍出他的名字，簫劍，簫劍，簫劍，簫劍……這名字就鋪天鋪地的灑落下來，把她整個的人都環繞住了。

11

爾康、紫薇、永琪、小燕子四人，在岸邊走來走去，給簫劍他們把風。爾康有些不安，今晚的行動，確實太冒險了，如果不是簫劍已經沉不住氣，他絕對不會做這麼魯莽的安排。但是，天下有什麼事比『相愛不能相見』更殘忍的事呢？尤其，是晴兒的事，他早就說過，他欠晴兒的『幸福』，一定要『粉身碎骨』來回報。失去簫劍，晴兒這一生，還能幸福嗎？陪著老佛爺，是終身的滿足嗎？爾康就算拚命，也要為晴兒抓住簫劍！其他的事，就顧不得了。他看看小船，看看四周，把永琪拉到一邊，低聲的說：

『聽說這兒高手雲集，萬一有什麼風吹草動，晴兒是最重要的！我們能夠不動手，就不要動手！最好讓我來應付！』

『什麼？』永琪急了：『你不是已經佈置過了？這兒沒有我們的人嗎？』

『告訴你實話，佈置是佈置過了，但是，我的守衛臨時被阿瑪調去保護皇上的龍船，他說有了方式舟的事以後，什麼人都不能信任！但是，這個角落，距離龍船太遠，白天我已經仔細看過了，應該不會有問題！』

永琪想想，就胸有成竹的說：

『我們還有最後一招，了不起就亮出身分，就說我們要「夜遊西湖」！他們還能把阿哥、額駙、格格……都抓起來嗎？』

爾康點頭稱是。

紫薇和小燕子，聚精會神的注視著那條小船，看到白紗帳幔中的人影靠近在一起，兩人就開始情不自禁的笑。尤其是小燕子，用手摀著嘴，吃吃的笑得好開心。

『還說要分手，還說選擇了老佛爺，還說什麼傳統道德這個那個的……見了我哥，還不是全面投降了？』說著，就低低的唱起歌來：『當山峰沒有稜角的時候，當河水不再流……當天地萬物，化爲虛有，我還是不能和你分手，不能和你分手……』

就在這個溫馨時刻，爾康忽然聽到了什麼聲音，緊張的回頭張望。隱隱約約中，只見一群官兵，提著風燈，走了過來。他急忙奔到紫薇和小燕子的身邊。

『噓！別唱歌了，好像有人來了！』就急促的交代：『紫薇！妳不會武功，妳上船去！要簫劍立刻把船划走，把晴兒趕快送回大船去！這兒，我們來擋！』

紫薇大驚，歡樂的情緒全部飛走了，緊張的說：

『知道了！你小心！』

爾康把紫薇的身子一托，送上了小船。晴兒和簫劍聽到聲音，急忙奔出船艙，把紫薇接了進去。爾康一劍砍斷綁在樹上的繩子，然後一翻身竄了出去。

『什麼人？』爾康大聲問。

『你們是什麼人？』官兵也大聲問。

『我們是遊湖的人！』爾康回答。

『我們奉命，所有形跡可疑的人，都要帶回去審問！』官兵狐疑的看看打扮成平民的小燕子、永琪、和爾康，大疑。『你們半夜三更，有男有女，在這兒做什麼？』

永琪走了過來，暗中握著劍柄，故作鎮定的問：

『你們是誰的手下？孟良輔還是李正元？』

『你們膽敢直呼我們大人的名字！好大的狗膽！』官兵竟然大呼小叫起來。

小燕子自從當了福晉，何曾被人這樣罵過，立刻大怒，衝了過來。

『你們才好大的狗膽！』

官兵立刻揚著聲音，大喊大叫：

『來人呀！把他們通通抓起來！』

爾康一看，情形不對，趕快攔在前面。到了這種時刻，只好採用永琪的辦法。

『你把燈提高一點，看看我們是誰？』

豈料，那官兵一點也不賣帳，氣勢凌人的說道：

『我看你們一股鬼鬼祟祟的樣子，一定不是好人！』說著，忽然發現正在離去的小船，大喊：『那兒還有一條小船！把船停下！不管你們是誰，我們奉命檢查每一條船！來人呀……』

小燕子一看，情形不對，再也無法『顧全大局』，只想保護晴兒，安全回到大船上去，就飛身上來，鞭子一揮，頓時把那個官兵打得飛了出去。

眾官兵大驚，兵器『欽欽哐哐』全部出鞘。大家七嘴八舌的急喊：

『有刺客！有刺客！快去攔住那條船！』

官兵這樣一喊，就驚動了巡邏的武士，紛紛奔來。

爾康還想控制局面，只得亮出身分，拚命喊：

『大家不要打！我是御前侍衛福爾康……』

無奈這些江浙武士，沒人認得爾康，喊著說：

『別聽他胡扯！額駙在前面的龍船上面，那會穿這樣的衣服，用這種小船，還跑到這麼荒涼的地方來！冒充額駙，罪加一等！』

小燕子一鞭揮來，怒喊：

『別跟他們囉嗦了！要打，就打個痛快！』

永琪一面拔劍應戰，一面大喊：

『不要誤會，大家放下武器，我是五阿哥！』

『你是五阿哥，我就是大阿哥！』一個武士喊，掄劍刺向永琪。

永琪大怒，迎劍一接，錚然一聲，兩劍相碰，濺出了火花。那個武士的劍，幾乎脫手飛去，大驚。

『刺客是高手，兄弟們小心！大家上呀！』武士大喊。

剎那間，一群武士圍攻過來，把三人團團圍住。爾康、小燕子、永琪已經沒有時間再解釋，在刀光劍影下，只能和武士們展開一場大戰。頓時間，眾武士和三人打得唏哩嘩啦，人仰馬翻。

永琪一面打，還要一面照顧小燕子。何況，對手是保護乾隆的武士，都是自己人，這樣想著，他是招招留情，絕不傷人。這樣打，怎麼打得過？打得捉襟見肘。

小燕子被打得連連後退，大叫：

『他們好厲害，人又多，我們打不過，怎麼辦？』

小燕子話沒說完，對方一劍刺來，小燕子閃避不及，眼看要被刺中。

突然間，一條人影飛躍進場，左手簫，右手劍，打得行雲流水，解救了小燕子。小燕子驚呼：

『哥！趕快教訓他們！』

爾康一面打，一面不放心的回頭看：

『簫劍！你跳上岸打架，船怎麼辦？』

『總不能讓你們吃虧！打贏了再去划船！』

四人就乒乒乓乓的和眾武士大打。

紫薇和晴兒兩人，站在小船的船頭上觀望，嚇得臉色發白，手足無措。

『他們要打那麼多人，會不會吃虧呀……』晴兒說，忽然發現小船已經盪入湖心，驚喊：『紫薇！紫薇！我們該怎麼辦？我不會划船耶……』

紫薇看向黑黑的湖面，越看越緊張：

『好像有很多船追來了！』忽然想起爾康的叮囑，急喊：『吹燈！吹燈！爾康說的，要吹燈，不能讓人發現妳在船上……』

兩人就慌慌張張，跌跌撞撞的奔進船艙去吹燈。偏偏當初要搞『氣氛』，東一盞燈，西一盞燈，還有好多蠟燭。兩人撲到這兒，撲到那兒，到處吹燈。小船沒有人駕馭，又被兩人這樣一撲，就劇烈的搖晃起來，一晃，晴兒和紫薇全部摔跌在地，打了好幾個滾。

『哎喲！哎喲！好痛……』紫薇爬起身子，吹掉附近的一盞燈：『還有好多燈，怎麼辦？』

晴兒掙扎的站起身子，撲到桌上去吹。船身又一個搖晃，晴兒就整個人倒在桌子上。桌子承受不了晴兒的重量，垮了，晴兒大叫著再度摔下去。

『哎喲……我的腿……』

紫薇爬過去扶她。

『怎樣了？摔了那兒？』

就在兩個格格狼狽無比的爬著，彼此扶持著的時候，有支蠟燭滾到船邊，燒著了紗幔，紗幔又燒著了船窗，剎那間，火舌就迅速的延燒起來。

紫薇和晴兒，沒發現帘幔著火了，還坐在船艙裡，彼此揉著摔痛的地方。

火舌卻到處竄燒，偏偏紗幔四周，掛滿燈籠，火舌燒到燈籠，更加延燒過去。

紫薇一抬頭，只見火舌四起，大叫：

『不好了！晴兒，船失火了！』她抓起茶壺，就用茶水去澆。

紫薇慌亂中，抓了酒壺，澆向火焰。轟然一聲，火焰更是熊熊而起。晴兒大叫：『哇！怎麼辦？怎麼辦？』

紫薇抓住晴兒的手，兩人跌跌絆絆的衝出船艙。回頭一看，竹編的船篷已經被火焰燃燒，火舌不住向上席捲。兩人嚇得花容失色，站在船頭上大喊大叫：

『爾康！船失火了！爾康……快救我們啊！』

『簫劍！簫劍！我們怎麼辦啊？我不會游泳啊……』

岸上，爾康等四人正和武士們打得天翻地覆，忽然聽到淒厲的喊聲。爾康一回頭，只見火光沖天，魂飛魄散，大喊：

『不要打了！船……船……燒起來了！』激動中，御前侍衛的聲勢就拿了出來，對武士們急呼：『兩位格格在船上啊……趕快去救……』

武士們根本不信，依舊繼續打。

『什麼格格阿哥……你們投降了再說！』

永琪急喊：

『不能打！不要打！船上眞的有兩位格格呀！』

簫劍一面打，一面回頭，差點被武士的劍刺傷，根本無法停戰。

小燕子看到小船失火，晴兒和紫薇陷進大火裡，簡直嚇壞了。忽然急中生智，一個觔斗翻出戰圈，從懷裡掏出那面金牌令箭，舉著金牌，她大喊：

『皇上的金牌令箭在這兒！誰還要再打？』

這下，武士們終於聽進去了，大家抬頭一看，赫然是乾隆的金牌！手裡的武器乒乒乓乓，掉了一地。大家瞪視著那面『見金牌就如同見到乾隆』的令箭，不能再不相信，大家雙膝一軟，紛紛跪落地。

『你們到底是誰？』武士問著：『難道眞的是阿哥格格？』

小燕子、永琪、簫劍、爾康都顧不得回答，全部衝到岸邊。

只見紫薇和晴兒，手牽著手，站在燒著的船頭上，火焰在她們背後燃燒，把整個天空都映紅了。兩人已經走投無路。紫薇當機立斷，對晴兒說：

『沒辦法了，我們跳！』

兩人就手拉著手，縱身一跳，飛躍入水。

爾康狂叫著紫薇，飛奔過去，跳入水中，游向紫薇。簫劍也狂叫著晴兒，飛竄過去，也躍進水中。

永琪和小燕子，嚇呆在岸上。永琪忽然醒悟，大喊大叫：

『他們沒有一個人會游泳……』回頭對武士們急喊：『你們快去救他們！快快快！難道還不相信我是五阿哥嗎？』

小燕子舉起金牌，跳著腳大喊：

『誰不去就是死罪！快去呀……』

『喳！奴才遵命！遵命……』

眾武士這才覺得事態嚴重，紛紛衝進水裡。

火焰已經吞噬了整條小船，船篷劈哩叭啦的響著，火焰映紅了黑暗的天空。

片刻之後，晴兒首先被救上岸來。簫劍從小在洱海邊長大，對於水性，還瞭解幾分，在江浙武士的協助之下，把已經陷入昏迷的晴兒，抬到岸上，放在草地上。看到晴兒臉色慘白，簫劍的心，就跟著幾乎停止了跳動，什麼男女授受不親，什麼眾目睽睽，他都不管了，拚命按著她的胃，要把水擠壓出來，心魂俱碎的喊著：

『晴兒！趕快醒過來！晴兒！晴兒……醒過來！醒過來！醒過來……』

武士官兵們提著燈，圍了一圈。

永琪緊張的在水邊和晴兒之間跑來跑去，急促的命令著：

『會游泳的人，趕快再下水，紫薇和爾康還在水裡啊！』

小燕子也氣急敗壞，聲嘶力竭的兩邊跑，兩邊喊：

『晴兒！趕快醒過來呀！紫薇！紫薇！妳在那兒啊？爾康爾康……』

官兵們有的照著亮，有的又跑回水中去救人，場面混亂。

就在這時，晴兒喉中『咯』的一聲，吐出好多水來，眼睛也睜開了。

武士們這才驚呼出聲：

『醒過來了，水也吐出來了，好了好了，沒事了！』

簫劍一把把晴兒拉起來，緊擁在胸前，覺得自己的心跳，像萬馬奔馳一樣強烈。晴兒才睜開了眼睛，就驚恐的喊著：

『紫薇！紫薇……妳在那裡？紫薇……』

簫劍一抬頭，只見爾康抱著紫薇，在一群武士簇擁下，艱難的走上岸來。紫薇橫躺在爾康懷裡，渾身滴著水，似乎一點生命跡象都沒有。爾康嘶啞的喊：

『趕快生一個火，給我幾件乾衣服，快快快！她渾身冰冷，快要凍僵了！』

永琪趕緊脫下自己的外衣，眾官兵武士也紛紛脫下上衣，鋪在地上。

爾康放下紫薇，搶了幾件衣服裹著她，拚命擦著她的手腳，顫抖的喊著。

『紫薇！紫薇……不要嚇我！睜開眼睛，我是爾康，妳看看我！紫薇……』

晴兒一聽，就掙扎著爬了過來。看著紫薇，哭著喊：

『紫薇，妳怎樣了？紫薇……妳不能出事……都是我害了妳……』

簫劍撲奔過來，把爾康一推。

『你要把她肚子裡的水壓出來！我來！』

簫劍就一下一下的擠壓著紫薇的胃，爾康目不轉睛的，魂飛魄散的看著。

小燕子用手摀著嘴，痛哭起來：

『紫薇，妳不要死，妳千萬不要死……』

永琪回頭對小燕子喊：

『不要說「死」字！紫薇不會死！她多少次轉危為安，怎麼會死？』

官兵們已經生了火，爾康趕緊把紫薇移到火邊來。小燕子和晴兒，就拚命搓著紫薇的手腳，想把她搓熱。爾康見簫劍按壓了半天，都沒有動靜，彎下身子，把面頰貼著紫薇的鼻子，感到還有輕微的熱氣拂著自己的面頰，就一把把簫劍推開，接手擠壓，嘴裡亂七八糟的喊著：

『紫薇，妳還有呼吸，妳快醒過來吧！想想東兒吧！東兒，東兒……東兒在喊娘，妳聽到了嗎？我和東兒，我們不能沒有妳呀！紫薇……』

紫薇『咕嚕』一聲，吐出好多水來。

眾官兵武士歡呼著：

『醒了醒了！活過來了！』

紫薇又嗆又咳，睜眼看爾康，滿臉驚惶的說：

『爾康……咳咳……船，失火了……咳咳……燈太多……吹不完……』

爾康把紫薇緊緊的擁進懷裡，眼中含淚了，痛悔的說：

『都是我笨，弄那麼多燈做什麼？這種時候，還要製造氣氛！我笨……』說著，又感恩的、狂喜的在紫薇耳邊低語：『紫薇，我的心跳都快要停止了……紫薇……我好怕失去妳……我真的魂飛魄散了！』

小燕子和晴兒見紫薇沒事，高興得彼此抱著彼此。小燕子又哭又笑的嚷著：

『晴兒，她嚇死我了！她活了……我就知道的，紫薇大富大貴，她有皇阿瑪的吉祥制錢保護著，她會長命百歲，遇難呈祥，逢凶化吉……所有四個字四個字的吉祥話，她全有！』喊著喊著，忽然一驚：

『晴兒，妳怎麼渾身冰冷，一直發抖？趕快到火邊來烤一烤……晴兒！晴兒……』

原來，晴兒受驚過度，又被西湖冰冷的水浸泡，雖然沒被淹死，也元氣大傷。熬到現在，再也支持不住，暈了過去。

簫劍飛竄過來，抱住了晴兒。

這時，福倫騎著馬，帶著大批人馬，手持火把，奔了過來，驚喊著：

『這兒發生了什麼事？火光連皇上都看到了！』看到爾康永琪等人，更是驚嚇不已，再看到幾個濕透的人，簡直目瞪口呆了：『爾康！五阿哥……這是怎麼了？』

爾康抱著紫薇站起身，狼狽的看著福倫，冷得牙齒跟牙齒打顫，急促的說：

『阿瑪！現在什麼都別問了，我們需要大夫，需要薑湯，需要熱水和乾衣服！我們必須馬上回到大船上去……因爲，我和簫劍，也快凍僵了！』

12

結果，晴兒和簫劍的韻事，是以一種『驚天動地』的方式，讓太后和乾隆知道了。乾隆那晚已經入睡，被火光和侍衛的驚喊所驚醒。太后看到抬上大船的晴兒，嚇得面無人色。紫薇被爾康帶進了他們的畫舫。連夜，太醫一會兒診視紫薇，一會兒診視晴兒，在幾條大船之間，跑來跑去，來往穿梭。宮女嬤嬤們，熬藥煮薑湯，忙得不亦樂乎，人人都沒睡。

紫薇經過太醫診治之後，斷定沒有大礙。躺在床上，她悠悠醒轉。睜開眼睛，就看到爾康那對焦灼深情的眸子，一瞬也不瞬的看著她。他的手裡，端著一碗薑湯，正在冒著熱氣。紫薇閃動著眼瞼，立即想起發生的事，陡然清醒，四面一看，不見晴兒簫劍永琪小燕子，就緊張起來：

『我們弄得亂七八糟了，對不對？他們呢？他們在那裡？』

『噓！』爾康溫柔的說：『大夫說，妳受了驚嚇，又受了風寒，再加上溺水……妳需要好好的休息和調養，晴兒的事，妳就暫時別管了！』

紫薇從床上坐起來，著急的說：

『我怎麼能夠不管呢！你告訴我，晴兒還好嗎？』

『不大好！大夫正在給她治療，這西湖的水，真冷得像冰！』

『那……她在那兒？』

『當然在老佛爺那兒！』

『老佛爺都知道了嗎？簫劍呢？』

『妳喝完薑湯，我再告訴妳！』

紫薇一急，推開薑湯：

『不要，我心裡好急，你快告訴我嘛！到底現在的狀況如何？』

爾康放下薑湯，用自己的雙手，把紫薇的雙手，緊緊闔住。他的眼光，就深深切切的凝視著她，用無比溫柔的聲調說：

『好！我告訴妳！我們確實把事情弄砸了，本來不想這麼快讓老佛爺知道的，現在，是用一種「驚天動地」的方式，讓老佛爺知道了。現在，老佛爺接走了晴兒，皇阿瑪正在審問小燕子、永琪、和簫劍！』

『啊？那……要怎麼辦？會不會弄得很嚴重？』紫薇聽得心驚膽戰。

『現在，對我而言，最嚴重的事，就是妳！』爾康說，把她的手握得發痛：『紫薇……妳不知道，今晚妳又把我嚇壞了！有那麼一剎那，我以為妳活不成了！我腦子裡閃過的思想，居然是，東兒這麼小，失去父母，要怎麼辦？因為，我心裡最直接的念頭是，這世界上沒有妳，也不會有我，我們是生死與共的！』

紫薇深受震撼，不由自主，緊緊的的看著爾康。自從他們兩個認識到現在，他們經歷過許許多多的事，好像過了別人的好幾輩子。在婚前，紫薇常常大傷小傷，幾次面對生死邊緣，爾康是被『一路嚇過來』的。可是，自從結婚以後，所有的災難，好像全部度過了。就像爾康在結婚那晚許下的諾言：『從此，妳的生命裡只有幸福、幸福、幸福！』他做到了。紫薇在這四年之中，生活風平浪靜，就連生東兒，也很順利，沒有受太多的苦。福晉待紫薇，像待親生女兒一樣，把她調理得容光煥發。這些年來，她身體強壯了，也胖了一些，平常，連傷風感冒都沒有。爾康多麼慶幸，他們已經向『災難』永遠告別了。但是，這次在西湖，竟發生這麼大的事，又失火又落水，爾康只要想到躺在岸上，不省人事的紫薇，就不寒而慄了。在那一剎那，他腦海裡確實瘋狂的想：『失去紫薇，我絕不獨活！』

紫薇認眞的看著他，完全瞭解他的心思。同樣的思想，自己也想過。夫妻感情太好，也是一種牽絆，當一個先走的時候，另一個要怎麼辦？這些年來，她太幸福了，根本不去想這個問題，現在，爾康卻把這個問題帶到了她眼前。她凝視他，有些心慌意亂了。

『不行，爾康，』她鄭重的說：『你不能有這種思想。現在，我們兩個不是只有自己了，我們還有東兒，爲了東兒，我們兩個都要好好的活著！萬一，我先走了，你也要答應我，會愛惜自己的生命，好好的照顧東兒……』

紫薇話沒說完，爾康臉色大變。她怎會冒出這樣一句話？

『妳在說些什麼？』他顫慄著打斷她。

看到他的臉色驟然發白，紫薇趕緊把他一抱。

『不會的！我們兩個，都會長命百歲的！你看……』她從衣領裡，拉出乾隆送的吉祥制錢：『皇阿瑪的吉祥制錢，我都隨身戴著！我的多災多難，早已成爲過去，我答應你，我會爲你和東兒，活得好好的！』說著，就掀開被子想下床。

『妳要幹嘛？』

『去看看皇阿瑪會不會爲難簫劍啊！還要去看看晴兒啊！你不要擔心，我自從生下東兒，被額娘照顧得無微不至，現在的身體，比以前好多了，我已經沒事了！』

爾康把她按在床上：

『不管妳有事沒事，今晚，妳那裡都不許去！我要坐在這兒看著妳！』他端起薑湯：『把這個喝了，蒙著棉被睡一覺，天塌下來也別管！妳不要急，小燕子那個人是個怪物，有九條命，皇阿瑪拿她根本沒辦法，她總會在危急時刻，化悲爲喜！我們都樂觀一點吧！來，快喝薑湯，明天，我們再一起面對晴兒的問題！』

爾康就一匙一匙的餵紫薇喝薑湯，紫薇無奈，只好被動的喝著，眼裡，盛滿了對爾康感動和對小燕子等人的焦慮。

同一時間，乾隆正在生大氣。他在船艙裡走來走去，眼光輪流盯著永琪、簫劍、和小燕子。令妃生怕這些孩子們又要丟腦袋，小心翼翼的在一旁侍候。

小燕子正在指手畫腳的訴說經過。她已經豁出去了，反正鬧成這樣，什麼祕密都保不住了。死就死，亡就亡，不如實話實說，乾脆把事實都說了出來。怎樣四年以來，晴兒和簫劍彼此有情，怎樣『相見不如不見，有情不如無情』，怎樣『晴兒要分手，簫劍要遠走』，怎樣大家承諾簫劍，安排這次的見面，怎樣去太后的大船接晴兒，卻無法說服太后讓晴兒下船……

『這大路走不通，我們只好走小路，把晴兒偷偷的帶到小船上和我哥見面。』小燕子越說越有勁：『誰知道運氣不好，碰到一堆杭州武士，跟我們糾纏不清，居然連永琪和爾康都不認得！所以，我們就只好大打出手，誰知道，紫薇和晴兒吹燈沒吹滅，還引起大火，所以，就變成火燒小船！紫薇和晴兒，不能活活被燒死，只好跳水，爾康和我哥看到她們兩個跳水，嚇得三魂去了兩魂半，也跟著跳水救人……』小燕子說到這兒，舌敝脣焦，突然一呆，大發現似的喊：『皇阿瑪！我知道這句成語的意思了！「水深火熱」！原來，這就叫「水深火熱」！』

乾隆已經聽得頭昏腦脹，聽到這兒，實在受不了，一個站定，瞪著小燕子。啼笑皆非的問：

『你們鬧得天翻地覆，驚動了杭州所有的官員，驚動了老佛爺，把朕從睡夢裡面吵醒……結論是，妳學到了一句成語？』

小燕子一呆，訕訕的笑：

『皇阿瑪！對不起……我最近背成語已經背得走火入魔了，想到可以四個字四個字來說，就樂……樂不思蜀……不對，樂在其中……不對，樂此不疲……不對！是……是……樂不可支……樂不可支！哎！』臉色一正，祈諒的看著乾隆，可憐兮兮的請求：『皇阿瑪，我們知道闖大禍了！請您發發慈悲，原諒我哥和晴兒，乾脆，您就大方一點，反正已經鬧成這樣了，您就把晴兒指婚給我哥吧！』

什麼樂不可支，簡直是樂極生悲！乾隆瞪著小燕子，再看永琪和簫劍。

『這就是整個的故事？小燕子說的都是實情？你們爲了掩護簫劍和晴兒見面，弄得大打出手，火燒小船？』

永琪誠摯的，慚愧的說：

『是！皇阿瑪，小燕子說的都是眞的！老佛爺家教森嚴，晴兒和簫劍又一往情深，大家就鋌而走險了！弄成這樣，眞是想像不到的事！總之，我們知錯了！皇阿瑪能不能原諒我們，成全他們呢？』

乾隆盯著永琪，嚴厲的說：

『小燕子會做這樣的事情，朕還能夠瞭解，你是阿哥，怎麼也跟著她起鬨，幹下這麼荒唐的事？現在，弄得滿城風雨，雞飛狗跳，你們還敢開口，要朕將錯就錯？』

永琪低垂著頭，十分汗顏的說：

『皇阿瑪教訓得是！這件事確實做得太魯莽了……』

永琪話沒說完，簫劍已經忍無可忍，一挺身站了出來。抬著頭，傲然的說：

『皇上！你不用怪他們，這是我的事！如果你要追究責任，就衝著我來吧！看你要關我，還是要殺我！如果你不想關我，也不想殺我，就放了我和晴兒，表現你「仁君」的氣度！我和晴兒，已經兩心相許，不論你和老佛爺的決定怎樣，我都要帶她離開皇宮！』

簫劍一篇話，驚得乾隆怒上眉梢。

『你好大的膽子！你以為你是小燕子的哥哥，就算皇親國戚了？可以愛幹什麼就幹什麼了？你要帶走晴兒，沒有我和老佛爺的批准，你怎麼帶走晴兒？別說晴兒是位格格，就算她是宮裡的宮女，你也帶不走！你很驕傲，不屑於功名，不肯為朝廷效力，一個江湖浪子，四海為家，有什麼資格娶一位格格？』

『我有沒有資格，讓晴兒來說！只要晴兒說我沒有資格，我馬上掉頭就走！』

乾隆氣得跳腳：

『你掉頭就走？朕還不放你走呢！你玷污了晴兒的名節，朕要你的腦袋！』

『皇阿瑪！你又來了！』小燕子驚喊，上前擋著簫劍：『這是我哥哥耶！我有免死金牌，你不能要他的腦袋！』

不提免死金牌還好，一提免死金牌，乾隆更怒，指著小燕子嚷：

『妳……妳……妳到處亂用朕的金牌，朕要收回朕的免死金牌！』

小燕子往後一退，振振有詞：

『皇阿瑪給的東西，也能收回嗎？不是「君無戲言」嗎？』

令妃急壞了，急忙上前來勸：

『哎呀，小燕子，妳沒看到皇阿瑪正在氣頭上嗎？不能少說兩句嗎？』轉頭看簫劍：『你也少說兩句吧！』趕緊拍著乾隆的胸口，勸慰著：『別氣別氣，你知道小燕子就是這樣的！她的哥哥跟她，是同樣的爹娘，總有相像的地方，都是強脾氣嘛！』

永琪看到鬧得不可開交，上前一步，對乾隆誠懇的說：

『皇阿瑪！今晚，大家的情緒都非常激動，晴兒和紫薇差點淹死，我們到現在都心神不定，簫劍說的話，是一時情急，措辭不當，您不要生氣！』說著，就對簫劍使眼色：『不管怎樣，都是我不對，我應該攔在裡面，先向皇阿瑪請示，說不定皇阿瑪就作主了！我們大路不走走小路，才會弄得天下大亂！』

乾隆被鬧得心煩意亂，疲倦的揮手：

『去去去！通通出去！朕要好好的想一想，怎麼處罰你們！』

令妃就拚命給小燕子使眼色：

『你們都下去吧！有話，明天再說！』

小燕子還想說話，令妃過來，不由分說的把小燕子往船艙外推去。

『走走走！皇阿瑪這兒，有我侍候！大家都去睡覺吧！』

小燕子無奈，只好一面走，一面嚷著：

『皇阿瑪吉祥！祝您今晚睡一個好覺！』

乾隆瞪著小燕子背影，氣呼呼的說：

『有了妳，朕別想睡好覺！』

當乾隆審問小燕子的時候，晴兒在太后的龍船上，正昏昏沉沉的躺著。自從抬上船來，晴兒就開始發燒，只一會兒，已經燒得渾身滾燙，人也神志不清起來。因為發燒，臉孔不正常的紅著，嘴唇卻一點血色都沒有。晴兒一向健康，鮮少生病，這樣衰弱的晴兒，太后幾乎沒有見過。太醫診治過了，開了一大堆藥，宮女嬤嬤們連夜熬藥。太后坐在床邊的椅子裡，又是著急，又是生氣，又是惱怒的盯著她。皇后和容嬤嬤在一旁照顧，宮女們穿流不息的送薑湯送藥。容嬤嬤拿了冷帕子，敷在晴兒的額上，摸了摸晴兒的額頭，對太后說：

『老佛爺！晴格格燒得像火一樣，大夫說兩三天之內，熱度不會退。在這種情形下，老佛爺有任何問題，都問不出所以然來，不如讓她休養幾天，等到燒退了，再來問她！』

『老佛爺先去睡覺吧！這兒就讓容嬤嬤帶著奴才們侍候著！』皇后接口。

『這種情形，我還睡什麼覺？』太后恨恨的說：『我早就知道，晴兒和這兩個宮外的格格混在一起，一定會出問題，沒想到，他們會大膽到這個程度！』看著晴兒，實在有些不敢相信：『晴兒是我一手調教出來，一手帶大的呀！這……讓我太傷心了！』

晴兒睜開眼睛，神思恍恍惚惚，眼神不安的四望，嘴裡囈語似的喊：

『紫薇……紫薇……妳在那裡？』忽然看到容嬤嬤、皇后、太后等人，嚇出一身的汗，眼睛張大了，害怕的問：『我在那兒？紫薇呢？』

『妳平安了，沒事了，回到老佛爺身邊了！紫薇有爾康照顧著，她沒大礙，妳放心吧！』皇后趕緊安慰著。

晴兒看著四周，驀的明白了，自己回到太后的身邊，那麼，豈不是所有的祕密都拆穿了？她猛然從床上彈了起來。急喊：

容嬤嬤正接過丫頭手裡的藥碗，俯身餵藥，被晴兒一撞，『哎喲』一聲，藥碗潑在床上，灑在晴兒手上，晴兒燙得『哇』的一叫，拚命甩手。容嬤嬤變色，急忙又擦又吹，一疊連聲的說：

『哎呀！對不起！都是奴才手笨！趕快拿白玉散熱膏來！』

宮女們匆匆上前收拾，太后看得又驚又急。

晴兒卻顧不得自己燙到的手，勉強掙扎著，在床上給太后磕頭，悽然的喊：

『老佛爺！晴兒給您磕頭了！』

太后又氣又急又恨又憐的瞪著晴兒：

『妳到底是怎麼回事啊？從小跟在我身邊，也是讀《列女傳》長大的，難道不知道女兒家的名節，重於一切嗎？今晚這樣一鬧，以後，妳還怎麼做人？還有那家的王孫公子敢要妳？』

晴兒掀開棉被，身子一滑，從床上滑落在地上，跪在太后面前，聲淚俱下的說：『老佛爺……請您成全了我吧！』

『成全？』太后驚喊。

『晴兒還記得，四年前，老佛爺親口答應過我，如果有一天，我心中有了人，只要跟您開口，您就成全我！老佛爺……您罵我不知羞恥吧！我跟您開口了！』

太后大震，啞聲的說：

『晴兒，妳眞的看上那個簫劍了？』

晴兒仰臉看太后，眼淚一直往下掉。

『是！我……認定他了！今生……願意跟他過一輩子！』

太后桌子一拍，猛然起立。

『他是怎樣一個人，妳到底摸清楚了嗎？妳要跟他過一輩子，他是不是願意跟妳過一輩子？這一輩子要怎麼過？他看來也老大不小了，爲什麼還沒成親？他老家裡有沒有老婆？一大堆的問題都沒鬧明白，妳就想跟他一輩子，妳是不是太一廂情願了？』

晴兒跪在那兒，心力交瘁，憔悴已極，身子搖搖晃晃，哀聲說：

『他是小燕子的哥哥呀，老佛爺已經接受了小燕子，爲什麼不接受簫劍呢？』

提到小燕子，太后更加有氣，大聲說：

『別提小燕子！就是我一時不忍心，接受了她，才接受出這麼多禍害！』看著搖搖欲墜的晴兒，突然傷心起來：『晴兒，妳的意思是說，妳從此要離開我，跟那個簫劍去流浪嗎？』這句話問出口，太后心裡一酸，眼中就含淚了。

晴兒一看太后這樣，就伏地大哭起來，哽咽的說：

『老佛爺，我對簫劍說過，您是我的神！事實上，您不止是我的神，您還是我的再生父母、親人和一切！我從小沒有阿瑪額娘，都是老佛爺把我養大，我眞的不願意離開妳，不知道您能不能開恩，允許我兩全？晴兒心裡，像火燒一樣，許多感覺，不是言語可以表達……請求您，懇求您……』

晴兒說到這兒，身體不支，跌倒在地。

容嬤嬤趕緊扶住，把她拉到床上去。

『晴格格，不要太激動，無論什麼事，身子最重要！老佛爺，明天再談吧！晴格格支持不下去了！』

『這個樣子，怎麼談得出結果呢？老佛爺，不要操之過急吧！』皇后也勸著。

晴兒還想說話，奈何一陣劇烈的咳嗽，咳得她上氣不接下氣，額上冒出冷汗，汗珠一滴滴向下掉，她倒在枕頭上，用手搗著胸口，眼看就要斷氣似的。

太后嚇壞了，著急、心痛的大喊：

『容嬤嬤！趕快傳太醫！』

『喳！』

雖然鬧了一夜，簫劍、小燕子、永琪三個，都沒有辦法休息，從乾隆的船上，直接回到永琪的畫舫上。大家連坐都沒坐，永琪就出去打聽晴兒的消息。一會兒，永琪回來了，帶著滿臉的沉重，說：

『皇后和容嬤嬤剛剛才離開老佛爺的船，太醫也離開了，我攔住太醫，問了一下晴兒的情況，好像病得滿嚴重的！』

簫劍一急，衝口而出：

『我要去看她！』說著，往外就走。

永琪急忙一攔：

『你怎麼去看她？』

『我可以等大家睡了……跳窗進去！』

『怎麼可能？』永琪睜大眼睛：『不要發傻了！這兒是船上耶，你武功再好，也不能讓船不動，你一跳，船就歪了，還跳窗進去？何況，現在已經天亮了，多少武功高手官兵衛隊在守著，你已經惹了一身麻煩，不要再罪加一等！』

簫劍急得失去了主意：

『那我要怎麼辦？我不在她身邊，沒辦法保護她，也沒辦法幫她說話，她病成這樣，我連照顧她安慰她都不行！還不知道老佛爺怎樣刁難她……唉！』一跺腳：『我怎麼把自己陷進這種困境？怎麼會把晴兒弄成這種樣子？』

『本來不會弄得這麼糟的，如果不是老佛爺疑心了，我們可以大大方方接晴兒出來玩，也不至於要弄到今天這麼糟……』小燕子眼珠一轉，看永琪：『你說皇后和容嬤嬤剛剛才離開？不知道她們又在老佛爺面前搞了什麼鬼？』忽然想了起來，一拍手：『我找她們去算帳！』

小燕子一翻身就竄出了船艙，永琪一攔，攔了一個空，急得跺腳：

『哎哎！不要弄得一波未平，一波又起！』

永琪追了出去。簫劍一楞，也跟著追了出去。

小燕子飛快的奔到皇后的船上，一下子就鑽進船艙，喊著：

『皇額娘，容嬤嬤！妳們又在跟我們作對了，是不是？』

皇后一驚回頭，愕然的看著小燕子，問：

『怎麼回事？』

『我哥和晴兒的事，是不是妳們跟老佛爺告密的？』小燕子氣呼呼的嚷：『皇后，妳為什麼還要破壞我們？我現在喊妳一聲「皇額娘」，是把妳當「額娘」來看待的，妳們不是口口聲聲說，為我們感動，要為我們重生……原來，都是騙我們的！』

皇后怔著，心裡浮起一片悲哀，原來要『改邪歸正』，也沒這麼容易。以前的種種，早已像烙印般烙在身上，是洗也洗不掉了。就連大而化之的小燕子，都無法相信她真的『與世無爭』，還有誰會相信她呢？她看著小燕子，還來不及說話，容嬤嬤顫巍巍的過來了，顫聲的開了口：

『還珠格格，妳誤會娘娘了！我們一個字也沒說過！』

『我才不信！那晚在陳家，我和晴兒被妳們撞到，我就覺得不對……』

皇后還沒回答，侍衛在外面大聲通報『五阿哥到！簫大俠到！』聲到人到，永琪帶著簫劍，急急的衝進了船艙。

『皇額娘吉祥！小燕子一夜沒睡，現在有點頭腦不清，我帶她回去！』

永琪說著，拉著小燕子就走，簫劍也跟著走。

皇后看著他們，忽然嚴正的喊：

『你們站住！』

小燕子三人一呆，全部回頭。

『讓我告訴你們，』皇后盯著三人，義正辭嚴的說：『自從你們用免死金牌救下我們主僕二人的命，我們就沒有再把我們的生命，看成是自己的！我早已徹底把自己從過去的生活裡拔出來，但是，我雖然落魄，還是皇后，是你們的長輩，你們不要沒大沒小，一個不如意，就來指責我們！小燕子，妳生平最恨的事，是被人冤枉，妳為什麼要不分青紅皂白，來冤枉我們呢？』

小燕子一怔，懷疑的問：

『妳們沒有告密嗎？』

簫劍嘆了口氣，拉拉小燕子的衣袖，示意她離去。

『小燕子，事已至此，追究這個還有什麼意義？』

容嬤嬤就一步上前，抬頭挺胸的說：

『五阿哥，還珠格格，簫大俠……奴才以前做過很多事，現在都不用再提了！皇后這幾年，燒香唸佛，遠離了人世的是是非非。在這種情形下，怎麼會去告密呢？那晚，還珠格格和晴格格在陳家花園，我們雖然覺得有些奇怪，並沒有多事。但是，你們也不要把老佛爺看得太簡單，告密的不是我們，是那幾夜的簫聲，是晴格格的咳聲嘆氣，是你們大家的眼神！你們自己，早就把一切寫在臉上了！』

小燕子、永琪、簫劍都震住了。

皇后就看著三人，接口說：

『不要以爲我改變了，就等於我贊成你們的行爲！我在宮裡這麼多年，永遠不會贊成你們這種「私訂終身」的事！但是，我也不再反對，不再破壞了！對於我不瞭解的事，我學到了起碼的尊重，你們呢？有沒有同樣學到呢？』

永琪忽然對皇后生出一種感動的情緒來，臉色一正，誠懇的說：

『皇額娘別生氣，小燕子向來就是這個脾氣，是我們誤會了皇額娘……看樣子，妳們也被鬧得一夜沒睡，我們不打擾了！簫劍，走吧！』

容嬤嬤看著簫劍，忍不住眞摯的說：

『簫大俠，有幾句話想告訴你，晴格格病得下不了床，但是，她一直跪在老佛爺面前，哭著求老佛爺成全！晴格格心地太好，老佛爺是她的恩人，也是她的親人，你如果要她放棄老佛爺，等於要她放棄一半的生命來跟你，恐怕……是件很殘忍的事，以晴格格的人品，大概怎樣都做不出來！』

簫劍震動了，從來沒有人，這麼透徹的向他分析晴兒的處境，他盯著容嬤嬤，說不出話來。皇后長長一嘆說：

『所以，你們唯一的辦法，是說服老佛爺，就像晴兒今天對老佛爺說的話一樣，讓她兩全！別和老佛爺較勁，較勁的結果，是把晴兒活生生的撕成兩半！』

簫劍震動已極，看皇后，啞聲問：

『撕成兩半？』

『是啊，我看她那個樣子，就像已經被撕成兩半了！』皇后惻然的回答。

簫劍整個呆住了，小燕子和永琪，也都呆住了。

13

第二天，永琪、爾康和簫劍聚在一起，苦思如何善後。

爲了避開宮裡的閒雜人等，大家來到碼頭後方，山上的一個亭子裡。紫薇和小燕子去太后那兒探視晴兒，三個男人就在亭子裡不安的等待。

『我就不明白，你爲什麼不接受皇阿瑪的提議，先弄個功名？』永琪困惑的看著簫劍說：『做官沒有什麼不好，最起碼，可以在北京弄個房子，不要每天住在會賓樓！晴兒跟了你，也有個家……』

『你不要跟我提這個！』簫劍煩躁的打斷：『我不要功名！不要做官！我說了幾百遍了！』

爾康瞭解他和乾隆那解不開的死結，看看他，說：

『我知道你心裡的矛盾，我不勉強你接受皇阿瑪的賞賜或是恩惠！但是，現在難題放在這兒，晴兒放不下老佛爺，你要怎麼辦呢？』

簫劍埋著頭，在亭子裡走來走去，自言自語：

『撕成兩半？我和老佛爺，眞的在撕扯晴兒嗎？』

『我想是眞的！你一定要瞭解，晴兒是個宮裡長大的格格，她不是江湖女子！如果你愛她，就應該爲她犧牲一點，就算做官是一種犧牲吧，難道晴兒不值得你去犧牲嗎？何況，做官又不是要砍你的腦袋！』永琪說。

聽到『砍你的腦袋』幾個字，簫劍心底的隱痛，就猛烈的發作，他打了一個冷戰，突然無法控制的大聲說：

『那個皇帝，是一個專門砍人腦袋的人，我再墮落，也不能屈從這個皇帝！就算爲了晴兒，也不成！』

永琪眉頭一皺，生氣了。

『你這說的是什麼話？那個皇帝，是我的皇阿瑪，也是小燕子的皇阿瑪耶，你起碼也尊敬一點嘛！每次談到皇阿瑪，你就是這副要死不活的樣子，實在太奇怪了！』

簫劍一向沉穩，只有面對晴兒的事，就方寸大亂。聽到永琪的責備，想起前後的種種，眞是有苦說不出。他一怒，就對永琪一衝：

『他是你們的皇阿瑪！可不是我的皇阿瑪！說不定，我和他之間，還有未了的帳……』

爾康急忙插到兩人中間。喊：

『簫劍，簫劍……我們現在談的，是晴兒！你不要口不擇言，儘管肚子裡冒火，不要讓嘴巴裡冒煙，你懂嗎？』

三個人正在說著，紫薇和小燕子急急的跑了過來。

簫劍神色一凜，顧不得和永琪吵架了，急促的問：

『晴兒怎樣？妳們見到她了？』

小燕子頓時眼淚汪汪，淒然的說：

『哥！她好慘啊！病得亂七八糟的，還在那兒求老佛爺接受你！』

『老佛爺怎樣說？』爾康急忙問紫薇。

『老佛爺什麼話都不說，只是掉眼淚，親自端著藥碗，餵晴兒吃藥！』紫薇眼中，也漾著淚：『所以，晴兒就捧著老佛爺的手，一面說不敢，一面求，一面哭，一面吃藥……吃進去的藥，馬上就吐出來了……』

『砰』的一聲，簫劍手裡的簫掉到地上去了。他彎腰拾起簫，喟然長嘆。

『我完了！我鬥不過那位老佛爺……皇后說的對，我和老佛爺，正把她撕成兩半！就算我們一人搶到一半，也是血肉模糊的晴兒！』說著，他忽然回頭喊：『小燕子！跟我去一個地方！』

簫劍昂著頭，就往前走。小燕子驚愕的跟著他。

『去那裡？去那裡？』

簫劍不語，只是走，小燕子幾乎是用跑步跟著。

爾康和紫薇，交換了非常不安的一瞥，爾康就對永琪喊：

『我們一起去！』

簫劍一回頭，冷峻而大聲的說：

『誰都不要跟著我！這是我們兄妹兩個的事！』

爾康和紫薇只得收住腳步，不安的怔在那兒，永琪卻是一臉的莫名其妙。

簫劍帶著小燕子，來到一座觀音廟前。觀音廟香火鼎盛，許多香客在他們身邊穿梭，到菩薩面前去燒香拜佛。廟裡，觀音拿著楊枝，寶相莊嚴，四周香煙繚繞，誦經的聲音，飄蕩在廟堂裡。簫劍站在廟前的廣場上，沉痛的說：

『小燕子！妳看仔細，這塊土地，就是我和妳出生的地方！在二十四年以前，這兒沒有廟，是我們的家！聽說，我們家也有樓台亭閣，也有很大的花園。後來，我們的爹被殺了，我們的娘，把我們兩個分別託付給好友，就用一把長劍，抹了脖子……那晚，我們家也被一把火，燒成了平地。我在許多年前，曾經回來過一次，發現家裡什麼親人都沒有了，這塊土地上，多了一座廟。我們的爹娘，葬在一堆亂葬崗裡，我把爹娘的遺骨，帶到雲南大理，合葬在蒼山。從此發誓，再也不到杭州，因爲這兒讓我觸景傷情！這次，爲了妳和晴兒，我是破例了！』

小燕子呆呆的看著簫劍，再也沒料到，簫劍會把她帶到了出生地。聽到這一切，感到自己是有爹有娘的，雖然對過去的事糊糊塗塗，眼裡卻湧上了淚霧。

『原來，爹娘的遺骨，已經安葬了！』

『是！所以，我好想帶妳去大理。總覺得，只有那兒，才是我們的家。』

小燕子就痴痴的看著腳下的土地，忍不住一步一步的走來走去。每跨一步，就不勝嚮往的低語：『這兒，可能我的娘踩過……』再跨一步：『這兒，可能我的爹踩過……』再跨一步：『這兒，可能我娘抱著我，在這兒玩……』再跨一步：『這兒，可能是你和爹練工夫的地方……』閉上眼睛，她幻想著：『我可以想像爹娘的樣子，爹長得像你，娘長得像我……』

看到小燕子這樣，簫劍心裡，苦澀極了。爹娘的樣子，除了想像，只有想像。這麼多年，自己就這樣長大的。這份債，沒辦法催討，眼見乾隆前呼後擁，威風八面，自己居然也在『後擁』的隊伍裡。這種痛楚，如何繼續下去？杭州，眞是一個讓人心碎的地方。他閉了閉眼睛，摔了摔頭，眼裡濕漉漉。終於，他命令的說：

『憑弔過了，我們走吧！』

『不不，你再說再說！』小燕子熱切的看著他：『我總覺得，你說得好簡單。你曾經告訴我，仇人都死了，仇人怎麼死的？整個故事我都糊裡糊塗，現在，在我們家的土地上，你是不是預備告訴我了？』

簫劍長長一嘆，如何告訴妳？妳已經是乾隆的媳婦，五阿哥的福晉了。當初怕破壞妳的幸福，現在，看到永琪這樣待妳，更加不忍破壞妳。他想想，忍痛的說：

『我沒辦法告訴妳，因爲我什麼都弄不清楚。我唯一想讓妳明白的，是我也想報仇，常常，我都會被這股仇恨的火，燒得渾身都痛！但是，找到妳以後，妳眞的讓我改變了！今天，我會帶妳到這兒來，因爲這裡曾經是我們的老家。如果有一天，妳把故事弄清楚了，記住我今天的痛！記住我的無可奈何！』

簫劍說完，回頭，轉身就走。小燕子趕緊追著。

『等一下等一下，我還要看一看！我還要在四面走一走……』

『妳要看，隨時都可以看！我要走了！』

小燕子忽然體會到什麼，臉色一變。

『你要走到那兒去？我們回船上去，是不是？』

簫劍站住，深深的看了她一眼。

『代我轉告晴兒，我祝福她！請她……珍重！妳……也是！』

簫劍說完，大踏步而去。

小燕子一楞，拔腳就追，邊追邊喊：

『你站住！你敢走！你把晴兒弄成這樣，你就想跑掉嗎？』眼見簫劍頭也不回，越走越快，她也越追越快，越喊越大聲：『你混帳，你莫名其妙，你神經病，你瘋子，你回來！你不敢面對問題，只會逃走！我輕視你，我恨你！』聲音哽住了，轉爲哀求：『簫劍……方嚴……哥哥……』

蕭劍充耳不聞，快步而去。小燕子滿臉淚水，緊追不捨。兩人這樣疾走著，終於走到碼頭上。蕭劍直奔皇室的馬廄，衝了進去，他需要一匹好馬。

爾康、永琪和紫薇三人，正在碼頭上等待，蕭劍帶走了小燕子，三人都非常擔心。尤其知情的爾康和紫薇，生怕蕭劍把『大祕密』說出來，簡直急得像熱鍋上的螞蟻。正在望眼欲穿的時候，只見蕭劍和小燕子，一前一後的掠過碼頭，向馬廄處飛竄。三人全部呆住了。

蕭劍衝進馬廄，拉出一匹馬來。小燕子追了過去，不住口的喊：

『不要！哥哥……不要！』她衝上前去，死命的拉住馬韁，哀求的說：『我們去找老佛爺，我們去跟她說，她會諒解的，連我這麼沒學問的人，她都接受了！她怎麼會不接受你呢？』

蕭劍搶過馬韁，大聲吼：

『妳還不明白嗎？我根本不能給晴兒幸福，我也不要把她撕成兩半！我走，對大家都好！對妳也好！別拉著我！』

小燕子怎麼肯依，死命拉著馬韁，瘋狂般的搖著頭：

『這樣不行的！不行不行呀……』她氣起來，又大罵：『你這個木頭！二楞子！傻瓜！笨蛋！你不瞭解女人，你這樣一走，晴兒會發瘋的，不要不要……我們還有辦法，我們想辦法，你不要走……』

兩人拉拉扯扯中，永琪、爾康和紫薇追了過來。

『蕭劍！你要幹什麼？』爾康大喝一聲。

小燕子看到三人，好像看到救星一樣，急急的喊：

『永琪，爾康，你們快來拉住他！他要走了，他什麼都不管了，他不管我，連晴兒都不管了……』

三人看到這種情形，都吃了一驚。爾康和永琪就衝上前去，拉馬的拉馬，拉蕭劍的拉蕭劍。永琪心裡實在有氣，大聲說：

『怎麼跟一個小孩一樣，碰到問題就鬧出走！你又不是小燕子，你是一個大男人耶！你理智一點，我們還沒有走到最後一步！』

『大家都在想辦法，人人爲了你，想破了腦袋！你反而要做一個逃兵，這不是太荒唐了嗎？你的勇氣到那兒去了？』爾康跟著喊。

簫劍被拉得脫身不了，一怒，左手簫，右手劍，分別打向永琪和爾康。怒喊：

『我的事，從此不要你們管！你們的好意，我謝了！』

爾康和永琪，猝不及防，被打得翻身躲避。簫劍乘此機會，推開小燕子，就躍上馬背。永琪一看，這還得了？他這一走，小燕子鐵定心碎，晴兒鐵定小命難保，一急，就飛身而上，把簫劍拖下地來。生氣的大吼：

『我爲晴兒打死你這個無情無義的人！』就對著簫劍拳打腳踢。

簫劍不想戀戰，只想走，連續幾個猛攻，轉身就想上馬，不料，爾康一拳打來，簫劍閃避不及，被打了一個正著。簫劍大怒，只得硬拚爾康和永琪，三人打得難解難分。小燕子攔在那匹馬的前面，張開雙手，喊著：

『哥！你聽我說，老佛爺也是有血有肉的人，我們大家一起求她……我們一路走來，這種感情的仗，我們都打贏了，我們還會贏的！因爲老天會幫我們的……』

簫劍不理，只想擺脫爾康和永琪的阻止，雙方拳來劍往，打得唏哩嘩啦。

紫薇一看，簫劍這次是走定了，心裡一急，回頭就跑。此時此刻，留得住簫劍的，只有一個人！她將心比心，什麼顧忌都沒有了！

空中，一聲雷響，烏雲密佈。

紫薇跑得氣喘吁吁，一下子就衝進了太后的龍船。連請安和禮貌都顧不得，就直衝到晴兒床前，顫聲喊：

『晴兒！簫劍在馬廄那兒，他要走了！大概再也不會回來了！』

晴兒一聽，整個人滾下地來，抓著紫薇的手。

『我去……我去跟他說……我去……』

窗外，閃電劃過，雷鳴響起，接著大雨傾盆而下。

紫薇扶起晴兒，兩人就踉踉蹌蹌的往外奔去。太后急喊：

『晴兒！晴兒……外面在下大雨呀！』

晴兒那裡還聽得到太后的喊聲，她什麼聲音都聽不到了，心裡像雷鳴一般，只有兩個字，簫劍！簫劍！簫劍！簫劍……

當晴兒和紫薇跌跌撞撞的衝到馬廄，簫劍已經策馬而去了。

原來，簫劍見到永琪和爾康纏鬥不休，心裡一急，就再也不留情，所有的武功全部出爐，劍刺永琪，簫攻爾康，銳不可當。永琪和爾康當然不想傷到簫劍，就沒辦法施出全身工夫，一個不留心，永琪被簫劍踹倒，爾康也被打退，簫劍逮著空檔，騰身而起，飛快的落在馬背上。

『駕！駕！駕……』簫劍夾著馬腹，大喝。

馬整個飛躍起來，越過小燕子，衝向大路。

簫劍一人一騎，就在大雨中，急馳而去。

可憐的晴兒，喘吁吁的奔來，只見簫劍的背影，在雨霧中狂奔。晴兒心碎腸斷的大喊：

『簫劍……簫劍……簫劍……』

簫劍頭也不回，絕塵而去。晴兒腦中一片空白，他走了，她還剩下什麼？自從認識簫劍，他就是她的期望，是她的痛苦，也是她的狂歡呀！什麼都可以失去，就是不能失去他！她身不由己的狂奔著，開始追那一匹馬。在這一刻，她不知道自己只是一介女流，更不知道她那脆弱的身子，那有力量追一匹快馬？

簫劍騎著馬，在雨中飛馳。身後，晴兒的喊聲，穿過雨霧，蓋過雷鳴，隨風而至。那淒絕的喊聲，直刺著他的耳鼓：

『簫劍！簫劍……不要走……求求你……簫劍……』

簫劍的五臟六腑，隨著這樣的呼叫聲，絞成一團，頓時痛徹心肺。他忍不住勒馬，忍不住回頭。只看到晴兒穿著一身白衣，張著雙手，在大雨中狂奔。她小小的身影，像個就快被狂風暴雨撕碎的風箏。她邊跑邊哭邊喊：

『簫劍……我跟你一起走！你要走，帶我一起走……等等我……等我……』

不能回頭！不能回頭！簫劍心裡在瘋狂的吶喊，爲了她，爲了小燕子，只有走！只有走……他毅然的一咬牙，再度駕馬飛奔而去。

晴兒眼看他停下了，又看他掉頭而去，大急，狂追。腳下一滑，就從一個斜坡上骨碌骨碌滾下去，她一面滾，一面哀號著：

『簫劍……我選擇你……你不要走……我錯了……你不要走……』

簫劍一面奔馬，一面回頭。眼看她滾下斜坡，他再也控制不了自己，掉頭就向晴兒奔去。馬兒奔到一半，他已經飛身而下，奔向她。但是，眼看快要到她身邊了，他站住了，心裡那吶喊的聲音，如排山倒海般響起：

『不能回頭！不能回頭！回頭就萬劫不復了！你給不起她幸福，你還會破壞小燕子的幸福！走！上馬……走……』

心裡的吶喊，儘管強烈如萬馬奔騰，他的腳，卻像釘在地上一樣，動也不能動。

晴兒倒在泥濘中，匍匐在地，痛哭失聲的喊著：

『我要怎麼辦？簫劍……帶我走……我什麼都不要了……』

晴兒從地上抬頭，忽然看到簫劍的腿。她大喜過望，從泥濘中往簫劍爬去，好不容易爬到他身邊，她一把抱住了他的腿，仰頭看著他。她的眼光淒然的、狂熱的、痴情的燃燒著，她的聲音顫抖的、悲涼的、無助的呻吟著：

『簫劍，我……我錯，不該寫那封信給你，我……收回……原諒我！允許我……跟你……一起走……一起走……』

簫劍眼中一熱，心中緊緊一抽，說不出有多痛。他俯身，急忙抱起了她。他的眼光，熱切的看進她的眼睛深處去，知道自己再也沒辦法走了。這個女子好脆弱，她是絲，千縷萬縷的絲，把他早已緊緊纏住。感到她的身子在發抖，看到雨水淋在那蒼白的臉上，他心想，我要害死她了！他盯著她，啞聲的問：

『為什麼要追來？妳在發燒呀！下這麼大的雨……妳不要命了嗎？』

她死死的看著他，眼底的火焰，燃燒得更加猛烈。

『四年前，在小燕子婚禮上見到你，命，已經注定是你的了！』

簫劍再也說不出話來，心底在輾轉呼號：『晴兒！晴兒，我投降了……我不能把妳撕成兩半……所以，讓我墮落吧！我再也不離開妳！我不帶妳走，我為妳留下，去面對我們那不可知的命運……』

他抱著晴兒，一步步走回馬廄，小燕子等人，個個眼中含淚的看著他們。

這樣滿身泥濘的晴兒，是無法回到太后船上的。何況，紫薇和小燕子，也不忍心讓她立刻回到太后身邊，再被軟禁起來。大家就把晴兒帶到小燕子的畫舫上。紫薇和小燕子趕緊找了一身衣服，幫晴兒換上。洗淨她的手腳，再用乾帕子，努力擦乾她的頭髮……忙了半天，晴兒才有一點人樣了，但是，她的臉色比紙還白，那雙驚惶過度的眸子，不住的往船艙外面看，搜尋著簫劍的身影，生怕自己一個不留意，他就消失無蹤了。

窗外的雨，來得急，去得快，已經停了。

小燕子努力想製造一點輕鬆的空氣，笑著嚷：

『哎呀！這次的西湖，眞是詩意呀！以前那些文人，作了那麼多詩，歌頌西湖，沒有一個會有我們這種經驗吧！又是落水，又是淋雨，濕得眞徹底！我們這麼「濕意」，是不是也該作幾首詩呢？』

丫頭送來了薑湯，晴兒的眼光，依舊往船艙外面看。

紫薇察言觀色，走到外面，把薑湯往簫劍手裡一塞。

『簫劍，薑湯交給你！我們出去擋老佛爺，我猜，老佛爺馬上就會到我們這兒來了！所以，要說話，還是要把握時間！』回頭對船艙裡喊：『小燕子，我們出去！』

小燕子識相的鑽出船艙，把宮女們也帶了出來。

船艙裡剩下簫劍和晴兒。簫劍端著薑湯，走到床邊，低頭看她。

『把薑湯喝了，紫薇已經傳了太醫，等會兒太醫診斷了，才知道妳的病情有沒有加重。』簫劍在床沿上坐下，柔聲說。

晴兒只是盯著他，一語不發。那閃爍的眼光裡，盛載著無盡的深情和哀懇。這樣的眼光，把簫劍徹底打敗了，端著藥碗的手，都顫抖起來，忍不住，把藥碗往桌上一放，伸出雙手，抓住了她的雙手，那麼小的一雙手，握住的，竟是兩人的命運！

『晴兒！』他啞聲的說：『妳讓我太震撼了！太無法抗拒了！我記得紫薇說過，妳是冰山下的火種，外表「清冷孤傲」，內在「熱血奔騰」！我終於瞭解了她的形容……晴兒，』他緊握了她一下：『對不起！我差點逃走了！原諒我！』

簫劍這樣一說，晴兒眼淚唏哩嘩啦掉下來，哽咽的說：

『是我對不起你，你本來四海爲家，我害你這樣走也不是，留也不是！我……眞的願意跟你走……因爲，離開了你，我……生不如死呀！』

一句『生不如死』，掏自肺腑，幾乎是字字帶血的。簫劍眼裡濕了：

『我明白了！我不再和自己掙扎，爲了妳，我願意做另外一個我！我要那個寶石頂戴，我去做官，博取功名！現在，妳的身子不好，趕快把病養好，然後，我要告訴妳我的一切，我的身世，和我今天要逃走的原因……』

『是不是……你……已經有了妻子兒女了？』晴兒害怕的問。

簫劍一楞，趕緊搖頭：

『不是！不是那樣……』他深深的看著她：『妳是我生命裡唯一的女子！』

晴兒心頭一鬆，再也沒有什麼可以害怕的了，就放心的呼出一口氣來，緊緊的看著他，緊緊的握著他，哀懇的說：

『答應我不再逃跑，好嗎？如果你要走，就帶我一起走！今天這種事，答應我再也不會發生！』

『是！我答應妳！』簫劍鄭重的承諾。

晴兒就忘形的投身在他懷裡，簫劍也忘形的抱著她。在這一刻，天地萬物，都化為虛無……當山峰沒有稜角的時候，當河水不再流，當時間停住，日月不分，我還是不能和你分手，不能和你分手……

就在這時，外面傳來侍衛的大聲通報：

『老佛爺駕到！』

接著，是小燕子故意揚起的聲音：

『老佛爺！真不敢當，讓您到這條小船上來！您好好走，我攙著您！』

這聲『老佛爺駕到』像是一個巨雷，劈開了晴兒和簫劍。他們趕緊分開，晴兒躺上床，簫劍急步走到窗邊去。

小燕子和紫薇，一邊一個，攙著太后，走進船艙。紫薇解釋著：

『本來要把晴兒送到老佛爺的大船上，但是，她渾身都淋濕了，只好先到我們這兒，給她換身衣服，梳洗一下！』

晴兒趕緊下床，身子一軟，幾乎是跌在地上。簫劍神色一痛，衝上前來，想扶，看到太后，又住了手。他隱藏住自己所有的痛楚，吸了口氣說：『老佛爺吉祥！』

太后看了簫劍一眼，就急急的去看晴兒。

晴兒跪在那兒，對太后磕下頭去。

『老佛爺！晴兒所有的書都白唸了，所有的規矩也白學了……晴兒跪在這兒領罪，請老佛爺懲罰！』

太后彎腰，扶起了晴兒。看到她蒼白的臉龐，瘦弱的身子，她憐惜的說：

『別說了！趕快上床去躺著！』

紫薇和小燕子，就把晴兒扶上床。

太后看看晴兒，看看簫劍，嘆了一口長氣，妥協了。

『我擋不住你們這樣的熱情，也沒辦法瞭解這樣的熱情，看樣子，我又輸給你們了！』她凝視著簫劍，無奈的說：『我只好接受了你，現在，我們正在南巡，你們兩個，也安分一點，別再鬧出任何笑話來。等咱們回到北京，再好好安排親事！簫劍，晴兒是我心愛的格格，你得讓我時時刻刻見到她！』

簫劍意外的看著太后，還沒回答，小燕子就歡呼著跳了起來。

『老佛爺！妳答應啦？妳允許晴兒和我哥哥的婚事啦？』

太后瞪了小燕子一眼，氣呼呼的說：

『我能不答應嗎？我再不答應，妳哥哥會把晴兒整死的！或者，妳哥哥不在乎晴兒是生是死，可我……我在乎呀！』

小燕子大喜，撲了過去，就把簫劍一拉。

『哥！你還不趕快謝恩！』

簫劍迫不得已，對太后一抱拳。

『簫劍謝老佛爺恩典！』

紫薇沒料到太后會這樣轉變，太感動了，把晴兒緊緊一抱。

『晴兒！什麼都好了！災難也過去了，我敢打包票，妳的病馬上就會好，我看，太醫也用不著了！』看窗外：『連天也放晴了！真是「雨過天晴」呀！』

小燕子心中狂喜，『樂不可支』了，不住口的嚷著：

『我就知道，老佛爺也是有血有肉的人！』她勝利的看簫劍：『我說得不錯吧？』

簫劍垂頭不語。

晴兒伸手，握住太后的手，低低的，感激涕零的說：

『老佛爺，謝謝妳成全！』

太后凝視著晴兒，眼光裡，沒有嫁女兒的喜悅，只有深刻的無奈和沉痛。

『晴兒事件』鬧到這個田地，總算暫時打住。乾隆還是把永琪、小燕子、爾康、紫薇、簫劍都叫到面前來，好好的訓斥了一番。

『好了！這件火燒小船的事件，就這樣落幕！你們幾個，不要再出任何花樣了。晴兒是老佛爺身邊的人，不許動不動就把她偷出去！要約她去玩，一定要得到老佛爺的批准，什麼山路水路小路岔路，以後通通不許走！老佛爺已經答應了，回到北京，就給晴兒和簫劍定親，當然，簫劍的身分，朕還要斟酌一下！是給你個四品官呢？還是給你一個三品官！這個，回到北京再說吧！』

小燕子這下，心花怒放，立刻精神抖擻的，大聲的說：

『皇阿瑪萬歲萬歲萬萬歲！皇阿瑪，你是最仁慈，最善良，最好心，最偉大，最……最……』說著說著，想不出來了。

乾隆瞪著她，這個讓人又氣又愛又頭痛的小燕子！他故意刁難她，命令的說：『唔，說得很好！還有多少個「最」，說下去！』

小燕子轉動眼珠，拚命想，繼續說了下去：

『最聰明，最懂感情，最有學問，最有正義感，最有同情心，最愛老百姓，最疼兒女，最勇敢，最講理，最大方，最威風……反正，所有好的「最」，您全有了！那些壞的「最」，就是我們的了！』

乾隆不自禁的，又被小燕子帶進歡樂裡去了。

『哦？那麼，你們有那些「最」呢？也說來聽聽！』

『最不懂事，最淘氣，最愛闖禍，最沒規矩，最笨，最衝動，最糊塗，最氣人，最壞，最不講理，最……最最……』小燕子詞窮了。

永琪趕緊幫忙說：

『最任性，最囂張，最霸道，最瘋狂，最胡鬧，最孩子氣……』

小燕子睜大眼睛，看永琪，打斷了他：

『可是我們也有好的一面，沒有那麼壞啦！』就轉動眼珠說：『最熱情，最誠懇、最正直、最愛朋友，最重義氣，最堅強，最神勇，最……最……』想不出來還有什麼詞句可用，開始胡說八道：『醉雞醉鴨醉蝦醉蟹醉鬼醉不出來了！』

乾隆再也忍不住笑了，乾隆一笑，大家都笑了。只有簫劍，還是心事重重。

乾隆笑容一收，忽然語重心長的說：

『讓我告訴你們兩個「最」吧！「最好的跑馬，都是騎出來的，最有才幹的人，都是磨練出來的」！你們在享受生活的時候，也同時接受磨練吧！』

永琪和爾康不禁一震，心悅誠服的同聲說：

『皇阿瑪教訓得是！』

乾隆走了過來，一巴掌拍在簫劍的肩上。

『看樣子，你逃不掉做官的命！這也有一個「最」字！「最難消受美人恩」！』

乾隆這句話，像箭一般，直刺到簫劍內心深處。他不禁神色一凜。

紫薇深深看了簫劍一眼，知道簫劍心裡的矛盾和痛楚，就語帶雙關的接口：

『可是，人生最幸福的事，就是有個最知心的人！人生最快樂的事，就是有顆最寬大的心！我相信這幾個「最」字，簫劍是擁有了！』

爾康不勝感慨，一嘆：

『希望我們每個人也都擁有了！』

簫劍什麼話都沒說，在經過了這一番驚天動地之後，他還能說什麼呢？

14

這天晚上，西湖的月，分外明亮。

紫薇和爾康依偎在一起，看著湖水蕩漾，看著明月當空。紫薇幽幽的說：

『晴兒和簫劍總算得到老佛爺的認同了，我放下了心裡一塊大石頭，覺得老天還是挺照顧我們的，雖然我們鬧得驚天動地，每次都因禍得福！』

『這也是我們的特性吧！我們都有一種「追夢」的本能，對於我們的夢，不肯放過，對於感情，也無法控制！今天小燕子講了好多的「最」，她漏掉一個最重要的，我們是「最率性」的一群！不管是小燕子、永琪、簫劍、晴兒，還是妳和我，我們個性裡，都有一個共同點，我們率性而爲，追求生活中的「眞、善、美」。這成了我們的宗教，簡直執迷不悟！』爾康深思的說。

紫薇看著天空，出起神來：

『是啊！這樣的天空這樣的月色，這樣的湖水這樣的風……如果我們生命裡，沒有一些詩意的情緒，豈不是糟蹋了這樣的山山水水？』

爾康深情的擁著她，接口：

『看到這樣的景致，妳在想什麼？此時此刻，妳心裡最深刻的思想是什麼？』

『你呢？在這樣的晚上，你又在想什麼？』

『我們一起說答案！看看我們想的是不是一樣？』爾康說。

『好！』

兩人相對，就同時開口：

『東兒！』

紫薇一聽到爾康說出『東兒』兩字，就興奮的把爾康一抱，低聲喊：

『你眞好！你跟我一樣，在想東兒！原來你心裡也有他！』

『我心裡怎麼可能沒有他呢！他是我的兒子啊！南巡以來，常常想著他，睡了沒有？胖了沒有？長高沒有？長大沒有？會唸書了沒有？』

紫薇熱烈的，感動的凝視他：

『我也是！我也是！爾康……額娘曾經對我說，最好的丈夫就是最愛兒女的男人，我現在充分體會了！』

兩個人情不自禁，就深情的依偎著。

這時，有一條畫舫飄了過來，船上，有人在扣弦而歌，琴聲歌聲，都十分美妙。

爾康驚奇的說：

『聽！這琴聲和歌聲，滿有妳的味道！』看向那條畫舫：『這是那兒來的船？』

兩人就對窗外看過去，只見那條畫舫，緩緩的盪了過來。船上的窗子，垂著白色的帳幔，裡面掛著一排月白色的燈籠。在帳幔之中，可以看到一隊女子樂隊，抱著樂器在奏樂。樂隊中間，坐著一個白衣女子。那女子正對著窗子扣弦而歌，琴聲悠悠揚揚，歌聲綿綿裊裊，歌詞卻唱得非常清楚：

『天茫茫，水茫茫，

望斷天涯，人在何方？

記得當初，芳草斜陽，

雨後新荷，初吐芬芳！

緣訂三生，多少痴狂！

自君別後，山高水長！

魂兮夢兮，不曾相忘，

天上人間，無限思量……』

紫薇聽得怔住了。從小，她跟著母親學琴學歌，自認也唱得不錯，但是，這個白衣女子的琴藝已經出神入化，歌聲更是清越高亢。整個西湖，好像什麼聲音都沒有了，連乾隆那條龍船上的歌舞聲，都被這歌聲給掩蓋了。這些，還不是讓紫薇震撼的地方，最讓紫薇震撼的，是那歌詞！那奇異的歌詞，好像訴說著一個熟悉的故事！

同時被這歌聲所震撼的，還有乾隆。當歌聲傳來的時候，乾隆正和福倫及江浙諸大臣喝酒談話。照例，有一隊絕色的女子，正在跳舞助興。聽到這樣的歌聲，乾隆驚怔著，立刻對大家做了一個手勢：

『不要吵！讓朕聽聽這琴聲歌聲！』

『那兒來的歌聲？怎麼有船可以搖到這兒來……』福倫站起身，就想去查辦。

乾隆急忙對福倫說：

『噓！別說話！』

船艙裡的音樂舞蹈，都乍然停止，眾大臣氣都不敢出。

一片寂靜中，那白衣女子的歌聲，繼續飄來：

『天悠悠，水悠悠，

柔情似水，往事難留。

攜手長亭，相對凝眸，

燭影搖紅，多少溫柔！

前生有約，今生難求！

自君別後，幾度春秋！

魂兮夢兮，有志難酬，

天上人間，不見不休！』

歌聲輾轉纏綿，唱得如泣如訴。琴聲清脆悅耳，彈得蕩氣迴腸。乾隆不由自主的隨著那歌詞的每一個字，陷進極大的震動裡，聽得如醉如痴。

歌聲在高亢的、繞樑不絕的尾音中結束了。乾隆猛的站起身子，問：

『這是誰在唱歌？』

孟大人惶恐的起立，緊張得舌頭打結：

『回皇上，這是夏盈盈……奴才馬上去阻止她們！本來要封鎖西湖的，皇上不肯擾民，這些老百姓也不知天高地厚，居然把船搖到這兒來了！奴才馬上去處理！』

孟大人說著，就急急往船艙外跑去。乾隆喊著：

『孟大人！等一下！』

孟大人止步，必恭必敬的站在乾隆面前。

『你說，這是誰？夏什麼？』

『夏盈盈，是翠雲閣的姑娘，在杭州大大有名……』

『就是那晚不肯上船的姑娘？』乾隆問。

『對，對對……』孟大人緊張得口齒不清：『她脾氣古怪，就是那句話，不知天高地厚，任性得很……奴才去趕她走……』

『誰說要趕她走？』乾隆回頭喊：『福倫！』

『臣在！』福倫趕緊回答。

『你去把她「請」過來，語氣祥和一點，不要讓她覺得咱們仗勢欺人，知道嗎？』乾隆叮囑，語氣裡，居然有著急切的期盼。

『是！』福倫一怔，看看孟大人：『孟大人，咱們一起去吧！』

『喳！』孟大人看看乾隆，毫無把握的，小心翼翼的問：『如果……如果她不肯來呢？』

不肯來？乾隆呆了呆，還沒想過，也有人會『不肯來』。

『不肯來？那麼……朕到她的船上去！』

福倫抽了一口氣，急忙和孟大人下船去。

還好，夏盈盈並沒有『不肯來』，聽說皇上『有請』，她倒是落落大方的跟著福倫和孟大人，走上乾隆的大船。站在乾隆面前，她從容不迫的福了一福，清脆的說：

『奴婢夏盈盈叩見皇上，因為月明風清，一時情不自禁，唱歌自娛，想不到驚擾了皇上，奴婢特來請罪！』

乾隆目不轉睛的看著她，但見她盈盈下拜，低垂著頭，低垂著睫毛，低垂著下巴……乾隆只看到她那中分的髮線，和那被夜風揚起的衣裳。乾隆說：

『抬起頭來！讓朕看看妳！』

夏盈盈慢慢的抬頭。

乾隆猛的一震。接觸到夏盈盈那對美麗的眸子，這雙眼睛，分明夢中常見！那清秀的臉龐，那細細的眉毛，那挺直的鼻梁，和那張小小的嘴！怎麼似曾相識？記憶中，有個被自己辜負的女子，也有這種神韻，這種歌喉……『前生有約，今生難求！自君別後，幾度春秋！魂兮夢兮，有志難酬，天上人間，不見不休！』這是什麼歌詞？『記得當初，芳草斜陽，雨後新荷，初吐芬芳！緣訂三生，多少痴狂！自君別後，山高水長！』這又是什麼歌詞？乾隆震撼著，心底湧出一個名字：雨荷！他瞪視著夏盈盈，不禁呆了。

福倫忍不住咳了一聲。說：

『皇上！要不要請夏姑娘，再為皇上彈奏一曲？』

孟大人急忙附和：

『是啊！是啊！夏姑娘，趕快給皇上唱首曲子！』

夏盈盈看到乾隆目不轉睛的凝視她，不知不覺也出神了。聽到大家說話，才驚醒過來，對乾隆溫柔的問：

『皇上，您要聽曲子嗎？』

『剛剛妳唱的，是一首什麼歌？』乾隆問。

『回皇上，是「長相思」。』

『妳願意再唱一遍嗎？』

夏盈盈想了想，清清楚楚的回答了三個字：

『不願意！』

乾隆一楞。所有的大臣，全部一驚。

孟大人忍不住脫口驚呼：

『不願意？夏姑娘，妳別弄錯了……』

乾隆對孟大人瞪了一眼，轉頭看夏盈盈：

『爲什麼不願意？』

『回皇上！』夏盈盈不疾不徐的回答，語氣是眞摯坦白的：『唱歌要看心情，看環境，剛剛是對景生情，不由自主的唱，才能把感情完整的唱出來。現在，環境不對了，感覺不對了，最好不要再唱那首歌！』

孟大人又急又氣，才要開口，乾隆急忙阻止，對孟大人揮揮手：

『你們都下去！讓這位夏姑娘留在這兒！』

福倫心裡一陣不安，看著夏盈盈，狐疑的說：

『皇上！還是讓臣留在這兒吧！』

『福倫，你放心！你們都下去吧！』

福倫無奈，只得和眾大臣躬身行禮告退。孟大人手一招，舞孃們也都行禮退下。

夏盈盈看到大家都要走，就緊張了起來，忽然喊：

『夏盈盈也告退！』說著，對乾隆匆匆請安，隨著眾人就走。

『夏姑娘！請留步！』乾隆急呼。

夏盈盈站住，回頭。兩眼如秋水裡映著寒星，清澈、閃亮的看著乾隆。她昂首而立，臉上有一團正氣，是凜然不可侵犯的。她正色說：

『皇上！盈盈雖然出生貧寒，為生活所迫，流落江湖。但是，也讀了一些詩書，學了一些道理。在杭州，我出道兩年，陪酒不陪客，這個原則，從來沒有打破過。今晚，我是和姐妹們一起來遊湖，不是這條船的客人，我知道皇上是萬乘之尊，沒有人敢抗命的。但是，請原諒我，我的姐妹們還在等我，我不能把她們丟在那兒！我也不是召之即來的人，請皇上體諒我的苦衷，讓我回到我的小船上去！』

乾隆一瞬也不瞬的看著夏盈盈，一拍手：

『好！妳不是召之即來的人，朕懂了！陪酒不陪客，朕也懂了！還有姐妹在小船上，朕都懂了！孟大人，趕快擺酒，我們今晚要宴請夏姑娘，和她的姐妹！福倫，趕快去把小船上，夏姑娘的姐妹，通通請到大船上來！』

已經退到船艙外的福倫和眾大臣趕緊領旨。

『是！臣遵旨！』

乾隆看著夏盈盈。

『這樣，不知道夏姑娘能不能留下了？』

夏盈盈福了一福。

『盈盈願意為皇上唱一曲！』

於是，夏盈盈坐下，早有宮女取來了她的琴，遞上琴，她開始調弦。接著，一串琴聲琤琤琮琮的響起，像瀑布輕打在岩石上的聲音，乾隆幾乎可以看到水珠，隨著琴聲飛濺。

宮女們忙忙碌碌擺酒席，許多美女紛紛上船，大家聽到琴聲，都是行動悄悄的。

一段前奏之後，夏盈盈抬起頭來，凝視乾隆：

『我另外為皇上歌一曲！這首曲子，是有一夜，我從夢中驚醒，夢裡的情節，在眼前不停的重演，為了紀念這個夢，就寫了這首曲，皇上別見笑！』

乾隆不由自主，全神貫注的聽著。夏盈盈就開始唱：

『小橋流水，輕煙輕霧，常記雨中初相遇。

傘下攜手，雨珠如訴，把多少柔情盡吐！

一朝離別，叮嚀囑咐，香車繫在梨花樹！

淚眼相看，馬蹄揚塵，轉眼人去花無主！

春去秋來，離別容易，山盟剩下相思路！

夢裡相尋，夢外何處，花落只有香如故！』

一曲既終，夏盈盈深陷在歌詞的纏綿裡，滿臉溫柔，繼續彈琴。乾隆已經聽得痴了，這是夏盈盈的夢，還是他的夢？他痴痴的看著盈盈，依稀彷彿，有個女子也曾這樣彈琴唱歌給他聽，想留住他離去的腳步。但是，『淚眼相看，馬蹄揚塵，轉眼人去花無主！』直到今天，他才聽到這『花無主』三個字，他的心，不禁抽搐起來。

叮咚一聲，琴弦忽然折斷。

夏盈盈驚跳起來，臉色蒼白。

『不好！琴弦斷了！』

乾隆被這清脆的『叮咚』聲驀然驚醒，像是陡然從夢中醒來，往前一衝，一把握住了夏盈盈的手，激動萬分的喊：

『雨荷！妳的名字不是夏盈盈，妳是夏雨荷！』

當琴弦折斷的時候，紫薇和乾隆一樣，忽然從傾聽中驚跳起來。

她和爾康，一直倚著窗子，看著外面。所以，福倫和大臣們下龍船，把夏盈盈接上龍船，再集體退席，以至夏盈盈的『小橋流水』，她都聽得清清楚楚。和乾隆一樣，她陷進一種疑幻疑眞的境界，被那兩首歌的歌詞歌聲，深深的震撼著。

『這個女子怎麼會忽然出現？』她不安的問：『皇阿瑪怎麼會隨便讓一個陌生女子上船？她從那兒來的？』

爾康奇怪的凝視她，不解的問：

『妳今晚怎麼了？皇阿瑪興致好，把歌妓召到船上，這也沒什麼希奇，妳知道皇阿瑪就是這樣！以前爲了一個含香，我們跟皇阿瑪鬧得好嚴重，現在，我們千萬不要因爲這些事，再和他鬧得不愉快，我們就當作沒看到，沒聽到吧！』

紫薇轉頭，深深的盯著爾康，鄭重的問：

『爾康，你相不相信這個世界有鬼神？你相不相信皇阿瑪在我娘墳前說的話？人生的愛，不會因爲死亡而結束？你相不相信……』她抬頭，看著窗外的天空，浩瀚的星河裡，繁星璀璨，閃閃爍爍。在這深不見底的蒼穹裡，有沒有神靈？有沒有魂魄？她幽幽的說：『我娘，會不會在某一個地方，聽得到這些話？』

爾康一凜，有些瞭解了，他震動的看著她，就從她身後抱住她，甜蜜的說：

『我相信皇阿瑪那句話，人生的愛，不會因死亡而結束，我也相信妳娘在天上，會聽到這些話。我相信愛到深處，就不是時間和空間所能隔絕的。我們就是這樣！』

紫薇聽到爾康這篇話，她的心，就被他那眞摯的語氣所撼動了。她覺得自己就像一條小船，而他，像西湖的水，包圍著她，輕撫著她，保護著她，簇擁著她……她低低嘆息，她因爲有他，才變得美麗。她忘了皇阿瑪，忘了龍船上的歌聲，只是緊緊的、緊緊的偎著他，用全部心靈，去感覺他的呼吸，他的心跳。

乾隆的船上，這晚燈火通明。在夜深的時候，乾隆兀自在對夏盈盈說著心事。這是一件非常奇怪的事，忽然之間，乾隆那埋葬已久的感情，像經過雪封的大地，一夜之間，雪融了，埋在雪裡的新綠，全部冒了出來。那些和雨荷的舊事，那些藏在心底的思念和悔恨，他從來沒有對任何人說過。就連紫薇出現，把他拉回到過去，他也不曾告訴紫薇，他對雨荷的念念不忘。但是，今晚的他，不是乾隆，不是帝王，只是一個平凡的，陷在往事中不能自拔的老人。他不由自主，對夏盈盈訴說著雨荷的過去，雨荷的絲絲縷縷，點點滴滴。夏盈盈是一個最好的聽眾，她靜靜的傾聽著，眼裡，綻放著深切的同情。當乾隆終於說完他和雨荷全部的故事，嘆息著問她：

『這就是朕跟雨荷的故事，妳明白了嗎？』

她凝視乾隆，被這樣的深情震撼了。

『盈盈明白了！原來，皇上還是個有情人！』

乾隆激動的接口：

『不不！朕不是個「有情人」，是個「薄情人」！如果是個有情人，怎麼會辜負了雨荷？讓雨荷獨守空閨，就像妳的歌「春去秋來，離別容易，山盟剩下相思路！夢裡相尋，夢外何處，花落只有香如故！」』

『事隔多年，皇上還能記得和雨荷姑娘的每一個細節，聽到一首曲子，就憶起以前的往事，盈盈猜想，雨荷在天之靈，也能得到安慰了！皇上，您就不要太傷感了！人生，就算貴為皇帝，也不能事事如意，更不能控制生死大事！』盈盈柔聲說。

乾隆被說進心坎裡，感慨萬千：

『妳說得太好了！就是這樣，朕也有許多遺憾，也有許多無可奈何！』說著，又情不自禁的緊盯著夏盈盈：『妳的韻味，妳的眼神，妳的琴聲歌聲，都彷佛是雨荷再生，太像了！尤其那歌詞，妳怎麼會作那樣的歌詞？實在讓朕迷惑了！』越想越懷疑：『妳也姓夏，妳的老家，是不是從山東搬來的？妳的爹娘在那兒？』

『我的爹娘在我小的時候，就去世了！我是乾爹乾娘養大的……據我所知，我不是山東人，我從小就住在杭州，我想，我跟那位雨荷姑娘，是一點關係也沒有的！』

乾隆不信，他瞪著她，熱切的說：

『妳怎麼知道呢？如果妳爹娘老早就去世了，妳很可能和雨荷是一家人！但是……就算是一家人，也不可能唱出雨荷的心聲……』

乾隆神不守舍的細看她，盈盈被看得不安極了。

『奴婢猜想，皇上至今，對那位雨荷姑娘，一直念念不忘，而且懷著深深的歉意，只因為雨荷姑娘會唱小曲，我剛好也能唱兩句，皇上就迷惑了！但是，我不是雨荷，我是夏盈盈，請皇上不要穿鑿附會了！』

乾隆想了想，就摔摔頭，振作了一下，站起身來，說：

『好！咱們不談雨荷了。』一伸手，就去拉她的手：『今晚，妳就留在船上陪朕吧！』

夏盈盈一震，迅速的抽手起身，臉色一沉。

『皇上！請放尊重一點！』

乾隆吃了一驚，她是翠雲閣的姑娘，難道還有什麼三貞九烈？他不禁睜大眼睛看著她，困惑起來。

盈盈站在那兒，美麗的臉龐上，竟然有種不容侵犯的高貴。她凝視乾隆，堅決的、有力的說：

『皇上！奴婢是個很苦命的女子，因爲乾爹有病，義兄又過世了，家裡老老小小，需要照顧，不得不走進青樓。但是，兩年來，盈盈賣藝不賣身，至今維持女兒身！皇上雖然貴爲天子，也不能破了我的規矩。何況，皇上對我的錯愛，只因爲我像雨荷姑娘，這替身的事，我也不做！請皇上允許奴婢告辭，我要回家去了！』

盈盈說著，就對乾隆請安。

乾隆呆住了，被拒絕的事太不尋常，一時之間，他居然無言以答。

盈盈就對自己的同伴招手，美女們紛紛起立，收拾起樂器，全對乾隆請安。

『皇上吉祥！奴婢們告退了！』

乾隆還想留住盈盈，卻苦於沒有『理由』，如果把皇帝的『威權』拿出來，好像太沒格調。他只得眼睜睜看著她帶著女伴們，絡繹下船，翩翩而逝。

乾隆眼中，不禁流露出敬佩的光彩。心裡想著：

『誰說青樓中，沒有奇女子！』

15

這天，乾隆終於抽出時間，陪著太后下船，到附近的名勝去走走。同行的，當然是全員到齊。皇后和令妃帶著幾個宮女，簇擁著太后，走在後面。晴兒和皇后，跟在太后身邊，太后的神色是鬱鬱寡歡的。晴兒的神色也不好，臉色依舊憔悴，眼神也是小心翼翼的。落水再加上淋雨，她的傷風始終沒好，走一走，就忍不住咳嗽。

乾隆帶著紫薇、小燕子、永琪、爾康、簫劍等走在前面，大家東張西望，遊覽著四周景致。乾隆興致不高，有些心不在焉。簫劍每聽到晴兒咳嗽，就轉頭看看晴兒，卻不敢交談。大家似乎都有心事，玩得有些無精打采。

福倫對乾隆介紹著：

『這九溪十八澗，並不是西湖最有名的景點，一般人都不到這兒來玩，嫌它太偏僻了！如果皇上不喜歡，咱們可以換個地方走走！』

『這兒好！朕就喜歡這兒的幽靜！』乾隆四面看看，卻打了個哈欠。

太后在後面，看到這樣無精打采的乾隆，心裡浮起沉重的隱憂和不滿，對皇后和令妃說：

『我看，皇帝這幾夜都沒睡好，雖然陪著咱們遊山玩水，一點興致都沒有，是不是每晚的節目，都排得太滿了？這兩夜，不知是誰在唱曲，那調子也太淒涼了！』

『節目好像都是孟大人安排的，』令妃趕緊回答：『皇上似乎很喜歡，臣妾也不好過問。』

『這話就不對了！』太后正色說：『這次皇帝南巡，后妃都一起來，就是想杜絕這些事，妳們該過問的，居然沒有一個人過問，不是太奇怪了嗎？』

皇后和容嬤嬤交換了一個注視，皇后就不安的說：

『回老佛爺，這兩年，我吃齋唸佛，對皇上的私生活，完全不介入了！』

太后瞪著皇后，不以為然的說：

『妳好歹還是皇后，不是帶髮修行。不該問的不問，該問的，也別置身事外，個個都置身事外，誰來真正關心皇帝？』

皇后一震，太后這幾句話，還真有道理，就凝肅的回答：

『老佛爺教訓得是！臣妾明白了！』

『到底，這幾晚，在皇帝那兒唱曲子的姑娘，是個什麼人？容嬤嬤！妳有沒有去打聽一下呢？』太后再問。

『回老佛爺，奴才陪著皇后娘娘唸佛，這些事，都沒有去打聽！』

『妳最好去打聽一下！』

『喳！奴才遵命！』

晴兒好羨慕小燕子和紫薇啊，她們都能走在乾隆身邊。她悄悄的去看走在前方的簫劍，正好簫劍回頭，兩人眼光一接，她的心臟猛然一跳，神思縹緲了。

太后看在眼裡，氣在心裡。

走在前面的乾隆，又打了一個哈欠，振作了一下，喊：

『小燕子！』

『皇阿瑪！』小燕子趕緊回答。

『妳今天怎麼這樣安靜？』回頭看爾康和永琪：『你們怎麼都不說話？』

福倫也想提起乾隆的興致，就對爾康說：

『你們大家可以聯句作詩啊！猜謎語啊！對對子啊……』

『聯句作詩？對對子？』小燕子大驚：『那……我們還是猜謎語好了！』

乾隆勉強振作了一下：

『好！那朕就出一個謎語，你們大家猜一猜！』想了想，唸著謎語：『「黃鶴樓，魯班修，靈芝草，被人偷，騎龍乘鶴由他去，八仙過海各自休！」打一個字！』

大家你看我，我看你，各自研究。永琪明白了，笑著說：

『皇阿瑪！這個謎底就是「兄弟排行他在先，年年月月他在前，孤孤單單他獨眠！」』

乾隆一笑，爾康接口：

『這個字應該是這樣：「不在下邊，不在上邊，正在兩頭，卡在中間！」』

『唔，說得好！』乾隆讚美著，知道他們兩個都猜到了。

紫薇微笑起來：

『這個字啊！「豎看是根柱，橫看是根樑，世上數狀元，就是不成雙」！』

『你們好聰明，都猜到了！』乾隆終於有了笑容。

小燕子看看這個，看看那個，聽得糊裡糊塗。

『我還沒猜到啊，到底是個什麼字？你們也不說謎底，每個人都唸上一大串，你們是在猜謎還是在出謎呀！』

『我們用謎語回答謎語，所有我們說的，和皇阿瑪說的，都是同一個字！』永琪微笑的看著小燕子，提醒著她：『這個「字」，「去了帽子」就是了！』

小燕子有些明白了，拚命猜：

『這個「字」，去了帽子，哦，我知道了，是個兒子的子字！』

『再想一想，是「去了」，不止帽子一件啊！』

小燕子這才恍然大悟：

『原來是個「一」字啊！』

『小燕子，妳實在反應太慢！』爾康技癢了：『我也說一個謎語給大家猜！』就唸著謎語：『「四個不字顛倒顛，四個八字緊相連，四個人字不相見，一個十字站中間！」打一個字！』

大家還在討論，紫薇很有默契的笑著接口：

『這個字啊！是這樣的『上看像不，下看像不，不是不上，就是不下！』

乾隆深深看了紫薇一眼，忽然閃神了，也不猜謎，怔了怔說：

『紫薇，妳知道嗎？妳娘以前，也很會猜謎，朕常常出謎給她猜，她總是可以猜出來！』

『是嗎？』紫薇深思的看著乾隆。此時此刻，他想到的是雨荷？

這時，小燕子很不服氣的開口了：

『這種字謎不好玩，我出個幾個謎給你們猜！「遠看是隻狗，近看還是狗，叫牠牠不來，踢牠牠不走！」是什麼動物？記住，是個動物喲！還有一個謎，「遠看是隻貓，近看還是貓，卻比小貓大，又比大貓小！」是什麼動物？還有一個謎，「遠看是隻牛，近看還是牛，沒有牛觭角，站起就跌倒！」是什麼動物？』

小燕子的謎很稀奇，大家都開始猜，簫劍懷疑的問：

『妳確定妳的謎題出得沒問題嗎？確定有這種動物嗎？』

『沒問題！沒問題！確定有，絕對有！』

大家東猜西猜，猜不出來。

小燕子大笑說：

『你們不要再猜了，我公布謎底吧！那隻叫不來，踢不走的狗，是「死狗」，那隻貓是「半大的貓」，至於牛嗎？是剛剛出生，還站不穩的「小牛」！』

大家都笑了起來，指著小燕子又笑又罵。

乾隆也笑了笑，但是，笑著笑著，又打了一個哈欠。福倫察言觀色，急忙說：

『皇上好像累了，要不要回到船上去休息一下！』

『也好！也好！』乾隆立刻贊成。

太后聽了，實在鬱悶，好不容易出來走走，他又要上船！正在有氣的時候，小燕子奔到太后身前來了，堆著滿臉的笑，要求的說：

『老佛爺，可不可以跟您借一借晴兒？皇阿瑪要回船上去，我們還不想回去，晴兒病好了，還沒好好的遊過西湖呢，我們帶她一起去玩一玩。』

『她還沒遊過西湖？差點游西湖游得送了命！』太后沒好氣的說。

『我不去！我陪著老佛爺！』晴兒急忙說。

太后一聽，更加有氣，晴兒那副失魂落魄的樣子，她早就看不順眼了。

『算了，妳陪著我，心也不在這兒，妳跟小燕子去吧！』

『不不不！我不去……我不去……』晴兒惶恐的說著，不敢答應。

『讓妳去妳不去！不讓妳去，妳偷偷的去！』太后更氣：『什麼道理嘛？去去去……不要裝模作樣了！』

晴兒猶豫著，去也不是，不去也不是。太后就直著脖子喊：

『福大人！』

福倫急忙過來。

『老佛爺有什麼吩咐？』

『請你派一個人，去海寧陳家，把知畫接來，我決定這次就帶她回宮！』太后斬釘斷鐵的說。

接知畫進宮？晴兒楞了楞，知道自己在太后心裡，已經再也沒有分量了，心底浮起一陣落寞和失意。

至於小燕子，乍聽知畫要進宮，就像挨了當頭一棒，臉色驀然變白了。

乾隆回船，太后皇后等人當然跟著回去了。

雖然太后撂下一句重話，但是，小燕子總算把晴兒留了下來。他們這年輕的六個人，總算又聚在一起了，這是火燒小船之後，大家第一次聚首。在綠樹濃蔭中，在潺潺溪聲下，雖然雲淡風清，景致如畫，大家的神情，卻都是凝重的。紫薇拉著小燕子，埋怨的嚷：

『妳為什麼不忍一忍嘛？我還來不及拉住妳，妳就跑去找老佛爺了！妳該知道，為了火燒小船的事，老佛爺還一肚子氣，妳幹嘛去招惹她呢？』

『都是爲了哥哥嘛！老佛爺已經答應了婚事，大家也挑明了，晴兒和我哥，遲早是夫妻，可是，他們兩個好像比以前還難，一句話都不能說，我看不下去呀！』她說著，就跺起腳來：『爲了這個，就要把知畫接進宮，這個「下馬威」也太大了嘛！』

『那不是對妳的「下馬威」，是對我的！』晴兒說：『老佛爺是傷心了，覺得白疼了我，要把知畫接進宮，取代我的位置。唉！老佛爺心裡，仍然不原諒我！』

簫劍看著晴兒，一本正經的說：

『這樣也好，老佛爺遲早要面對這一天！早點找個人來取代妳是對的！』

永琪聽到知畫要進宮，就心煩意亂起來，對簫劍衝口而出的說：

『好什麼好？老佛爺大概要逼著我，把知畫納爲側福晉！』

簫劍怔住了。小燕子一聽，扭頭就往前面走，永琪急忙追去。

『小燕子！小燕子！妳不要又把氣往我身上出……』

小燕子轉頭看永琪，一臉的無助：

『我要怎麼辦嘛？算了，也別遊湖了，我回去背成語，背四書五經，背列女傳！背唐詩……』說著就掉頭，往回頭路疾走。

『現在背什麼書？』永琪又回頭追：『我們該去那兒，就去那兒！反正，火還沒有燒到眉毛，燒到的時候再說！反正妳說過，我們都是九頭鳥，有九條命！』他拍拍小燕子的肩，豪氣的笑著：『別生氣，到時候，就是妳那句話，要頭一顆，要命一條！怎麼樣？』

小燕子瞪著他，笑了。是啊，等到火燒眉毛再來著急吧！她想起什麼，就拋開了這個問題，跑到晴兒和簫劍身邊去。她一把挽住晴兒，對簫劍感性的說：

『哥哥！我們再去我們老家那兒，好不好？晴兒快要成為方家的媳婦，我的嫂嫂了！我們應該去那兒祭拜一下，難得來杭州呀！上次，被你鬧得都沒好好看！我還要去找一找，有沒有我爹和我娘的痕跡！』

簫劍的眼神立刻陰暗了。

爾康和紫薇，都臉色一變。爾康立刻嚴重的說：

『不要去了！過去的事，最好讓它過去！憑弔只是增加傷感而已。我們幾個的行蹤，是非常引人注意的，我們還是儘早回到船上，不要節外生枝才好！』

『爾康說的對！我們早些回去吧！』簫劍被提醒了。

晴兒卻看著簫劍，懷著無限感情的說：

『可是，我很想去憑弔你的爹娘呀！』

永琪這才想起，小燕子的老家在杭州，想想，自己這個女婿眞差勁，乾隆都帶著爾康祭雨荷，自己卻全然沒有過問小燕子的爹娘！當下，就肅然的說：

『我也很想去！如果可以祭拜，我也要祭拜岳父岳母！這次南巡，我們祭了紫薇的娘，也該祭一祭小燕子和簫劍的爹娘！』

簫劍臉色愴然，再也說不出不去的話了。

結果，大家都去了『觀音廟』。

六個人在菩薩面前，燃香拜菩薩。然後，六個人再燃香，去祭拜亡魂。

這番祭拜，六個人帶著不同的心情，卻都是虔誠的。爾康和紫薇，不禁默禱，希望方家的爹娘，保佑小燕子和簫劍的幸福，能夠化仇恨為親情。簫劍不禁默禱，希望爹娘原諒他的不孝，為了小燕子、為了晴兒，他只能把報仇拋下。永琪和晴兒不禁默禱，感謝方家爹娘給了他們那麼好的『另一半』，抱歉不曾有機會承歡膝下。至於小燕子，她跪在那兒，虔誠叩首，嘴裡唸唸有辭：

『爹！娘！我和哥哥，永琪、晴兒，紫薇，爾康都來看你們了！我們六個人，現在眞正是一家人了！爹娘，是不是你們在天上，幫我們大家牽線，讓我們幾個的生命，這樣緊緊的靠在一起？現在，你們看得到我們嗎？雖然，你們已經搬到大理去了，這兒，仍然是你們生活過的地方，也是我和哥哥出生的地方，我覺得你們的魂魄，依然在這兒！我要告訴你們，謝謝你們給了我們生命，讓我可以活得這麼快樂，這麼幸福！就算生活裡有些不如意，我們也都克服了。我好想好想你們，好遺憾沒有和你們一起生活，希望你們在天上，也和我們一樣幸福……』

小燕子說出了大家的心情，六個人，個個感動著。

太后回到船上，心裡的怒氣，仍然沒有平復。想來想去，對於晴兒這個婚事，是一百二十萬分的不滿。當初小燕子嫁給五阿哥，她就該做一件事，卻因循苟且的耽誤了。那時想，五阿哥是皇子，可以娶無數的妻室，就算有一個出身不好，還可以找其他的名門閨秀，對小燕子的出身，就馬馬虎虎了。但是，晴兒不一樣。晴兒是女子，必須『從一而終』。好，是這個人，不好，也是這個人。太后看簫劍，不知怎的，就是『疑雲重重』。所以，就在『火燒小船』的事件以後，她已經命令自己的親信高庸，去打聽有關方淮的事跡。『方淮，杭州望族』。這是太后僅有的資料。既然是『望族』，又在『杭州』，這個人總該有些遺跡吧！

回到船上，立刻召見高庸。高庸甩袖下跪。

『老佛爺，奴才已經打聽過了！』

太后對宮女們揮揮手，宮女退下。

『打聽的結果如何？船艙裡只有我，可以放心說話！』

『回老佛爺，奴才調查了好多資料，這二十幾年前的事，實在很難查。可是，所有的資料裡，都查不到「方淮」這個人！好像這個人從來沒有存在過！如果說他曾經是杭州的大家族，什麼書香世家之類，那是不可能的！』

太后臉色一變，嚴重的說：

『高庸！你不要像上次調查紫薇的身世一樣，把作僞證的人也帶回宮了，這次，我要一個確實的答案！不能有絲毫的懷疑，和牽強附會！我要知道這個簫劍到底是什麼來歷？和小燕子是不是親兄妹？你說，這個方淮不存在，那怎麼可能？再去調查清楚！把二十幾年前，杭州所有姓方的人，全部資料都查一遍！我不信，找不出任何蛛絲馬跡！』

『喳！奴才遵命！再去調查！』

『你查清楚了再回北京！千萬不要讓皇上和任何人知道這件事！』

『喳！』高庸甩袖後退：『奴才馬上去辦！』

高庸走了，太后陷進深深的疑惑裡。沒有『方淮』這個人？這是怎麼回事？她抬頭，看著船窗外的西湖沉思。這一看，就看到一群鶯鶯燕燕，簇擁著夏盈盈，正走上了乾隆的龍船。太后的心，頓時沉進了地底。

夏盈盈上了龍船，乾隆早已親自迎了過來。盈盈帶著美女們，請下安去：

『盈盈叩見皇上！皇上吉祥！』

『盈盈，不要多禮了！』乾隆寵愛的看著她，關心的問：『昨晚回去已經晚了，睡夠沒有？』

她站起身子，輕聲嘆息，低語：

『幾乎沒睡。』

乾隆一震，衝口而出：

『朕也沒睡！』

兩人就相對注視，千言萬語，盡在無言中。美女們坐下，開始調弦，奏起優美而輕柔的音樂。宮女們奉茶，送上各色小點心。

乾隆深深的看著她，說：

『今天，朕和老佛爺、格格、阿哥們去遊山玩水，大家猜謎語，這本來是朕最有興趣的事，結果，妳知道嗎？朕一點情緒都沒有，腦子裡盡是妳，實在等不到晚上，只好回船，讓孟大人把妳接來！』

盈盈點點頭。乾隆就柔聲的，充滿感情的問：

『妳呢？有沒有很想看到朕呢？』

她迎視著他的目光，輕聲的回答：

『盈盈不想。』

『不想？』乾隆大失所望：『妳真的不想？』

『盈盈不敢想，想又怎樣呢？』她的聲音低柔而清晰：『過幾天，皇上就回北京了，我只是第二個夏雨荷而已。不想比較好，等皇上走了，我還是以前的夏盈盈。』

乾隆震動了，他忍不住深深的凝視她。

『第二個夏雨荷？』他頓感滿腹悽然：『不！我不會再讓妳變成夏雨荷。』說著，就忘形的去拉她的手，動情的說：『既然不想，爲什麼睡不著？』

她輕輕一抽，抽出自己的手來，睫毛低垂了下去，面頰緋紅起來：

『有些事情，就是不由自主嘛！如果能夠「不想」就「不想」，那就不是人，是神仙了！』她坦率的招認了。

乾隆心中怦然而動，見她眼中有情，眉端帶怯，雙頰更是嫣紅如醉，就愛極的說：

『今晚，朕不準備送妳回去了！』

『皇上！』她吃驚的抬起頭來，眼中的情，立刻被一團正氣所取代：『請不要這樣，還是讓我維持我的原則吧！我淪落在風塵之中，本來沒有資格談操守名節，可是，我還有那麼一點點的自尊，請不要勉強我！』她注視乾隆，一笑：『您說，您最喜歡猜謎，我碰巧知道一個謎語，說給皇上聽！』

乾隆呆呆的看著她，說不出的眷戀。她就清脆而清楚的唸出了謎語：

『下珠帘焚香去卜卦，問蒼天人兒落在誰家？恨玉郎全無一點直心話，欲罷不能罷，吾把口來啞，論交情不差，染成皀難講一句清白話，分明一對好鴛鴦，卻被刀割下，拋得奴力盡才又乏，細思量，心與口都是假！』她再一笑：『猜十個字！』

乾隆驚跳起來，瞪著她：

『這是朕做的數字謎，當初朕和雨荷猜謎時寫的！妳怎麼知道？』

『皇上，這謎寫得太好，很多人都知道，不是只有我知道！謎底是一、二、三、四、五、六、七、八、九、十！對我而言，是十種無奈呀！我很怕，這謎題裡的字字句句，都會變成我的寫照！』

原來，她藉著乾隆的謎語，抒發著自己的心情。乾隆看著這樣聰明的女子，完全怔住了。

同一時間，皇后正在隔壁船上，虔誠的上香。容嬤嬤匆匆的走了進來，揮手摒退了侍候的宮女們，上前對皇后輕聲說：

『皇后，這事不妙，那個姑娘名叫夏盈盈，在杭州大大有名，是個青樓女子！現在，她就在皇上的船上！』

皇后大震，不相信的問：

『青樓女子？皇上再怎麼荒唐，也不至於迷戀青樓女子！』就一把抓住容嬤嬤的手，急急的說道：『這事不能告訴老佛爺，咱們得瞞著，老佛爺會氣死的！已經有一個晴兒，讓老佛爺嘔到極點，再來這件事，老佛爺怎麼承受？』

『就怕瞞不住呀！老佛爺指名要我去打聽，我怎麼能不回報呢？』

皇后著急的在船艙內走來走去。

『青樓女子？什麼青樓？是誰引見的？』

『是翠雲閣的姑娘，那個翠雲閣，是杭州最大的銷魂窩，裡面有上百位姑娘，聽說個個都是花容月貌，能作詩能唱曲。其中最有名的，就是這位夏盈盈了！小桂子說，皇上是聽到她唱曲，硬把她叫到船上去的，並沒有任何人安排！奴才想，大概不是這麼簡單吧！這裡面一定有文章！』

皇后越想越不安，跌坐在椅子裡，氣急敗壞起來：

『山東賑災，一路上老百姓山呼萬歲，感激涕零！皇上的仁心和德政，人盡皆知。難道，這份仁心德政，要毀在西湖一個青樓女子身上嗎？』她一唬的站起身來：『老佛爺今天教訓得是！該管的就要管，我畢竟是皇后！妳聽，大白天，他們還在飲酒作樂……容嬤嬤，我們去見皇上和那個夏盈盈！』

容嬤嬤心驚膽戰，拉住皇后：

『不不！不行呀！娘娘，咱們再考慮一下好不好？這個姑娘，和皇上認識，才只有幾天，就算「迷戀」，也沒辦法深入的！我們還是去稟告老佛爺，大家提前離開杭州吧！只要離開了杭州，這件事就自然而然的結束了，皇上總不能把青樓女子帶進宮的！』她著急的看著皇后：『娘娘，妳多年以來，已經不問世事，就把這個難題，交給老佛爺吧！她是皇上的額娘，說話比妳有分量呀！』

皇后點頭，正色說：

『那麼，我們馬上去見老佛爺！』

乾隆完全不知道，皇后太后那兒，暗潮洶湧。他正沉迷在夏盈盈的詩情畫意裡。自從失去了夏雨荷，他就再也沒有從任何女子身上，領略過『詩情畫意』這四個字。只有紫薇，配得上這四個字。現在，他的面前，又出現一位夏盈盈，恍如雨荷再世。龍船上，一片溫馨的氣氛。美女們彈奏著樂器，宮女們環侍，船艙裡飄著薰香，船艙外波光粼粼，一切美好得如詩如夢。盈盈撥弄著琴弦，目不轉睛的凝視著乾隆。說：

『皇上！您好才情，可以作出那麼好的數字謎。聽說以前，有個女子，因為思念久別不歸丈夫，曾經寫過一首數字歌，從一數到千萬，再從千萬數回到一，不知道皇上聽過沒有？』

『真有這「數字歌」嗎？朕沒聽說過！願意唱給朕聽嗎？』

『我唸給皇上聽！』盈盈就柔聲唸著：『一別之後，二地懸念，只說是三四月，已過了五六年。七弦琴無心彈，八行書無可傳，九連環從中折，十里長亭望眼欲穿。百思想，千繫念，萬般無奈把郎怨。萬語千言說不完，百無聊賴十倚欄，重九登高看孤雁，八月中秋月兒不圓！七月半燒香秉燭問蒼天，六月伏天人人搖扇我心寒，五月石榴如火偏遇陣陣冷雨澆花端，四月枇杷未黃我欲對鏡心意亂！匆匆匆，三月桃花隨水轉。飄零零，二月風箏斷了線！唉，郎呀郎，巴不得下一世你為女來我為男！』

盈盈唸完，乾隆震動已極的看著她。心底，是一片惻然。

『朕明白了，妳千方百計要朕瞭解，妳最怕的，是兩地相思！數字謎，數字歌，朕都聽清楚了……』他一把就拉起她的手握著，這次，盈盈不再掙扎。『盈盈，朕不會辜負妳！朕曾經辜負過雨荷，當時雨荷的千思萬想，朕也借妳的口，聽明白了！這種事，絕對不會在朕身上重演！盈盈，妳願意跟朕回宮嗎？』

盈盈還沒回答，船艙外，陡然傳來侍衛大聲的通報：

『老佛爺駕到！皇后娘娘到！』

乾隆大驚失色，急忙跳起身子。

盈盈一驚，還來不及反應，太后已經帶著皇后和容嬤嬤，大步進了船艙。

宮女們，美女們全部驚惶起立，請下安去。喊著：

『老佛爺千歲千千歲！皇后娘娘千歲千千歲！』

乾隆迎上前去，震驚的說：

『老佛爺，您怎麼過來了？』就轉頭喊：『盈盈，過來見過老佛爺和皇后！』

盈盈放下琴，走上前去，對著太后和皇后下拜。

『盈盈叩見老佛爺，皇后娘娘！』

太后一臉嚴肅，兩眼冒著火，嚴厲的問：

『妳就是夏盈盈？』

『是！』太后的疾言厲色，讓盈盈驚惶失措了。

太后瞪著她，厲聲的、命令的說：

『帶著妳的琴，妳的那些鶯鶯燕燕，立刻下船去！以後，也不許到這兒來，妳那些淫詞艷曲，留著去引誘其他的客人，讓皇上清靜清靜！』她用力一指，指著船艙的門：『馬上走！』

盈盈再也沒想到會有這種事，頓時如遭雷擊，踉蹌一退。

乾隆更沒料到有這種事，立刻又急又氣，驚喊：

『皇額娘！這是朕私人的事，請皇額娘不要插手！』

太后怒視乾隆，義正詞嚴：

『我怎能不插手？自從到了杭州，皇帝把百姓都忘了！山東一路賑災，皇帝忘了嗎？災民悽慘的情況，皇帝忘了嗎？爲了這個青樓女子，夜夜笙歌，讓杭州的官員百姓，怎樣評價皇帝？我是太后，不能不管！』說著，又掉頭怒視盈盈：『妳還站在這兒幹什麼？還不快走？難道要我叫侍衛把妳押走嗎？』

盈盈臉色慘白，也不行禮，掉頭就走。

乾隆在急怒之中，幾乎失去理智，大喊：

『盈盈！不許走！』他不能罵太后，指頭怒視著皇后，氣極的嚷：『都是妳去老佛爺那兒撥弄是非，是不是？我眞後悔把妳帶到杭州來！妳是天下第一妒婦！』

皇后一個踉蹌，幾乎暈倒，容嬤嬤急忙扶住。

『萬歲爺！您怎能這樣冤枉娘娘？您的私事，娘娘早已抽身，什麼都不過問了……』容嬤嬤護主心切，忘了自己的身分，悽厲而悲憤的喊。

『這兒那裡有妳說話的餘地？妳是什麼東西？朕早就該砍了妳的腦袋，妳住口！』乾隆指著容嬤嬤，厲聲大喝。

容嬤嬤含淚住口，皇后滿臉悲愴。太后氣得發抖，厲聲說：

『皇帝！你是不是也想砍了我的腦袋？』

『皇額娘！』乾隆震驚而痛楚的接口：『妳爲什麼要說這麼嚴重的話？妳也給兒子留點退路好不好？朕好歹也是一國之君呀！』

這時，盈盈對著乾隆，一跪落地，悽然抬頭。語氣鏗然的說：

『皇上的一番錯愛，盈盈永遠銘記在心，從此永別了！』她掉頭看太后，眼神悲涼，語氣堅定：『盈盈既不是大家閨秀，也不是金枝玉葉，從來沒有非分之想！對皇上，只是萍水相逢，如果不是一番知遇之感，盈盈絕對不會上這條船！在盈盈心裡，他不是一個皇帝，只是一個悼念舊情的男子！現在，盈盈更加明白了，這「皇帝」二字，簡直悲哀！難怪夏雨荷，會由一而到千萬，由千萬而到一，最後只留下一坏黃土！盈盈生怕步上雨荷的後塵，今天，老佛爺不趕我，我也要走了！』

盈盈說完，起立，毅然往船艙外走去。乾隆急呼：

『盈盈！朕要封妳爲貴妃，帶妳回宮去！不要走！』

此話一出，太后、皇后、容嬤嬤都大驚失色。

盈盈停了停步，回頭看乾隆，再福了一福：

『皇上的好意，盈盈心領了！皇宮那個地方，有老佛爺，有皇后，還有許多嬪妃，不差一個盈盈，我不去了！』

說完，她昂頭挺胸，急步下船去。所有的美女，也都匆匆請安，追隨她而去。

『盈盈！盈盈……』乾隆大叫。

盈盈充耳不聞，頭也不回的走了。乾隆心中一痛，竟然忘形的，急步追下船去。侍衛們一呆，趕緊跟著乾隆上岸，生怕他有閃失。

碼頭上，這眞是一番『奇景』。只見盈盈滿臉悲憤之色，帶著美女們，急步向前走。而一國之尊的乾隆，卻跟在後面急追，許多太監侍衛，打傘的打傘，拿華蓋的拿華蓋，手忙腳亂的追在後面。

『盈盈！妳站住！妳讓朕這樣追在妳後面，成何體統？』乾隆喊著。

『皇上，免得「不成體統」，請回！』盈盈毫不留情。

乾隆一急，一步竄上前去，越過了盈盈，攔在她面前。到底，乾隆是練武的底子，身手還是高人一等的。只是，平常有人保護著，沒有什麼機會用。

盈盈看到乾隆飛躍到自己面前，一群侍衛，跟著飛躍在乾隆身後，自己竟被團團包圍了。她被迫止步，悲憤的眸子，燃燒著火焰，瞪著乾隆。

『皇上！旁邊就是西湖，如果皇上再逼我，我馬上就跳下去！』

『妳不要這樣激烈好不好？』乾隆著急的說：『朕已經說了，要封妳爲貴妃，君無戲言！妳跟朕回船去，朕馬上安排典禮，就在杭州加封，讓妳風風光光成爲朕的人，再厚賞妳的義父義母，這樣，妳還有什麼不滿？』

『皇上厚愛，盈盈承受不起！』

『朕讓妳承受，妳有什麼承受不起？』乾隆一急，大聲問。

這時，爾康、永琪、紫薇、小燕子、晴兒、簫劍聯袂歸來。大家看到這種狀況，驚愕不已，急忙對乾隆行禮。

『皇阿瑪吉祥！』

『你們來得正好，趕緊參見朕的新貴妃！』乾隆像發現救兵一樣，尤其看到紫薇。這件事，就算全天下都不瞭解，紫薇一定會瞭解。他急促的說：『她也姓夏，暫時稱爲夏妃吧！』

眾人大驚，全部睜大了眼睛。

『啊？』大家你看我，我看你，不知道要不要行禮。

盈盈看看永琪等人，又看看乾隆，悽然一笑。

『盈盈只是青樓女子，那裡有資格被封爲貴妃？皇上，請允許盈盈離去！』

『朕不許！』乾隆又氣又急，回頭喊：『來人呀！』

侍衛們一擁而上。

乾隆指著盈盈，對侍衛們說：

『把盈盈姑娘，帶回朕的船上！沒有朕的允許，不許離去！』

『喳！』

侍衛就上前，簇擁著盈盈。

盈盈一看，走不掉了，就對乾隆深深一福，嘆了口氣，說道：

『皇上！剛剛在船裡，老佛爺說了那麼重的話，我在這種情形下，再回到船上，您要我情何以堪？不如放我回家去，如果皇上有任何打算，也需要時間，不是馬上可以有定論的！皇上再仔細想想，讓盈盈也能夠仔細考量。這樣才公平呀！』

乾隆一聽，盈盈說的合情合理，生怕逼迫太急，會生出意外來，就對侍衛們說：

『你們大家，保護盈盈姑娘回家，如果盈盈姑娘有絲毫閃失，朕要你們的腦袋！』

『喳！奴才遵旨！』侍衛們趕緊領旨。

『那麼，朕讓妳先回去！』乾隆深深的看著盈盈，語氣懇切：『朕把這兒的問題解決了，就來接妳！到時候，不要推三阻四！』

『是！』

盈盈一嘆，在侍衛的簇擁下，翩翩而去了。

乾隆這才轉身，大步回龍船去。

在一旁的紫薇、小燕子、永琪、爾康、晴兒、簫劍等人，全部看呆了。

16

這件事太大了。年輕的六個人，全部陷進了極大的震撼裡，大家也不散會，都來到爾康的畫舫上，七嘴八舌的討論起來。

『怎麼會這樣呢？』小燕子激動的嚷：『皇阿瑪答應過我們，不會左娶一個妃子，右娶一個妃子，他忘了嗎？他這樣，要令妃娘娘怎麼辦？簡直氣死我了！』

『這不止是令妃娘娘的問題，這件事問題大了，在杭州納妃，不管有理沒理，都會讓皇阿瑪聲望大跌，難道老佛爺都沒有阻止嗎？』永琪著急的說。

『老佛爺早上就在調查這位姑娘了，生氣得不得了，我想，她一定打聽到什麼了！』晴兒起身說：『我回去看看，到底是怎麼回事？』

簫劍看到晴兒要走，一個本能，就伸手拉住她。

『別忙，妳沒聽到嗎？那位姑娘自己都說了「盈盈只是青樓女子，那裡有資格封爲貴妃？」她的來歷，就不用問了！』

晴兒坐了回去，驚疑不定。說：

『青樓女子？皇上要封一位青樓女子爲貴妃？這事太不合常理了！平常，皇上看中的女子，從「答應」到「常在」，到「貴人」到「嬪」到「妃」，這才能夠爬到「貴妃」！這個女子，又什麼能耐，可以跳越五級，一封就是「貴妃」？』

『從一開始，這件事就有點玄！』爾康深思的看著紫薇：『紫薇，妳看，皇阿瑪是不是有移情作用？是不是自從祭了妳娘，妳娘的影子就回到皇阿瑪心裡了？』

『這位夏盈盈，和皇阿瑪萍水相逢，過程確實有幾分像我娘。不管是不是移情，皇阿瑪動了心，而且很認眞！他那種著急的樣子，我還從來沒有見過！這位姑娘，好像也相當剛烈，居然對「貴妃」這個頭銜，一點都不希罕！』

『不管她像不像妳的娘，不管這是不是移情作用，這件事就是不妥！如果皇阿瑪顧全大局，就該趕快拔慧劍，斬情絲！』永琪越想越不對。

『你說得容易，你想想，就拿我們來說，誰能做到「拔慧劍，斬情絲」呢？』爾康嘆息了一聲，心底，倒對乾隆有幾分同情。

『爾康，這和我們的故事，不能相提並論，我們每個人都是「情有獨鍾」，但是，皇阿瑪已經有了好多妃子！他老早就失去「認眞」的資格了！他不能認眞，不該認眞！他也不能移情，不該移情！他今天「認眞」一個，明天再「移情」一個，全中國的美女，都被他「認眞」認去，「移情」移去了！』小燕子急切的嚷著。

永琪忍不住拍起手來，欣賞已極的看著小燕子。

『說得太好了！成語也會用了！小燕子，我爲妳驕傲！妳能這樣分析，眞讓我刮目相看！』

『別對她刮目相看了！她說得再有理，也沒人可以對皇上說這個話！』簫劍說。

小燕子轉身就往外衝去，義無反顧的說：

『總要有人不怕死，我去對皇阿瑪說！』

小燕子說著，就飛竄出去，眾人通通跳起來，衝上前去一攔。

『小燕子，千萬不要魯莽！』簫劍喊著。

小燕子止步，船身被大家一跳一衝，東倒西歪，簫劍趕快扶晴兒，爾康扶紫薇，大家站定，小燕子還在跺腳：

『你們就是這樣「舉棋不定」！』

永琪又是一個驚喜，讚美的喊：

『小燕子，妳知道妳用了好多個成語嗎？』

『老天！』爾康大叫：『一個學成語學得走火入魔，一個誇得走火入魔！』

正在這時，一個宮女急急入內，請安說：

『萬歲爺要紫薇格格到龍船上去！』

『要我去？』紫薇一怔。回頭看了大家一眼，不敢耽擱，急忙跟著宮女走去。

大家都困惑不解，面面相覷。

紫薇被宮女帶進了乾隆的船艙。只見太后滿臉凝肅的坐在船艙當中，乾隆著急的走來走去。一群侍候的太監宮女們，個個低俯著頭，大氣都不敢出。船艙裡，充滿了緊張的氣氛。紫薇不安的看看兩人，趕緊請安：

『老佛爺吉祥！皇阿瑪吉祥！』

乾隆看到紫薇，就開門見山的問：

『紫薇，妳可曾聽過盈盈唱歌？』

『我聽過了！夏姑娘唱的每一首歌，我都聽過了！』

『好！朕已經決定納夏盈盈姑娘爲貴妃，老佛爺好像很不以爲然，朕想，如果妳聽過盈盈唱歌，或者妳可以瞭解這件事。』乾隆凝視紫薇，用充滿期盼的聲音問：『妳瞭解嗎？』

紫薇想到母親，不勝惻然：

『是！皇阿瑪，我瞭解，我完全瞭解。夏姑娘的歌，婉轉纏綿，唱出了一個女子對過去的懷念，充滿了感情和無奈，有我娘的味道。』

『對！就是這樣！』乾隆得到了知音，脫口喊著，看太后：『紫薇瞭解了！』

『皇阿瑪！』紫薇忍不住坦白而誠懇的接口：『我瞭解沒有用啊！你需要說服的，不止老佛爺，還有天下悠悠之口！』

太后頭一抬，也有力的喊出來：

『皇帝！紫薇說出了重點！就是這句話，你如何杜絕天下悠悠之口？我不管你心裡對雨荷有多麼難忘，這實在不是納妃的理由！這件事，我無論如何都不能同意！我勸皇帝，馬上打消這個念頭！』

『朕已經下定決心，不管老佛爺怎麼說，朕一定要封盈盈作貴妃！』乾隆惱怒的說，看紫薇，生氣的：『紫薇，妳讓朕失望！朕好不容易，找到雨荷的影子了！朕猜想，妳娘在天上，聽到了朕的呼喚，她回來了！回到朕的身邊來了！妳是雨荷和朕的女兒呀，妳怎麼沒有同樣的感應呢？怎麼不希望圓一圓妳娘的遺志呢？』

紫薇深吸了一口氣，驚看乾隆。

『皇阿瑪！我也好希望找回我娘的影子，也好希望她能回到我身邊！但是，這位夏姑娘，看起來和我的年齡差不多，紫薇怎樣也無法說服自己，她是我的親娘呀！』

乾隆一楞，再急問：

『難道妳不相信前世今生嗎？』

『前世今生之說，我們至今沒有證實有沒有，就算它有吧……但是，我娘去世，才只有七年，投胎轉世，應該也只有七歲，怎樣都不可能是夏姑娘呀！』

太后一聽，就連連點頭，勝利的嚷：

『皇帝！你不要再自己騙自己了！什麼雨荷的影子，只是你的想像罷了！說不定，這整件事都是一個陰謀！你看，紫薇是雨荷的女兒，她口口聲聲都說不是！她都沒有感應，你那兒來的感應？你是皇帝呀，怎麼可以用這種玄之又玄，似是而非的理由，去掩飾你風流的本性！你自己覺得，你的理由充份嗎？你連紫薇都說服不了，還想說服誰？』

乾隆被太后這樣一逼，又是生氣又是沮喪，暴怒的說：

『好吧！朕瘋了，朕腦筋不清楚！朕失去理智，朕中了邪！隨你們怎麼想，朕要定了夏盈盈！不管她的出身，不管她是誰的影子，朕就是要她！誰都不要說話，誰都不要試圖阻止！』就對外喊：『快傳孟大人，李大人，田大人，朱大人和福倫，立刻來船上商量大事！』

『喳！奴才遵命！』太監們鬨然響應，奔下船去。

太后赫然大怒，一拍桌子，站了起來。

『皇帝！你如果一意孤行，咱們母子就此斷絕關係！你敢封她為妃，你就試試看！』

太后說完，轉身出艙去。宮女們趕緊隨行。

乾隆站在那兒，氣得發抖。

紫薇心驚膽戰，走到乾隆面前，充滿同情的說：

『皇阿瑪，對不起，我必須坦白而誠實的說出我的感覺……其實，我完全瞭解您的心情，我對那位夏姑娘，也充滿了敬意，聽到她唱的歌，我跟您一樣震撼……』

乾隆抬頭，死死的瞪著她。紫薇話沒說完，乾隆突然一舉手，對著她的臉孔，用手背狠狠的抽了過去，厲聲喊：

『好一個貼心的女兒！朕白疼了妳！雨荷白養了妳！妳給朕滾出去！』

紫薇被乾隆的力道，打得摔跌在地。宮女們趕緊過去攙扶。

紫薇爬起身子，大受打擊。一抬頭，她定定的看著乾隆，眼裡逐漸充滿了淚，終於，眼淚一掉，她用手摀著嘴，飛奔出去。

乾隆跌坐在椅子裡，筋疲力盡，一臉的沮喪、憤怒、和無奈。在這一瞬間，他深深痛恨自己那個『皇帝』的身分，貴為一國之君，以前不能保有夏雨荷，今天不能保有夏盈盈，就算全天下都在眼前，又怎能填補心底的失落和空虛呢？

紫薇回到自己的畫舫上，大家看到她嘴角流血，眼淚汪汪，再聽到乾隆居然打了她，全部激動起來，快要集體崩潰了。爾康心痛如絞，握著她的手，不知道如何安慰她。這個『皇阿瑪』在紫薇心裡的分量，有多麼重，只有爾康才明白。小燕子和宮女們，忙忙碌碌，在臉盆裡浸濕了帕子，拿過來給她冷敷。

『那有這個道理？一定要紫薇跟他有相同的感應，沒有就打人！皇阿瑪每次碰到女人的事，就變了一個人！』小燕子恨恨的說。

永琪滿臉焦慮，走來走去，思考著。

爾康接過冷帕子，爲紫薇擦拭著嘴角的血跡。

『我不能相信，爲了這個夏姑娘，皇阿瑪居然打了妳！』爾康難過極了：『下手那麼重，難道他一點都不心痛嗎？』

爾康這樣一說，紫薇心裡好痛，眼淚一直掉。爾康抓住她的手：

『不要哭了，嘴角已經腫了，還要把眼睛哭腫嗎？我知道妳心裡有多難過，皇阿瑪一向最疼妳的，我想，過兩天，等到皇阿瑪想明白了，就會知道妳的心了！』

紫薇落淚，哽咽的說：

『其實，我還有好多話想跟皇阿瑪說，我想告訴他，我也震撼呀！我也覺得這個夏姑娘的出現好奇怪呀！甚至，我也很佩服這個夏姑娘呀，我也有困惑呀……但是，這事就是說不通嘛！我就是沒辦法順著皇阿瑪的意思，說這個夏盈盈是我娘的前世今生，如果說，我娘的魂，附在她身上，或者還有可能！』

『什麼可能？那有這種事？妳也跟著皇阿瑪走火入魔！』爾康正色說：『我告訴妳，這只是一個巧合，剛好有這麼一個女子，有幾分妳娘的味道，本來，這個人世間的人，每人都是兩隻眼睛一個鼻子一張嘴，就很有可能長得相像的！至於那些歌詞，相思自古都相似，都是同一種情懷，同一種魂牽夢縈。就連唐詩宋詞裡，也有許多重複的，相似的句子！我們不能因爲聽到兩首歌詞，就說那是某某的靈魂附在某某的身上，這太牽強了！』

永琪站定了，一點頭：

『爾康說得對！總之，這位夏姑娘是個絕色女子，又會彈琴又會唱歌，皇阿瑪就被她迷住了！至於其他理由，有也罷，沒有也罷，都是空話！現在的問題是，這件事一定會變成一個大笑話！我們身爲子女，難道就由他發展嗎？』

小燕子腳一跺，掉頭就走。

『我去說，我不怕死！我去說！』

永琪急忙追在後面。

『連紫薇都挨打了，妳要怎麼說？』

『說出我們心裡的話！他如果不在乎老佛爺，不在乎紫薇，不在乎令妃和皇后，也不在乎你和我……那麼，我們也不必在乎他了！』

小燕子說得有理，永琪毅然點頭，跟著小燕子而去。邊走邊說：

『我們不能和皇阿瑪硬碰硬，我要從另外一個角度來切入主題……』

兩人說著，就下了船。紫薇看著他們的背影，不能不擔心：

『小燕子去，會不會越弄越糟？』

『還能更糟嗎？』爾康問：『永琪的地位不一樣，將來他是太子，他的話，或者皇阿瑪會聽！總之，盡人事聽天命！我們該說的都說了，就沒有遺憾了！』

看到小燕子和永琪上船，乾隆立刻先發制人，鬱怒的問：

『你們兩個來幹什麼？也要干涉朕的私生活嗎？』

永琪拿出一份奏摺，遞給乾隆。

『不是！這兒有份奏摺，想給皇阿瑪過目！』

乾隆很驚奇，忍不住接過奏摺，打開一看。

『山東賑災辦法……誰寫的？永琪？你寫的？』

『他每天晚上，看了好多案卷，寫了好多字，他說，南巡的目的，不是遊山玩水，是要接觸老百姓，解決各種問題。』小燕子搶先回答。

乾隆一震，不由自主，低頭看奏摺內容。唸著：

『鄒縣，平陰，蘭山災情最重，免稅收三年，浙江、安徽、江蘇三省糧食豐富，今年應稅收一百萬石穀，春米收成在即，可提前徵收，發放至災區救急……』

乾隆越看越驚奇，越看越震撼。永琪察言觀色，再說：

『除了山東問題，關於浙江沿海塘堤的問題，關於安徽鹽商的稅收問題，我也寫了兩份報告，過兩天就可以寫完了，到時候再拿給皇阿瑪看！』

乾隆抬起頭來，凝視兩人，眼裡，已經沒有怒氣了。

『做得好！永琪，你讓朕驕傲！朕會馬上批示下去，就按照你的辦法去做！朕畢竟沒有看錯你！』他收起奏摺，面容凝肅，深深的看著兩人：『除了奏摺，你們兩個還有什麼話，要跟朕說嗎？』

永琪拉著小燕子，雙雙跪在乾隆面前。永琪就誠摯的開了口：

『皇阿瑪！這次南巡，一路的文武百官，都在接待，一路的老百姓，都在夾道歡呼！雖然皇阿瑪一直希望不要擾民，但是，依然是一城一城，一鎮一鎮的驚動了地方官和老百姓。多少的眼睛在看著，多少的嘴巴在議論著。皇阿瑪名滿天下，謗亦隨之，高處不勝寒。您的一舉一動，勢必成爲大家注目的焦點，如果皇阿瑪演出「遊龍戲鳳」的戲碼，也一定會轟動整個杭州，甚至整個中國，又給民間，添上一段佳話……』

永琪話沒說完，乾隆冷冷的打斷了：

『原來，還是爲了阻止朕納妃而來！你不用說了，關於這件事，朕已經拿定了主意，任何人都改變不了！朕想，朕不需要得到你們的批准吧！』

小燕子忍無可忍，充滿感情的喊：

『皇阿瑪！我不會像永琪那樣，說什麼高處不勝寒那種話，我要說的是，你爲什麼要這樣固執呢？在你的後宮，已經有那麼多嬪妃了！儘管很多都不是您喜歡的，但是，您還有令妃呀！您今天這樣做，會傷了老佛爺的心，傷了令妃娘娘和皇后的心，你還打了紫薇，紫薇被打得嘴也腫了，哭得眼睛也腫了……您都不在乎傷每個人的心嗎？您不是說，齊家治國平天下嗎？但是，您家裡的老老小小，都趕不上一個萍水相逢的夏盈盈嗎？』

乾隆盯著小燕子，吸了一口氣：

『小燕子，妳眞的進步了！妳被調教得能說善道了！朕承認妳咄咄逼人，說得也很有力量！但是……』他伸手去拉起永琪和小燕子，柔聲的說：『你們兩個起來！別跪著！』

小燕子和永琪站了起來，眩惑的看著乾隆。

乾隆眼底的怒氣消失了，取而代之的，是無盡的感傷。他注視著二人，眞情流露的，坦率的說：

『永琪！你說得好，朕是高處不勝寒！你們知道嗎？朕今年已經五十五歲，青春早已過去，來日無多！幸福的日子，朕還能抓住幾天呢？過去的遺憾，朕還有沒有時間彌補呢？這位夏姑娘，不管她是不是雨荷的前世今生，她帶給朕的震撼是天旋地轉的，是驚天動地的！朕最近這些年來，好久都沒有這樣強烈的感覺，好像冰封的感情解凍了！朕如果錯過了她，剩下的歲月，就只有「不勝寒」三個字了！人生，到了暮年，還有多少熱情可以浪費？多少時間可以虛度呢？』

乾隆一篇話，說得永琪和小燕子都震撼不已。小燕子還有些困惑，永琪卻充分瞭解了。不禁感動的說：

『皇阿瑪！您第一次對我這樣「交心」的談話，您的感覺，我瞭解了！但是，您如何讓天下人，都瞭解呢？』

『朕已經爲「天下」，活了一輩子，這次，讓朕爲「自己」，活幾年吧！天下，瞭解又怎樣？不瞭解又怎樣？永琪，你也干冒天下之大不諱而娶小燕子，如果朕告訴你，你必須爲了「天下」放棄小燕子，你會怎樣？』

永琪啞口無言。

這時，侍衛進門，大聲通報：

『福大人到！孟大人到！田大人到！李大人到！朱大人到……』

福倫就帶著眾大臣魚貫而入，全部甩袖行禮。

『皇上萬歲萬歲萬萬歲！臣參見皇上！』

乾隆精神一振。

永琪和小燕子相對一看，知道什麼說話的餘地都沒有了。

當晚，皇后在她的龍船上，苦思如何挽救乾隆。她帶著一臉的慘切，在船艙裡走來走去。船艙外的西湖，躺在黑暗的穹蒼下，波平如鏡，月華如水，春風吹得遊人醉……這些，和她都沒有關係，她心裡眼裡，只有乾隆。自從四年前，她被紫薇和小燕子收服以後，她再也不爲自己的利益爭，不爲十二阿哥的地位爭，她眞的洗心革面，完全看開了。唯一看不開的，是乾隆。她認爲自身存在的價値，就是爲乾隆奉獻。她不想再爭寵，但是，乾隆的健康，乾隆的名譽，乾隆的聲望，乾隆的尊嚴……都是她拋不開，逃不掉的責任！

桌上，鋪著一張白色全開的宣紙。宮女們在磨墨，洗筆，倒茶倒水。

容嬤嬤進艙，臉色灰敗的走到皇后面前，低聲稟告：

『娘娘！事情大概就這樣定案了，所有的大臣們，商量到剛剛才離開，好像，三天以後，就要舉行冊封大典，孟大人建議隊伍經過蘇堤，在曲院風荷舉行盛大的典禮！』

『老佛爺怎麼說？』皇后問。

『老佛爺在船艙裡掉眼淚，晚餐也沒吃！令妃娘娘陪在那兒呢！娘娘要不要也過去問候一下？』

『有令妃娘娘在那兒侍候著，就夠了！』皇后對宮女們揮手，宮女都退下了。

皇后走到書桌前面，看著桌上的宣紙。容嬤嬤趕緊過來磨墨。

『娘娘要寫什麼？』

『寫一封奏摺給皇上！』

『娘娘，沒用了！今天連紫薇格格都挨了打，皇上已經下定決心，您就不要再費心寫奏摺了，皇上不會看的！妳寫了奏摺，只怕皇上又要說您是妒婦……』

『皇上儘管冤枉我，菩薩在天上看著！』皇后堅定的說：『皇上只要舉行了這個冊封典禮，一定會身敗名裂。我不能因為怕挨罵，就保持沉默。不管寫奏摺有用沒用，我都要寫！後果如何，我也顧不得了！』看了看宣紙，抬頭毅然說：『容嬤嬤，不要磨墨了！去拿一個小碗來！』

『小碗？』

皇后看到桌上有個白磁的水盂，就拿了過來，喊道：

『不用了，用這個就好！把水倒掉，擦乾淨拿給我！』

『是！』容嬤嬤趕緊去做，把水盂拿到桌上，不解的：『娘娘要水盂做什麼？』

皇后把宣紙鋪平，在桌上拿起一把裁紙刀，一刀對自己的手指劃了過去。這一刀可用足了力氣，刀口劃得又深又長，頓時間，鮮血直冒。容嬤嬤發出一聲驚呼。

『娘娘！妳這是做什麼？』

皇后把鮮血滴進水盂，就用手指蘸著鮮血，在宣紙上寫字。

容嬤嬤震撼著，含淚看著，急忙去拉平紙張。

血轉眼就乾了，不夠用，皇后再拿起刀，又是一刀劃下。

容嬤嬤看得心驚膽戰，含淚急喊：

『娘娘！請用奴才的血！請用奴才的血！』說著，就去搶刀子。

『不行！這封血書，是我的心血，我的誠意，不能用任何人的血來取代！』

皇后就一字一字的寫下去。

夜深的時候，乾隆正倚窗而立，外面忽然傳來侍衛大聲的通報：

『老佛爺駕到！皇后娘娘到！令妃娘娘到！晴格格到！』

乾隆一震，如此夜深，太后帶著皇后令妃來，想必爲了阻止他娶盈盈。他立刻戒備起來，一副如臨大敵的樣子。

只見太后帶著皇后、令妃、晴兒，和容嬤嬤走進艙來。

皇后手指上，厚厚的包紮著。容嬤嬤雙手恭恭敬敬的捧著捲成一捲的奏摺。

『皇帝！』太后板著臉：『我聽福倫說，封妃的事，你已經事在必行了！』

『是！』乾隆背脊一挺。

『我知道，現在無論是誰，也沒辦法改變皇上的決定。皇后有一份奏摺，她不敢拿給皇帝看，希望我轉交，我把皇后帶來，當面把奏摺交給皇帝，希望皇帝看一看！』太后昂首挺胸的說，一股正氣凜然的樣子。

容嬤嬤就上前，屈膝跪下，雙手呈上奏摺。

乾隆本能的一退，看著眾人。

『今天是什麼日子？人人都要朕看奏摺？朕不要看！』

『老佛爺親自送來，皇上，不管怎樣，您好歹也看一看！』令妃婉轉的勸著。

容嬤嬤就膝行上前，兩眼含淚，把奏摺更加高舉。

『皇上！請看奏摺！』

乾隆無奈，只得接過奏摺，打開一看，只見滿紙血跡斑斑，觸目驚心。乾隆嚇了一大跳，手一摔，奏摺飛出去，落地。

『那是什麼東西？』乾隆又驚又怒的問。

『是臣妾寫的血書！』皇后往前一步說。

『血書！妳寫血書！朕做了什麼十惡不赦的大事，要勞動皇后寫血書！』

容嬤嬤膝行過去，拾起血書，再度膝行過來，高舉呈上。悲聲的喊：

『皇上！請看在皇后娘娘割破手指，一字一淚，寫了足足兩個時辰的份上，請過目！』

乾隆一怒，對著容嬤嬤一腳踹去。

『妳這個老刁奴，壞事做盡，現在又來破壞朕！什麼血書，朕不要看！』

容嬤嬤被踹得飛跌出去，爬起身子，手裡仍然緊握著那份奏摺，不住磕頭：

『皇上！皇后幾乎流盡了她的血，才寫出這篇奏摺！皇上，您慈悲一點，請過目！請過目！』

太后走過去，從容嬤嬤手中，接過血書，嚴厲的看著乾隆：

『皇帝！你是不是要我跪呈這封血書？』

太后作勢要跪，乾隆大驚，急忙搶過血書。咬牙切齒的說：

『好好好，朕過目！』

乾隆打開血書，匆匆的看了一遍，激動不已，胸口劇烈的起伏著。

『看樣子，朕已經引起了全家的公憤！』他抬頭看皇后：『妳字字句句，是爲了朕的名譽，朕的聲望，朕的國家……事實上，妳只是爲了妳皇后的地位！以前，爲了想要朕立十二阿哥爲太子，妳處心積慮，犯下的種種大錯，一件件都在眼前，現在，妳居然敢對朕表演這一手「血書」！妳的忠心，朕看不到，妳的貪心，朕看明白了！妳利用老佛爺，想把所有不利於妳的人，一概消滅！妳太可怕了！』

皇后踉蹌一退，悲憤的看著乾隆。義正詞嚴的說：

『皇上！臣妾對於從前犯下的過錯，早已知罪了。這次，臣妾跟著皇上南巡，就是抱著贖罪的心情同行的！只要對皇上有幫助的事，要我粉身碎骨，我就粉身碎骨！要我頭破血流，我就頭破血流！臣妾早就把自己的生死，都置之度外了！我寫這封血書，不是做姿態，不是演戲，裡面字字句句，都是我的忠誠，都是我對皇上的一片心！皇上可以輕視我，可以恨我，但是，我仍然冒死請求，請皇上取消冊封典禮！』

乾隆大怒，暴喝著：

『取消冊封典禮！妳當初爲什麼不要朕取消立后典禮？』

太后往前一站，厲聲說：

『皇帝！你今天還把我當你的額娘，就接受皇后的提議！皇后的忠誠，讓人感動！你摸摸你自己的良心，問問你自己的良心，你眞的理直氣壯嗎？』

令妃見鬧得不可開交，急忙上前，拉住乾隆，勸著：

『皇上！您就聽老佛爺吧！如果這位夏姑娘有情有義，不妨先帶進宮，這封妃的事，慢慢再談也不急呀！想當初，我跟著皇上，也熬了多少年才封妃的……』

令妃話沒說完，乾隆遷怒的大叫：

『令妃！妳也跟著皇后一個鼻孔出氣！妳熬了多少年，別人就該熬多少年嗎？朕還有多少年可以給別人來熬！朕知道了，妳和皇后一樣，都不希望夏盈盈進宮，朕還沒有封妃，妳們已經準備群起而攻之了！』

『皇上！您這樣指責臣妾，實在太過分了！』令妃一陣傷心，眼淚就落下了。

太后怒不可遏：

『皇帝！你瘋了嗎？你要把所有對你忠心的人，一網打盡嗎？你在南巡途中，迷戀一個煙花女子，鬧到人盡皆知，現在，竟然要大張旗鼓把她封爲貴妃！你這種行爲，已經到了鬼迷心竅的地步！那個夏盈盈，一定是個狐狸精！該當處死！』

乾隆一聽，氣得渾身發抖，抓起那張奏摺，就撕得粉碎。

容嬤嬤一看，就合身撲上，去搶奏摺。哭著喊：

『皇上！那是皇后娘娘的血書呀……是她用一滴一滴的鮮血寫出來的呀！不要撕，不要撕……』搶到幾張碎紙，就捧著碎紙，忘形的大哭起來：『娘娘！我的娘娘啊……妳那左一刀，右一刀，爲了什麼啊……』

乾隆對容嬤嬤怒吼：

『住口！妳有什麼資格在這兒狼嚎鬼叫？』

晴兒一直驚心動魄的旁觀著，這時，見情況惡劣，急忙奔出船艙去搬救兵，她知道，乾隆這麼大的火氣，能夠說話的，恐怕只有紫薇和小燕子。

皇后抬頭挺胸，悲憤的看著乾隆，渾身上下，帶著一團正氣。冷靜的說：

『容嬤嬤，不要哭了！奏摺撕了就撕了！皇上不願意看，那不過是廢紙而已，一點價值也沒有！』她抬眼正視著乾隆：『皇上！您認爲臣妾反對夏盈盈，是因爲臣妾嫉妒夏盈盈嗎？臣妾是您的皇后，就是您的女人，就算嫉妒，也情有可原吧！但是，臣妾不嫉妒她，臣妾可憐她！她現在還不明白，以爲當了貴妃，有多麼了不起！其實，她只要看看我和令妃，就明白了！即使當了皇后和貴妃，也不過如此！宮裡的女人，是人間最慘痛的悲劇！我和皇上，走到今天這一步，情已盡，緣已了！我的忠心，被皇上踐踏到這種地步，我的心也死了！』

皇后說完，突然從袖子裡抽出預藏的利剪。大家一看，都驚呼起來，容嬤嬤合身撲上前去，就和皇后搶剪刀。喊著：

『娘娘！妳要做什麼？不要！不要……娘娘！把剪刀給奴才……給奴才……』

皇后和容嬤嬤都滾倒在地。皇后一把解開頭髮，就用剪刀去剪頭髮。容嬤嬤大驚，拚死去搶剪刀，她的手，一把就握住了剪刀的利刃。哭著喊：

『娘娘！頭髮是滿人最珍惜的，剪了頭髮，怎麼梳髻呢？怎麼戴旗頭呢……』

皇后用力一拔剪刀，利刃從容嬤嬤手心抽過去，鮮血頓時如注。她痛喊：

『皇上！如果我心口不合一，讓我就像這些剪斷的頭髮！』

一陣喊叱卡嚓，大縷大縷的頭髮飄落於地。轉眼間，皇后已經剩下滿頭亂髮。

這時，紫薇、爾康、晴兒、小燕子、永琪全部衝了進來。大家都聽到了皇后淒厲的喊聲，又看到這種情形，人人目瞪口呆。

太后、令妃早已驚呆了，乾隆也怔在那兒。容嬤嬤滿手鮮血，爬在地上，還想搶救沒剪的頭髮。

小燕子忍不住，衝上前去，一把抓住皇后的手，死命把剪刀奪了下來。驚喊著：

『皇額娘！妳怎麼又剪頭髮了呢？』

永琪趕快奔過去，把剪刀拿過來，交給宮女拿走。

皇后顫巍巍的站起身子，抬頭看乾隆。咬牙說：

『忠言逆耳，生不如死！』

皇后說完，又一頭對船上的柱子撞去。大家實在沒有料到頭髮已經剪了的皇后，還會撞柱子，來不及阻擋，只見皇后的頭，重重的撞在柱子上，血濺了起來。

容嬤嬤脫口尖叫：

『皇后呀……娘娘呀……』

容嬤嬤喊著，撲了過去。小燕子也撲過去，要抱住皇后，竟和容嬤嬤重重的相撞，兩人一起跌落於地。

皇后撞了一次，再退後，又去撞柱子。爾康和永琪一看不得了，兩人同時上前，永琪抱住了皇后，爾康擋住了柱子。爾康大叫：

『皇額娘！生命珍貴，不要這樣！』

『皇額娘，不要衝動！』永琪同時喊。

皇后掙扎著，還想撞頭。喊著：

『放手！你們讓我去！這樣的人生，我毫無留戀！』

容嬤嬤爬了過去，抱住皇后的腿。哭喊著：

『娘娘！您還有十二阿哥呀……他還在宮裡等妳回去呀……妳忘了嗎？』

皇后一聽到十二阿哥，這才淚落如雨。紫薇和晴兒相對一看，急忙上前，攙扶皇后的攙扶皇后，攙扶容嬤嬤的攙扶容嬤嬤。

這樣一場驚心動魄，乾隆、太后、令妃直到此時，才回過神來。太后驚魂未定，抖著聲音說：

『皇后……妳這……這也……太過激烈了！』

令妃扶著太后，也在發抖。趕緊提醒：

『容……嬤嬤，妳……趕快……扶妳的主子……回去休息吧！』

晴兒在驚嚇中，還維持著冷靜，回頭對嚇傻了的宮女們急喊：

『快傳太醫！請他直接去皇后娘娘的船上！』

宮女們答應著，飛奔出去。

乾隆看著一片混亂的船艙，看著長輩的太后，平輩的皇后令妃，還有小輩的永琪爾康等人，突然心灰意冷了。

『罷了罷了！皇后，妳的奏摺，朕看到了，妳所請的事，朕照准！爾康，告訴你阿瑪，冊封貴妃的事，就暫時不提了！』

『是！』爾康急忙回答。

大家面面相覷，都沒料到乾隆居然放棄納妃了，太后立刻喜上眉梢。

乾隆神色蕭索，盯著皇后，冷冷的說：

『皇后，妳剪掉頭髮，這已經不是第一次！我大清沒有無髮國母，皇后這個位置，對妳顯然不合適！從今天起，妳不再是朕的皇后！明天，朕讓福倫護送妳，提前回宮去！坤寧宮，妳不能再住，妳搬到後面的「靜心苑」去閉門思過吧！』

紫薇一驚，忍不住上前，惻然的看著乾隆：

『皇阿瑪！您既然接受了皇額娘的奏摺，應該是想明白了，爲什麼不原諒她呢？她是一時情急，才會做出這些事情呀！』

乾隆凝視紫薇，臉色悽涼哀怨。

『紫薇，朕並沒有想明白，只是情勢逼人，迫不得已！朕再堅持下去，你們全體都會變成朕的敵人！不能負天下人，只能負一人！妳娘的前世今生，朕都注定辜負！連妳都無法瞭解，朕還能祈望誰瞭解？』一抬頭，厲聲：『來人呀！把皇后帶下去！』

『喳！奴才遵命！』侍衛一擁而入。

容嬤嬤扶著皇后，主僕二人，都是頭破血流，十分狼狽。皇后一退，避開侍衛。對乾隆傲然的昂著頭：

『皇上！你放心，不用派人押著我，我不會逃跑的！我連生命都可以不要，我還在乎「皇后」的頭銜嗎？』她屈了屈膝：『謝皇上接受了我的奏摺，臣妾心滿意足了！再見無期，皇上珍重！』

皇后就扶著容嬤嬤，豎著一頭亂髮，傲然的走出艙外。

眾人全部震懾著。

17

這一晚，泊在西湖邊的皇家船隊，不管是乾隆太后等人住的大龍船，還是阿哥格格們住的畫舫，沒有一處有人睡覺，大家都是徹夜無眠的。乾隆下令，第二天一早就送走皇后，年輕的一輩，人人忘了曾經和皇后敵對，現在，居然個個同情她。

爾康幫福倫收拾了行李，回到畫舫，紫薇正在唉聲嘆氣。

『我剛剛幫阿瑪收拾了行李，阿瑪明天一早就動身……』爾康在感慨之餘，還有深深的隱憂。『唉！眞沒想到，一趟杭州之旅，會演變成這樣。這皇后中途被送回，也是一件震動朝野的大事！明天……還不知道杭州的官員，要怎樣議論呢！』

『爾康，我想跟阿瑪一起，提前回去！』紫薇輕聲說。

『爲什麼？』爾康抗拒的問。

『我的心情很不好，皇阿瑪對我，這麼失望，還動手打了我，我眞的很難過。夏姑娘這個人，又牽涉到我娘的前世今生，讓我不知所措。對於皇額娘，我也有很多同情，她今晚這一幕，實在太慘烈了！我想陪她回去，一路有個人跟她說說話，她心裡可能會好受一點……』

爾康凝視她：

『妳永遠這麼善良，皇額娘以前對妳的那些行爲，妳都忘了？』

『都忘了！我一路看到今天，我覺得，如果歷史要給皇額娘定位，她以前的種種，不會有什麼痕跡，她今晚的所作所爲，會肯定她的價値！她讓我佩服，我們都做不到的事，她做到了，她使皇阿瑪停上了冊封典禮！』

『可是，這個故事還沒有結束。如果皇阿瑪執意要帶夏姑娘回宮，問題還是很多！老佛爺那兒，還是會天翻地覆！朝中的文武百官，還是會議論紛紛！』

紫薇不禁打了一個冷戰，這是實情。乾隆雖然取消了在杭州的冊封典禮，但是，帶夏盈盈回宮，大概絕對不會改變的。

爾康就用胳臂圈著她，看進她的眼睛深處去。

『我知道，妳還有一個最重要的原因，想提前回去，妳想東兒，想得不得了！』

紫薇深深點頭。

『可是，阿瑪走了，我肩上的責任更大了，妳也一起走，碰到事情，我跟誰商量去？再有，我有一個直覺，夏姑娘這件事，恐怕妳才是解鈴人，皇阿瑪雖然打了妳，但是，妳的話，對他才有一言九鼎的分量！再說，皇額娘被押解回去，妳也跟著回去，似乎擺明了跟皇阿瑪作對，這樣不大好吧！再說……』他停住了，凝視紫薇，深情的：『我說了一大堆理由，實際只有一個，讓妳提前回去，我怎麼捨得？不要，紫薇……除非迫不得已，我們千萬不要分開！』

紫薇迎視著他的目光，感動至深，伸手環繞住他的脖子，把頭靠進他的肩窩裡。輕聲的說：『我知道了！反正有千千萬萬個理由，我得跟你一路走！』

『是！』爾康也輕聲的回答。

至於永琪的船上，小燕子可沒紫薇那麼鎮定，她在船艙裡用力的走來走去，一會兒嘆氣，一會兒跺腳。船被她弄得搖搖晃晃。永琪在燈下握筆疾書，幾次搖得他必須停筆。她一邊走，一邊嚷著：

『氣死我了，氣死我了！皇額娘改邪歸正，寫了那麼一大篇血書，皇阿瑪居然不感動，還要把她趕回去！儘管皇額娘以前，做了好多壞事，這件事，實在做得夠英雄……』

永琪抬頭，忍不住更正她的措辭：

『「改邪歸正」用得很好，「夠英雄」這個詞不通……』

小燕子用力一跺腳，船一歪，永琪的筆在紙上一畫，把好不容易寫好的一篇字全毀了。小燕子大叫：

『不要教我怎麼說話，怎麼用成語了，我快要爆炸了！』

永琪擲筆一嘆，站了起來：

『我才快要爆炸了呢！寫了半天，全被妳毀了！妳這樣「拚命」的走，拚命「跺腳」，把船弄得東倒西歪的，我不止快要爆炸，我都快要暈船了！』

『你好奇怪，這個節骨眼，你居然沉得住氣，還在船上練字！』

『我不是練字，皇阿瑪心情那麼壞，我得想個辦法讓他分心。所以想連夜把浙江的海堤計劃趕出來！』

『你不要想辦法讓皇阿瑪分心了，你趕快想辦法讓他不要趕走皇額娘吧！』

永琪走上前去，攬住她，沉聲說：

『這件事已經不能挽回了！皇阿瑪的個性那麼強，皇額娘逼得他走投無路，逼得他忍痛取消封妃，他心裡的一股怨氣，不出在皇額娘身上，還能出在誰身上？今晚已經是不幸中的大幸，還好，皇阿瑪還沒有要她的腦袋！』

『那……』小燕子期盼的抬頭看永琪：『如果你連夜趕出了那篇什麼計劃，皇阿瑪一高興，會不會原諒皇額娘？』

『誰都救不了皇額娘了！不過，妳也不要急，等到我們回宮以後，大家再慢慢想辦法！目前，皇額娘先回宮，比她留在這兒好！留在這兒，才是天天有危險，宮裡比較安全。其實，皇額娘自己也知道的，她遞交血書，就是抱著視死如歸的心態！她成功了……她犧牲了自己，達到了目的，她實在很了不起，實在做得……』他注視小燕子，不由自主，引用了她的語言：『夠英雄！』

小燕子想笑，笑容才現，就消失了。

『好可惜！我剛剛才發現，我開始喜歡皇額娘，她就要走了！連容嬤嬤，我也有些喜歡了，她也……夠英雄！』

永琪欣賞的看著小燕子，說不出心裡對她有多麼喜愛。那麼不記仇的小燕子，那麼善良的小燕子，那麼心直口快的小燕子，那麼充滿俠義之心的小燕子！她眞是上蒼給他的瑰寶！是他這一生的至愛。他緊緊的攬住她，心裡想著皇后，想著夏雨荷，想著令妃，想著夏盈盈，想著含香，想著宮裡成群的嬪妃們，想著皇后所說：『宮裡的女人，是最大的悲劇！』不禁心有戚戚焉。小燕子啊，他在心中起誓，我絕不讓妳成爲宮裡的悲劇！

第二天一早，福倫就帶著一隊官兵，啓程押送皇后回宮。

爾康、永琪、紫薇、小燕子在馬車前送行，晴兒代表老佛爺，也送來一些吃的用的，簫劍幫忙搬運行李，大家眼睜睜看著皇后和容嬤嬤，主僕二人，淒淒涼涼的上車離去。這也是一件非常諷刺的事，皇后離開杭州，所有杭州的官員，沒有任何一個來送行。宮裡的人，也都避之唯恐不及。今天來送行的，對皇后依依不捨的，卻是當初和皇后誓不兩立的這群年輕人。

『皇額娘！我給您準備了熱茶，是用上好的茶葉泡的，我用暖爐熱著，大概走兩個時辰都不會冷。還有一包茶葉蛋，餓了可以吃。還有一些小點心，都拿到車上去了。』紫薇叮嚀又叮嚀，看到皇后面無表情，只得吩咐容嬤嬤：『容嬤嬤，妳照顧著皇額娘，別讓她路上餓著冷著，傷口要換藥……妳也要照顧妳自己，知道嗎？』

『紫薇格格放心！我只期望菩薩保佑，讓我活得比娘娘長，我要用我一生所有的時間來照顧娘娘，饑寒冷暖我都會小心！』

『娘娘，老佛爺要我代表她，給您送行！她說，在這個節骨眼，她不好再讓皇上生氣，就不送妳了！要妳一路保重。她還說，讓您放寬心，您回宮後，過不了多久，我們也就會回去了，等到我們回宮，一切還有轉寰的餘地，您明白了嗎？』晴兒明示暗示，回宮再想辦法，生怕皇后想不開。

皇后手裡拿著一串佛珠，目不斜視，只是一個勁兒的數著佛珠，嘴裡唸唸有辭。

『舍利子，色不異空，空不異色，色即是空，空即是色，受想行識，亦復如是，舍利子，是諸法空相，不生不滅，不垢不淨……』

小燕子一個激動，把手裡的一樣東西，往皇后手裡一塞，嚷道。

『皇額娘！妳不要唸經了，那個佛珠保護不了妳！我送妳一樣東西，這個東西才能保護妳！這一路上，萬一有衛隊不好，萬一有人對妳不禮貌，萬一有人不聽話……將來，我們回宮以後，萬一皇阿瑪又找妳的麻煩，這個都可以幫妳解決問題！』

眾人看去，原來小燕子塞給皇后的，竟是她的免死金牌。

『這個金牌，皇阿瑪說過可以送人嗎？』永琪驚看小燕子。

『沒說過，可是，他也沒說不能送人呀！』

皇后這才一退，把金牌塞回小燕子手中，深深的看著小燕子。

『妳的好意，我心領了，是生是死，我早就不在乎。這個金牌，還是妳留著吧！來日方長，它對妳比對我有用！』

『我要給妳嘛，皇額娘，妳就收下嘛！』

皇后說什麼都不收，把金牌塞回小燕子懷裡，上車去了。

不管有多少叮嚀，不管有多少的不放心，皇后在福倫的押解下，終於去了。

轉眼間，車子和馬隊，就消失在塵土之中。

永琪等六人，目送車車馬馬，越走越遠，大家依舊站在那兒，望著飛揚的塵土，感到一陣悽涼。

『沒想到那麼風光的來，那麼悽涼的回去！』爾康不勝感慨。

『宮裡的女人，是最大的悲劇！』紫薇不禁引用了皇后的話。

簫劍看著晴兒，忽然激動起來：

『晴兒！妳真應該離那個皇宮遠一點！我看，皇宮是個很可怕的地方，妳最好還是考慮一下，要不要跟我一走了之？』

晴兒一驚，看著簫劍，惶恐起來。

『你不是答應了我，要接受皇上的安排，到北京去嗎？』

『那是迫不得已的答應，是被妳感動的答應，是完全沒有理性的答應，也是完全違背本性的答應！』

簫劍煩躁的說，眼看乾隆對皇后的絕情，他心底的矛盾又起，去北京，做這個皇帝的臣子，他不知道自己要如何過這一輩子？

晴兒怔住了，呆呆的看著簫劍。小燕子一跺腳。

『哥！你跟晴兒難得可以說兩句知心話，你嘴巴也甜一點嘛！已經決定了的事，現在又想翻案嗎？你不止有晴兒，你還有我呢！』說著，就悲哀起來：『你看，我已經沒辦法逃了，注定是「宮裡的女人」了！』

『所以，妳也是一個錯誤！』簫劍衝口而出：『就因爲我當初心太軟，才讓妳陷進這個錯誤！』

小燕子一楞，還沒說話，永琪忍無可忍向前一衝，惱怒的看簫劍：

『簫劍！你到底是怎麼回事？我們夫妻過得好好的，你不要來挑撥離間！你這是指著我鼻子罵，說我不好，說小燕子嫁錯了人，請問你，到底我有那點不好？』

『你最大的不好，就是有那樣一個皇阿瑪！』簫劍激動的嚷：『你看他朝三暮四，寡情寡義！我還在這兒一路保護他……』越想越氣，有苦說不出：『我有氣！我快慪死了！』

永琪瞪著簫劍，也越想越氣：

『你嘴裡尊重一點，你再罵皇阿瑪，我不管你是不是小燕子的哥哥，我跟你翻臉……』

爾康急忙往兩人中間一站，著急的喊：

『你們兩個是怎麼了？我們現在有一大堆的問題，你們不要再起內訌了！』就一本正經的看著簫劍，話中有話的說：『簫劍，不是我說你，男子漢大丈夫，該放下的就放下！最忌諱要放不能放，要收不能收！』

『對！你說得都對！我自從認識了你們，就一路墮落下去，現在，那兒還配稱爲「男子漢大丈夫」？

我早已棄械投降了！』

紫薇走過來，對簫劍柔聲說：

『你不要自己跟自己戰爭了，爲了晴兒，你說過，你什麼都忍，什麼都放棄！你忘了晴兒怎樣抱病追你嗎？人生，得到這樣的生死知己，不是超越了一切嗎？』

簫劍楞住。爾康就急急的說：

『來來來！我們大家研究一下，現在該怎麼辦？皇阿瑪的事，我們不能不管，要怎麼管，大家有主意沒有？』

簫劍轉身就走，一面走，一面大聲的說：

『從今天起，你們對那個皇阿瑪要做的任何事，都別拉扯上我！我不管，我也管不著，我去透透氣！』說著，就大踏步的走開了。

『你等等我！我跟你一起去……』晴兒一驚，生怕他那根筋不對，又棄她而去，就忘形的追著簫劍喊。

轉眼間，兩人就走得不見蹤影了。剩下永琪等人，面面相覷。

簫劍走著走著，聽到身後，晴兒的腳步匆匆，一回頭，看著追來的晴兒。

『妳不要追著我，讓我一個人清靜清靜！』

晴兒哀懇的凝視他，眼裡，盛滿了深情。

『我知道，你對於做官，恨之入骨。你這麼恨這件事，我也不能勉強你！我那天追你的時候，就對你說過，我什麼都不在乎了，如果你眞的如此痛苦，我就跟你一走了之吧！』

簫劍站住了，凝視她，眼裡帶著痛楚。

『眞的嗎？妳眞的願意跟我四海爲家嗎？』

『你在那裡，那裡就是我的家！』晴兒義無反顧的說，眼中，頓時淚光閃爍：『簫劍，你知道嗎？自從上次你幾乎騎馬走掉，我每晚都做惡夢，夢到我在大雨裡追你，不停的追你……可是，你騎著馬一直跑，都不肯回頭，我一路追一路摔跤，最後，你的馬還是跑得看不見了……我就哭著從夢裡醒來，渾身都是冷汗！』

簫劍聽到晴兒這樣的告白，想到那天冒著大雨追馬的她，想到她抱住他的腿，哭著求他帶他走……他看得痴了，情不自禁，握住她的手。啞聲的、鄭重的說：

『晴兒，妳看清楚我，我沒錢沒勢，我嚮往的生活，是無拘無束的流浪生活，妳如果跟了我，就要把宮裡那種錦衣玉食的日子，徹底拋開，妳做得到嗎？』

她死死的盯著他，拚命點頭。

『我曾經說過，爲了妳，我願意拋開心裡所有的矛盾，不再掙扎，不再逃避……可是，我失敗了！』他歉然而痛楚的說著：『我眞的沒辦法回北京去做官，眞的沒辦法做乾隆的臣子！當皇帝要「仁」，當臣子要「忠」，我實在沒辦法讓自己當一個心口合一，沒有懷疑的忠臣！我只有一條路，帶妳走！』他深切的看著她：『晴兒，我可以把我心裡最大的祕密告訴妳嗎？』

晴兒被他那悲苦的眼神嚇住了，不住的點頭：

『你有祕密？是！』她心頭一跳，神色嚴肅：『我和你生死與共，你的祕密，就是我的祕密！我一直覺得你有心事……告訴我！』

簫劍四顧無人，就把晴兒拉到樹下。低聲的、沉重的開了口：

『那天，妳去祭了我的爹娘，我爹，他的名字不是方淮，他的名字是方之航。二十四年前，他因爲一首剃頭詩，被乾隆下令斬首！我娘在我爹處死那天，用我們方家祖傳的劍，抹了脖子！』

晴兒大震，踉蹌一退。睜大了眼睛，她目不轉睛的看著簫劍。

簫劍也目不轉睛的看著她。

於是，簫劍開始述說自己和小燕子的身世，那深藏在他內心的故事。他和乾隆的血海深仇，他對小燕子和永琪的無奈……他的種種種種。他細細的說，晴兒震驚的聽，這才瞭解了許許多多自己從來不瞭解的事。當簫劍終於說完，晴兒目不轉睛的看著他，在震撼之餘，只覺得愛他愛他愛他！這個背負著沉重擔的男人，這個爲了她留在北京，忍受煎熬的男人！她愛他，愛他，愛他，愛他！她凝視著他，輕聲低喊：

『我這才知道，你身上一直壓著多麼沉重的擔子！我也恍然大悟，你爲什麼常常要逃走？爲什麼身上總是帶著哀愁。簫劍啊，這麼長的日子，你怎麼熬過來的？』

簫劍無語，只是深刻的看著面前這對痴情的眸子。

兩人就這樣四目相對，默默的看著彼此。過了好一會兒，晴兒吸了一口氣，下定決心了，她溫柔的開了口：

『聽我說，小燕子和五阿哥已經成了夫妻，皇上有意栽培五阿哥當太子，小燕子將來是皇后的命……這樣，你先父的死，陰錯陽差，成就了小燕子成爲國母，也是一種奇妙的因果。你就……千萬不要破壞小燕子的幸福，這個祕密，絕對要嚥下去，好不好？』

『我早就想通這一點了，要不然，怎麼會允許小燕子和永琪成親？我要說，老早就說了！』

『那麼，「報仇」兩個字也就不提了！剩下的事，只是我和你！』晴兒的眼光，變得無比的堅定：

『我終於明白你的抗拒，終於明白你的痛苦，我……跟你走！我們不回北京了！』

簫劍震動的直視著她。

『等到知畫來，有人接我的手，我們就走！』晴兒繼續說：『讓我在這幾天裡，能對老佛爺盡最後的一點孝心。我估計，大概三天以後，我會收拾一些東西，我們挑一個月黑風高的晚上，就從杭州逃走吧！』

簫劍激動的把她的手，緊緊一握，感到無法喘息了。愛上晴兒以來，這是第一次，他覺得眼前乍見光明。

『妳決定了嗎？』

『我決定了！』晴兒答得斬釘斷鐵，毅然決然。

『那麼，我們悄悄的走，什麼人都不要驚動！要走，就走得乾脆！多一個人知道，多一分危險！』

『是！我會在知畫來了以後，再找機會跟你計劃一切！』

簫劍把她拉進懷中，死死的凝視她。

『一言爲定嗎？』

『一言爲定！』晴兒說，緊張起來，看看四周：『不早了，我們趕快回到船上去吧！』

『回去以後，不要露出任何痕跡來，知道嗎？在爾康永琪紫薇小燕子他們面前，也不能透露口風，知道嗎？』

『你也是！』晴兒點頭。

兩人相對注視，眼裡，都充滿了緊張、信賴、和義無反顧。一件即將翻天覆地的大事，就在兩人這番傾談下決定了。

在晴兒和簫劍定下逃亡大計時，紫薇和爾康，也作了一個很大膽的決定。他們要到翠雲閣，去訪問那位夏盈盈姑娘。明知這樣做，給乾隆知道了，一定會大大震怒。但是，眼看皇后作了這樣的犧牲，紫薇就覺得，如果他們都不做什麼，對不起皇后，對不起自己、也對不起乾隆。做了，就算沒有結果，總是努力過了，可以問心無愧。至於乾隆的『震怒』，一時之間，也顧不得了。

在翠雲閣那曲徑通幽的花園裡，在繁花如錦的小徑上，紫薇和爾康見到了夏盈盈。盈盈帶著滿臉的驚訝，看著來訪的兩個人。她睜大眼睛，備戰的說：

『哇！貴客光臨，咱們這翠雲閣眞是蓬華生輝！丫頭說有客來訪，我可怎麼都沒料到，居然是格格和額駙！』就大聲喊：『丫頭！趕快用最好的「金絲銀鉤」茶葉，泡一壺好茶，送到亭子裡來！』

丫頭們答應著，匆匆跑開。

爾康和紫薇，看著夏盈盈，只見她穿著一身飄逸的，鵝黃色的衣裳，站在柳樹下面。嫩綠的柳枝，輕拂著她那鬆鬆挽起的頭髮，淡淡的脂粉下，是一張美麗絕倫的臉龐。她身材纖細，腰肢一握，站在那兒，亭亭玉立，簡直像一幅畫。她那對烏黑的眸子，黑得發亮，帶著種大無畏的孤傲，直視著他們。那對眼睛，像兩泓深不見底的潭水，平靜無波，卻莫測高深。兩人面對這樣的盈盈，都不由自主的有些緊張。

『夏姑娘不要忙！我們突然造訪，實在冒昧，希望夏姑娘不要見怪！』爾康說。

盈盈看著紫薇，率直的問：

『妳就是夏雨荷的女兒？』

『不錯！』紫薇有些驚訝：『妳已經聽過我娘的故事了？』

『皇上都告訴我了！』盈盈答得坦白：『沒想到，那晚，一時心血來潮，夜遊西湖，居然因為一首曲子，讓皇上「錯愛」了！』

『錯愛？』紫薇睜大眼睛：『皇阿瑪連「前世今生」的疑惑，也跟妳提過嗎？』

『是！我一再告訴皇上，我絕對不是夏雨荷，無奈皇上有他的看法和想法，我想，皇上對妳娘，是眞的不能忘情吧！』

爾康凝視盈盈，終於有些瞭解乾隆對她的迷戀了，他困惑的問：

『妳確定妳和紫薇，不是一家人嗎？難怪皇上錯愛，妳的神韻，和紫薇也有若干相似的地方，都有一股遺世獨立，飄然出塵的雅致。』

『額駙誇獎了，我和紫薇格格，那兒能夠相提並論？我可以確定，我和紫薇格格，不可能有任何牽連。』盈盈臉色一正，銳利的看兩人：『我想，格格和額駙到這兒來，不是研究我的長相韻味，是有話要說吧？』

『不錯！妳知道皇后被送走的事嗎？』爾康就直接開口了。

『整個杭州城，都在談論這件事，我怎麼可能不知道？』盈盈背脊一挺，臉色冰冷的：『原來，兩位是來「興師問罪」的！』

『不是這樣，妳誤會了，』紫薇急忙接口，誠懇的看著盈盈，聲音裡帶著懇求：『我們一點興師問罪的意思都沒有！我是來這兒，請求妳幫忙的！』

盈盈看看爾康，看看紫薇。

『請求我幫忙？我能幫什麼忙？』

『夏姑娘，』紫薇深深的看著盈盈：『我聽皇阿瑪說，妳是個奇女子，知書達禮，才華洋溢！我今天再仔細看妳，更對妳充滿了奇怪的感情。我不知道人類有沒有鬼神，有沒有超越生死的力量？皇阿瑪相信妳身上，有我娘的影子，我娘一生，除了等待就是等待，是個苦命的人！我看夏姑娘，眉清目朗，充滿自信，比我娘有福氣多了！這福氣，可能是進入深宮，封爲「貴妃」的命。也可能，是自由自在，生活在山水之中，得到一個神仙美眷的命……總之，妳不是我娘，也千萬不要做我娘！』

盈盈注意的聽著，聽到這兒，忍不住冷冷一笑。有力的說：

『紫薇格格名不虛傳，好口才！兜了一大圈，要我放棄皇上，放棄「貴妃」的地位，留在杭州的山水之中，等我那個現在還「不存在」，將來也不知道會不會出現的「神仙美眷」！是不是這樣？』

紫薇被她這樣一堵，一時之間，堵得說不出話來。

爾康急忙往前一步：

『夏姑娘不要生氣，紫薇的意思是說，皇阿瑪對妳的感情，有一大部份，是建築在另一個女人的身上，這樣的感情，不會讓妳害怕嗎？』

『害怕？』盈盈一楞。

『是呀！有一天，皇阿瑪會發現，妳有妳的個性，妳有妳的思想，完全不是他夢中的那個女人，那時候，妳要怎麼辦？在深宮裡，那可是一個呼天不應，叫地不靈的地方！宮裡，像皇后這樣的女人，比皇后還苦命的女人，不知道有多少！妳敢把自己的未來，賭在這樣虛幻的緣分裡嗎？』爾康振振有詞。

盈盈挺直背脊，語氣鏗然的接口：

『你們爲什麼不把這些理由，去分析給你們的皇阿瑪聽？只要皇上不要我，就算我眞是夏雨荷的影子，也沒有用！換言之，如果皇上要定了我，你們認爲，我有幾條命，可以拒絕皇上？一個像我這樣的風塵女子，皇上的「珍惜」，是多大的驚喜，你們明白嗎？』她抬眼看紫薇：『妳有沒有想過，我也很可能像妳娘一樣，對這位皇上，動了眞情！人生，能有幾次這樣的相遇相知？我應該放棄嗎？聽說妳和額駙，也是衝破很多難關才結合的，當初，有人勸妳和他分開嗎？妳聽了嗎？』

紫薇震動著，睜大眼睛，看著盈盈。半晌，才點點頭說：

『我明白了！如果妳動了眞情，請妳……忘記我們來了這一趟，我說什麼，大概都沒有辦法改變妳！至於我們爲什麼不去說服皇阿瑪，我可以回答妳這個問題，我們已經試過了，也失敗了！爲了妳，皇阿瑪和皇后反目，爲了妳，皇阿瑪和老佛爺敵對，至於我們子女，個個都遭殃，我還挨了皇阿瑪一個耳光！如果我們能說服皇阿瑪，我們就不必來這兒了……』

盈盈頓時怒上眉梢了，大聲起來：

『你們說服不了皇上，就來說服我？因爲我地位卑賤，聽了你們的話，應該羞愧得無地自容，馬上退出這場遊戲，是嗎？』

紫薇洩氣極了，說不下去，瞪著盈盈：

『算了！到這兒來，不過是我們走投無路下的一條路！現在，我承認我們來錯了，對不起！我們告辭了！』

紫薇拉著爾康，就向門外走。盈盈大聲的喊：

『等一下！』

紫薇站住了。

『什麼叫「走投無路下的一條路」？皇上有那麼多嬪妃，多一個又怎樣？爲什麼要排斥我？因爲我出身風塵？因爲我是青樓女子，是嗎？如果我是名門閨秀，八旗子女，就不一樣了？是不是？』

紫薇迎視著盈盈銳利的眼光，也挺直背脊，老實不客氣的說了：

『是！我相信妳身不由己，也相信妳至今玉潔冰清，但是，天下人不會相信！妳跟了任何人，都不會有人去追究妳的出身，跟了皇阿瑪，妳會名滿天下。沒多久，妳就會被天下悠悠之口批評得體無完膚，只怕到了那個時候，妳會覺得生不如死！』

紫薇幾句坦率的話，如同一盆冰冷的水，對盈盈當頭淋下，把她打倒了。她忍著內心的傷痛，冷然的抬高聲音：

『哦？原來格格處處都在為我著想！』

爾康聽到這兒，忍無可忍，往前一邁步，大聲的說：

『紫薇的分析，字字句句，都是實情！妳聽得進去也好，聽不進去也好！紫薇說的，還不完全，我幫她補全！皇阿瑪如果娶了妳，姑且不論妳出身青樓，妳的年齡，也足以做他的孫女兒！南巡，為的是考察民生疾苦，結果，娶了一個年輕的貴妃回去，文武百官和老百姓，要怎樣評論皇阿瑪？是！我們不止為妳著想，我們更為皇阿瑪著想！他的名譽和聲望，對妳而言，都沒有絲毫意義嗎？他是一國之君呀！他不是沒沒無聞的小老百姓！他不是可以為了一段感情遠走天涯的人，他有責任，有許多無可奈何呀！』

盈盈大為受傷，眼中燃燒著火焰，怒視紫薇和爾康。

『我知道了，反正，我配不上一國之君！你們說完沒有？說完！就請出去！我們這個「青樓」，只怕玷污了格格和額駙的名譽，說不定，明天全杭州都知道額駙和格格駕臨翠雲閣，到時候，大概跳進黃河也洗不清！』

『妳不用威脅我們！』爾康大怒：『我們來這兒，就沒有考慮過後果，妳現在是皇阿瑪的新寵，可以一狀告到皇阿瑪那兒，我和紫薇都沒好日子過！妳去告狀吧，我們走了！』說著，他一拉紫薇，往花園門口走去。

紫薇和爾康走了幾步，紫薇回頭，再度凝視著夏盈盈，眞心眞意的說：

『對不起！我們不是來跟妳吵架的，鬧成這樣，完全不是我的本意。還有一句話要跟妳說，如果……妳跟定了皇阿瑪，妳就排除萬難，跟皇阿瑪回宮吧！千萬不要跟他說，等個一年半載再進宮，那樣，妳就眞的變成我娘第二了！還有……我一點也沒有輕視妳的出身，我在妳身上，看到了「高貴」兩個字，即使在皇宮那樣的地方，我也很少看到像妳這樣的女子！我不後悔來這一趟，我更加明白，皇阿瑪爲什麼爲妳著迷了！其實，妳一點也不像我娘，我娘是柔弱的，妳是剛強的！』

紫薇說完，跟著爾康離去了。

剩下盈盈，震動的佇立著，深邃美麗的眸子，逐漸被淚水浸濕了。

18

西湖的落日、西湖的橋、西湖的水、西湖的船、西湖的蘇堤白堤……西湖的春天，一棵楊柳一棵桃，紅綠相映。西湖的美，說不完，畫不盡。多少詩人墨客，為之傾倒。

這天黃昏，湖面上，輕飄飄的盪來一條畫舫。盈盈又是一身月白色的衣裳，在一群紅紅綠綠的鶯鶯燕燕中，扣弦而歌。船上，還有一桌酒席，許多文人雅士在作陪。大家酒酣耳熱，放浪形骸。此情此景，早有前人的詩寫過：『平湖初漲綠如天，荒草無情不記年。猶有當時歌舞地，西泠煙雨麗人船。』乾隆在他的龍船上，憑欄而立，盈盈的歌聲，清越高亢，婉轉纏綿，隨風而至：

『西湖柳，西湖柳，
為誰青青君知否？
花開堪折直需折，
與君且盡一杯酒！
西湖柳，西湖柳，
今日青青明日瘦，

勸君攜酒共斜陽，
留得香痕滿衣袖！

只有行人不回首！
轉眼春去冬又至，
一片青青君見否？
西湖柳，西湖柳，

西湖柳，西湖柳，
昨日青青今在否？
縱使長條似舊垂，
可憐攀折他人手……』

乾隆聽到這樣的歌聲，看到那樣尋歡作樂的小船，大驚失色。急喊：
『來人呀！』
『皇上！奴才在！』孟大人慌忙答應。
『趕快去看看，那是不是夏姑娘的船？馬上把夏姑娘請到朕的船上來！』
『喳！』
盈盈正在宴客，已經喝得半醉了。唱完了歌，還舉著酒杯和客人們起鬨比酒力。畫舫中，一片笑語喧嘩。

一個女侍忽然伸頭進船艙，嚷道：

『盈盈姑娘！孟大人派人來接，那邊龍船上有請！』

客人們頓時鴉雀無聲，全部收歛起來。

盈盈一怔，舉杯對客人嚷：

『我們喝酒！不要破壞我們遊湖的興致！』回頭喊：『告訴孟大人，我正招呼客人，沒空去！』再對眾人笑著嚷：『怎麼？你們害怕了？還敢不敢跟我拚酒呢？』

客人全部呆著，嚇得大氣都不敢出。盈盈一拍手，對樂隊美女們喊：

『來一點熱情的音樂！添酒！』

音樂喧囂的響起。

孟大人戰戰兢兢去向乾隆覆命，乾隆大怒，用力的一拍桌子。對孟大人嚷：

『什麼？她不來？怎麼可以不來？這是聖旨！你去把她抓來！』

『是是是！臣馬上去！』孟大人趕緊退下。

乾隆惱怒的在船上走來走去，煩躁不安，隔船的笙歌，不住傳來。又是刺耳，又是鑽心。好不容易，歌聲停了，終於，盈盈隨著孟大人過來了。她雲鬢半亂，眼兒半媚，笑容半掩，醉容半現。看到乾隆，就低低的請下安去。

『皇上吉祥！』一請安，身子不穩，差點跌倒。

乾隆伸手一扶，眉頭緊皺，忍耐的說：

『爲什麼喝得這樣醉？來人呀！趕快煮一碗醒酒湯來！』

『是！奴婢馬上去煮！』宮女們答應著跑下船。

乾隆揮手，孟大人也急忙退了出去。

盈盈站穩，依舊笑容滿面，醉態可掬的說：

『皇上！這醒酒湯也用不著了，我這不是喝酒喝醉了，我是存心一醉。您就算幫我醒了酒，我還是會醉！今天不醉，明天也會醉！今天明天都不醉，以前的許許多多日子，早已醉過、醒過、再醉過！這醒醒醉醉，醉醉醒醒，早就是生活的一部份，過去的抹不掉，未來的，大概也永遠改不了！』

乾隆心中一陣激盪，心臟猛烈的跳著，這一生，他還沒有碰到過這種事。盈盈的一篇『醒醒醉醉，醉醉醒醒』像是繞口令一樣，說來卻清清楚楚，何醉之有？乾隆瞪著她，看了許久，一語不發，就把她一把抱起，抱到軟榻上去放著。他凝視著她，冷靜的，痛心的問：

『說！誰去看了妳？跟妳說了些什麼？』

盈盈一怔，瞪著乾隆。

『皇上說什麼？我聽不懂！』

乾隆沉重的呼吸著，緊緊的盯著她：

『不要跟朕演戲了！妳從實招來，誰去看了妳？誰說服了妳？誰讓妳這樣瘋瘋癲癲，在朕面前裝瘋賣傻？說！』

盈盈大眼一瞬，淚水立刻衝進眼眶。乾隆畢竟是乾隆，她裝不了瘋，賣不了傻，頓時瓦解了，悲切的喊：

『皇上！』

乾隆在她身邊坐下，抓住了她的一隻手，緊握在自己手中。凝視她，啞聲的說：『這樣是沒有用的，妳越是這樣，朕越是離不開妳！』

盈盈眨動眼瞼，淚珠滾滾落下。她淒楚的看著乾隆，淒楚的說：

『皇上，您聽我說，我不能跟皇上進宮，不能侍候皇上，請皇上放了我，原諒我！讓我在西湖這一片山山水水中，過我悠閒自在的生活吧！把我弄進皇宮，皇上要冒著失去家人和尊敬的許多危險，我要冒著失去自由和歡樂的許多危險，不管是對皇上，還是對我，都是不利！如果我在宮中不能適應，會讓皇上失望，到時候，皇上會不再喜歡我，甚至忘了我，我……不過又是深宮裡的一個怨婦而已！』她說得誠摯，說得懇切：『我們不要製造這種悲劇好不好？』

乾隆盯著她，立刻猜出那個能夠影響她的人了！

『朕明白了！是紫薇！紫薇和爾康去找妳了，對不對？只有紫薇，會跟妳這樣分析，只有他們兩個，有這樣的說服力！』

『沒有！沒有人來找我！』她勉強的說。

『妳不用騙朕！』乾隆一唬的站起身子，咬牙切齒：『好紫薇！朕心心念念的把她帶來，她是雨荷的女兒，是朕的右手！』

盈盈從臥榻上坐了起來，凝視乾隆。

『皇上！請不要遷怒於任何人，皇上已經為了我，把皇后送回北京了，整個杭州城，茶餘酒後，人人在談的，都是這件事！如果皇上再遷怒到格格和額駙身上，我的罪孽，就幾生幾世都贖不了！皇上如果真的有點喜歡我，請為我積德，別為我結怨！』

乾隆就走回到盈盈面前，激動的說：

『那麼，妳跟朕回宮去！朕暫時沒有辦法封妳為貴妃，但是，朕答應妳，在一年之內，一定封妳為貴妃，怎樣？』

盈盈用雙手握住乾隆的手，堅定的說：

『不！我不跟你回宮，我已經決定了！無論你現在跟我說什麼，我決定的事，就不會更改！皇上，我仔細想過，我不是雨荷，我是夏盈盈！雨荷等了皇上一生，那一生已經夠了！那個故事，就結束在雨荷身上吧！我還有屬於自己的生活，如果皇上眞的憐惜我，請幫我贖了身，讓我跟著乾爹乾娘過日子，將來嫁一個平凡的丈夫，過柴米油鹽的生活，那就是我最大的幸福了！喜歡我，不一定要佔有我，是不是？』

乾隆一瞬也不瞬的盯著她，悲哀起來。

『這是妳的眞心話嗎？妳眞的希望這樣？』

盈盈沒有直接回答這個問題，逕自下了臥榻，走到窗前，推開窗子，看著那西湖的水，西湖的落日、西湖的遠山，西湖的小橋。用最溫柔的聲音，安安靜靜的說：

『皇上，您瞧，這片好山好水，眞是人間仙境！』

乾隆不由自主走到她身邊，望著窗外的山水出神。她發出一聲讚歎：

『生活在這樣的仙境之中，也是一種幸福呀！您忍心要我放棄這麼多幸福，跟您進宮去嗎？宮裡有這樣的山水嗎？能夠允許我午夜泛舟，忘情高歌嗎？老佛爺會喜歡我嗎？會像一般婆婆那樣寵愛著我嗎？』

乾隆凝望著窗外那如詩如夢的景致，一句話也說不出來了。

夏盈盈一直留在龍船上。夜色慢慢的籠罩下來，乾隆的船，燈火一盞一盞的亮了起來，整條龍船，在水面投下燦爛的光影。

永琪、小燕子、紫薇、爾康都在畫舫上，看著乾隆的龍船生氣。只有簫劍，神思恍惚的走來走去。

小燕子氣呼呼的說：

『我算了時間，那位夏姑娘上了皇阿瑪的龍船，已經足足兩個時辰，從下午到現在，船上靜悄悄，也沒唱歌也沒跳舞，侍衛在船艙門口守著，誰也不能進去。他們有什麼好談，談了這麼久？』

『希望那位夏姑娘君子一點，不要把我和紫薇供出來！』爾康有些不安。

『你們說她是厲害角色，心裡就要有準備！我覺得很有問題，她不是「供出來」，她是「告一狀」！皇阿瑪脾氣壞得很，說不定會對你們兩個大發脾氣。』永琪更加不安，對於紫薇和爾康去找夏盈盈談判的事，大大的不以爲然。

紫薇嘆口氣：

『反正，是福不是禍，是禍躲不過！我想，明天就輪到我和爾康，被送回北京去了！回去也好，我對西湖已經沒有興致了！』

小燕子又急又氣。

『不會這樣吧！皇阿瑪把這個也送回去，那個也送回去，他要幹什麼？一個人留在杭州，跟這個夏姑娘在西湖划船唱曲過一生嗎？』忽然發現簫劍一個人站在一邊發呆，嚷：『哥！你躲在那兒想什麼心事？也不幫忙想想辦法！』

簫劍回頭，心不在焉的說：

『你們那個皇阿瑪，與我沒有關係，我懶得管！』

『我看，你也不想管我了！』小燕子沒好氣的大聲說。

簫劍怔了怔，想到即將帶著晴兒私奔，恐怕再也沒有力量照顧小燕子了。就話中有話的接口：

『確實不想管，我早就把妳交給永琪了！以後，不要動不動就找我！』

『你……算那門子的哥哥！』小燕子更氣。

『拜託你們不要吵架了好不好？』永琪煩惱的打斷：『現在這麼緊張的時候，你們兄妹兩個還有閒情逸致來吵架！』

正在這時，晴兒匆匆奔來，鑽進船艙。急急的說：

『我來告訴大家一聲……老佛爺在生大氣，令妃娘娘在傷心，晚餐都沒吃，老佛爺要我去皇上的船上看一看，到底夏姑娘走了沒有？我找了一個藉口過去，結果，皇上正和夏姑娘兩個人在吃晚餐，兩人脈脈含情，一面吃飯，一面喝酒。你看著我，我看著你，好像整個西湖，只有他們兩個，好詩意好深情的樣子，我趕快退出來，現在心慌慌，不知道要怎麼去回報老佛爺！』

小燕子一怒，跳起身子大跺腳。

『搞什麼嘛！這樣，大家都沒有好日子過！』就氣呼呼的嚷著：『我們闖進去，鬧他一個亂七八糟！反正，紫薇和爾康也闖了禍，逃也逃不掉了！要送回去，大家都回去！』說著，就箭一般的衝出去了。

眾人全部跳起身，喊著叫著追出去。

『小燕子！小燕子，小燕子……妳不要闖禍……』

小燕子那兒肯聽，一口氣奔上了乾隆的龍船。侍衛一攔：

『皇上有令，任何人不得入內……』

砰然一聲，侍衛被小燕子一拳打倒在地。

船上的乾隆和盈盈，聽到外面的聲音，一驚。還沒反應過來，就看到小燕子像風一般捲了進來。站在乾隆和盈盈的面前，她無法控制的，傷心的大喊：

『皇阿瑪！我知道我們全部的人，現在加起來的份量，也沒有這位夏姑娘重！你只要夏姑娘，不要我們大家了！昨天，你送走了皇額娘，明天，你又要送走爾康和紫薇，我看，下次就輪到令妃娘娘和老佛爺了！至於我，你不必趕我，我自己會走！我今天晚上就收拾東西，連夜回北京……但是，在走以前，我有話要說給這位偉大的夏姑娘聽……』

乾隆還在閃神，永琪、爾康、紫薇、晴兒、簫劍全部衝進船艙來。

永琪一把就抓住了小燕子，著急的說：

『小燕子！妳答應過我不犯毛病，怎麼又犯毛病了？』說著，對乾隆匆匆行禮：『皇阿瑪吉祥！』

爾康、紫薇、晴兒也趕快行禮。說：

『皇阿瑪吉祥！夏姑娘吉祥！』

乾隆一拍桌子，站起身子。怒喊：

『什麼皇阿瑪吉祥？你們存心要朕不吉祥！這樣闖進來，你們眼裡，還有朕這個「皇阿瑪」沒有？你們要氣死朕嗎？』

『皇阿瑪別生氣，』永琪嘆著氣說：『就是因為我們個個的心裡，都有皇阿瑪，這才弄得我們心慌意亂，什麼都錯！什麼該做，什麼不該做，我們全部亂了方寸！我把小燕子帶下去，既然小燕子要走，我也在這兒跟皇阿瑪辭行了！』

紫薇驚看永琪和小燕子，就跟著一嘆，也下決心的說：

『紫薇一錯再錯，冒犯了夏姑娘，讓皇阿瑪生大氣……我也跟皇阿瑪辭行了，爾康是御前侍衛，身上有責任，會留下來侍候皇阿瑪，我和小燕子五阿哥一起走，也有個伴！』

爾康驚看紫薇，大急，不自禁的喊：

『紫薇……』

簫劍看看小燕子，看看晴兒，這樣的變化，實在沒有料到，衡量之下，私奔可以緩，保護小燕子不能緩，就毅然說：

『那麼，我也在這兒跟皇上辭行，小燕子脾氣毛躁，我不放心！我先護送他們回北京！同時，希望皇上允許，讓晴兒也一起走！』

晴兒一驚，和簫劍交換了視線，就急忙請求：

『皇上！請幫我向老佛爺美言幾句，反正過兩天，知畫就來了。我也跟大夥一起走！』

乾隆大震，看看這個又看看那個：

『辭行？什麼辭行？爲什麼辭行？你們全體要走？』

爾康見情勢如此，就往前一邁步，感傷的說：

『皇阿瑪！我們知道，我們個個都惹您生氣了！雖然我們的動機是純正的，但是，行爲是不禮貌不正確的！錯，已經造成，除了讓皇阿瑪生氣以外，並沒有任何收穫，我們也充滿了挫敗感！看到皇額娘的離開，難免有些傷感，所以，大家都想回家了！但是，我會留在這兒，阿瑪千叮嚀，萬囑咐，要兒臣負責皇阿瑪的安全和一切！我……』無奈而不捨的看了紫薇一眼，壯士斷腕般毅然說：『我留下！』

乾隆看來看去，輪流看著幾個小輩，忽然悲切的仰天大笑。

『哈哈哈！你們居然膽敢過來威脅朕！你們以爲，朕離不開你們了嗎？』

紫薇深深嘆息，看著乾隆。

『皇阿瑪誤會了，正好相反，我們都明白，皇阿瑪不需要我們了！』就對盈盈虔誠的屈了屈膝：『夏姑娘，皇阿瑪的生活起居，拜託照顧！』

盈盈一直安安靜靜的看著眾人，不慍不火，神態安詳自若。這時，站起身子，對紫薇也福了一福。清脆的說：

『紫薇格格，只怕妳的拜託，我沒辦法做到了！我跟皇上，經過了一番懇談，皇上已經答應成全我，讓我留在西湖這片山水中，等待我那可能出現的「幸福」！』

紫薇大震，驚看乾隆。只見乾隆一臉的蕭索，似乎一下子老了好多年。

『皇阿瑪……你已經決定……』紫薇吶吶的，不相信的說。

乾隆迎視著紫薇的眼光，愴惻的說：

『是！盈盈說服了朕，她……不是雨荷，朕應該讓雨荷的故事，結束在她的前世，如果上蒼有意，讓朕來生有緣，再跟她相見吧！』

眾人全部驚喜交集，大家你看我，我看你。全體震住了。

盈盈卻突然走到小燕子面前，挺直背脊，挑戰的說：

『還珠格格，妳一進來就嚷著，有話要說給我這個偉大的夏姑娘聽！我洗耳恭聽，請說！』

小燕子愕然的張大眼睛，看著夏盈盈，半晌，才訕訕的笑了起來，清清嗓子。

『是！我要說的是，妳眞是天下最美麗、最可愛、最溫柔、最聰明、最甜蜜、最有風度、最有深度、最高貴、最眞誠、最純潔、最偉大、最懂事、最有修養，最有才華、最會唱歌、最文雅、最瀟灑、最脫俗、最最最……』說不下去了。

『最讓人難忘的奇女子！』紫薇接口，眼中一片感激。

盈盈聽到這樣一大串，驚奇的看著小燕子，再看紫薇。不禁挑了挑眉毛。

『最讓人難忘的奇女子？』她忍不住一笑：『彼此彼此吧！』她就轉身看乾隆，誠摯的說：『皇上！

您這一家人，眞讓我大開眼界！盈盈爲皇上慶幸，能有這樣貼心的兒女們！』

乾隆震動著，看著眾人，不知道是恨是愛。一咬牙，對眾人低低一吼：

『你們不是全體要走嗎？辭行都辭過了，要走就馬上走！朕才不希罕你們留在這兒！』對大家拚命揮手：『通通走！』

眾人又一呆，你看我，我看你。

小燕子就不好意思的笑著，對乾隆屈了屈膝。轉動眼珠，清脆的嚷著：

『皇阿瑪……現在是那個「此一個石頭，彼一個石頭」，我們不走啦！您趕我們也沒用！我們都是刀擱在脖子上，也不會屈服的人，所以，大丈夫說不走就不走，小女子也說不走就不走，不管您說什麼，我們反正不走了！』

小燕子故意用錯成語『此一時彼一時』，又故意撒賴，什麼『大丈夫、小女子』的，簡直吃定了乾隆！但是，乾隆就是被她吃得死死的，瞪大了眼睛，又氣又愛又恨又沒轍。永琪見好就收，趕緊說：

『老佛爺到現在還沒吃晚膳，我們不打擾皇阿瑪了，我們去陪老佛爺吃飯！皇阿瑪吉祥，夏姑娘吉祥！』

永琪一個眼色，眾人全部對乾隆行禮。

『皇阿瑪吉祥！夏姑娘吉祥！我們不打擾了！』

六人就魚貫而去了。

乾隆看著大家的背影，心裡不知道是惆悵，是遺憾，還是如釋重負。

這晚，小燕子眞是快樂得不得了。用手環抱著永琪的腰，跳著打圈圈，嚷著：

『永琪！我好高興，這個問題總算解決了！你看，老佛爺今晚會笑了，令妃娘娘也會笑了！我們幾個也會笑了……』

『是是是！大家都會笑了……』永琪拉住小燕子的手，惻然的說：『可是，有一個人不會笑了！』

『誰？誰？皇額娘是嗎？她已經回北京了，沒轍了！』

『我說的不是皇額娘，皇額娘老早就失寵了，老早就不會笑了。』永琪感嘆的說，充滿了同情：『我說的是皇阿瑪！今晚，他雖然用快刀斬亂麻的方式，結束了夏姑娘這一段情，但是，對他而言，這是件非常非常痛苦的事。他的痛苦，不是妳能想像的！妳想，他說過，他沒有多少熱情可以浪費，沒有多少時間可以虛度。他把夏姑娘，看成是他青春的延續，是感情生活的重生，如今，全部結束了！』說著說著，就嘆了口氣：『我覺得，皇阿瑪一下子就老了好多歲！所謂壯士斷腕，就是如此了！』

小燕子不跳了，站在那兒發呆。

『可是，皇阿瑪還有我們呀……』想想，點頭，瞭解的說：『夏姑娘是沒有辦法取代的。那……我們要怎麼辦？』就推著永琪說：『你快去寫那個什麼計劃，皇阿瑪每次看到你的計劃，都很高興！我來幫你磨墨！你不是還有好多計劃要寫嗎？你多寫幾篇，連夜趕出來吧！』

小燕子就不由分說的把永琪按在書桌前。

『多寫幾篇？連夜趕出來？計劃那有那麼容易寫？我還要實地考察，查資料才行！』

小燕子靠在書桌上，深思起來。

『我知道我們沒辦法取代夏姑娘，可是，我們還是可以做一些事，讓皇阿瑪高興！』眼睛一亮，想出辦法來了：『我們請皇阿瑪吃一頓吧！』

『吃一頓？』永琪一楞，皇阿瑪還在乎吃一頓嗎？

乾隆不在乎吃一頓，他什麼都不在乎了。連西湖的日出日落，西湖的湖光山色，西湖的煙雨西湖的風，西湖的詩意西湖的美……對乾隆都沒有意義了。但是，永琪帶著兒女輩，要請乾隆去吃飯，太后興匆匆，令妃打邊鼓，乾隆就算心裡不願意去，也不能再掃太后的興。於是，大家到了山上的一家餐廳，憑欄而坐，可以看到山下的西湖。大家包了一個房間，早有侍衛，摒退了閒雜人等。房間佈置得十分雅致，牆上還有許多文人雅士的墨寶。晴兒和令妃攙著太后，紫薇扶著乾隆，大家圍著圓桌坐下。宮女、侍衛四面站著侍候。

『地方還不錯，這兒的菜眞的特別好吃？』乾隆勉強提著興致問。

『宋朝林升有兩句著名的詩說，「山外青山樓外樓，西湖歌舞幾時休？」因爲這首詩，杭州就有兩家著名的餐館，一家是「樓外樓」，一家就是這「山外山」了！』爾康笑著解釋。

『這「樓外樓」朕去過了，「山外山」還是第一次來！』乾隆看看眾人，人人都在，就是沒看到小燕子：『小燕子呢？』

『她去廚房看看菜色，馬上就來！』永琪微笑著。

『難得這些孩子有興致，說是船上的菜，都吃膩了！要給皇帝換換口味！』太后更是一臉笑吟吟，乾隆的揮劍斬情絲，讓她鬆了一口氣。對小燕子等人的力量，不得不暗中佩服。看樣子，天不怕地不怕的乾隆，就是怕這些兒女！

『不過，小燕子去監督菜色，我覺得有些危險呢！』令妃笑嘻嘻。

『放心！我們都不許她做菜，只要她不碰那些菜，我們就可以安心的吃！以前，她那鍋「酸辣紅燒肉」，我終身難忘！』爾康再說。

永琪和紫薇都笑了。

『怎麼沒有看到簫大俠？他也去幫小燕子嗎？』令妃問。

聽到「簫大俠」三字，晴兒就閃神了。

『簫劍那人脾氣古怪，這樣規規矩矩吃飯，他最受不了，所以……他就不參加了！』爾康趕緊回答。

『那也得訓練訓練，這種規規矩矩吃飯的場合，以後還多著呢！』太后不以爲然的說。心想，這個簫劍實在古怪，以前沒有許婚，他一天到晚出現。現在大局已定，他倒藏頭藏尾。將來成了晴兒的夫婿，還逃得掉宮中的應酬嗎？

晴兒聽出太后的言外之意，想著簫劍，想著他們的『計劃』，更加心神不定。

『其實，朕也不餓，隨便吃吃就好！』乾隆沒什麼耐心：『怎麼還不上菜？』

永琪就對裡面喊著：

『小二！小二！怎麼沒人出來招呼呢？小二！快來侍候！』

『來了……來了！』

這才看到一個店小二，從後面飛舞出來，穿著藍布的衣服，包著頭髮，手裡拿著托盤，托盤裡是滾燙的熱毛巾，她竄到桌前，動作非常誇張，原來是小燕子。

『毛巾！熱毛巾……給各位擦擦手，擦擦臉！』

小燕子學著小二的聲音，嚷著。她拿起毛巾，想要學習小二的招數，把毛巾俐落的拋向客人，不料毛巾滾燙。

『哎呀！好燙！』

小燕子手一摔。毛巾全部飛出去，大家閃的閃躲的躲，一條毛巾竟然不偏不倚，蓋在永琪頭頂上。

永琪跳了起來，大叫：

『哎呀！燙啊……小二！你這是……那一招？』

爾康、紫薇、拚命忍住笑。連心事重重的晴兒，也忍俊不禁了。

小燕子趕緊把永琪頭上的毛巾抓下來，陪笑道：

『這是「失手招」！對不起！對不起！』

宮女們忍住笑，趕快收拾毛巾。

乾隆睜大眼睛。被蒙在鼓裡的太后和令妃，都驚奇得不得了。

『原來是小燕子！』令妃驚呼：『妳怎麼成了店小二了？』

『剛剛走馬上任，各位多多包涵！』

小燕子向大家拱手，一面跳到乾隆面前，哈腰行禮，拿著本子，沉著嗓子說：

『客官要吃什麼？』四面一看：『還沒上茶嗎？請問，大家要喝什麼茶？』

永琪配合演戲，一本正經的問：

『有些什麼茶？』

小燕子清清嗓子，就朗聲說：

『茶呀！有牡丹繡球、茉莉茶王、茉莉毛尖、七葉綠膽、頂級毛峰、明前毛峰、碧玉澄波、金絲銀鉤、金絲銀蕊、綠波翠玉、碧蘿春、綠寶石、綠珊瑚、玫瑰茶、桂花茶、菊花茶、月下白，綠羽毛、頂級香片、一級香片、二級香片、三級小店不供應，拿不出手！客官要點那一樣？』

小燕子說得飛快，一氣呵成，乾隆終於被她逗得興致來了，瞪著她說：

『妳這些茶，都有嗎？』

『有有有！客官要喝那一樣？』

乾隆想了想，故意刁難：

『我要「萬綠叢中一點紅」！趕快沏來！』

『萬綠叢中一點紅啊？』小燕子一呆：『我唸了這個茶名嗎？』

紫薇急忙起立，笑著說：

『看樣子，我得去幫幫忙！』就匆匆下去了。

『客官要喝點酒吧！』小燕子繼續說：『我們這兒的酒，有黃酒、白酒、紅酒、老酒、董酒、汾酒、郎酒、紹興酒、高粱酒、梅子酒、棗子酒、雜糧酒、竹葉青、加飯酒、沉缸酒、封缸酒、鶴頂紅……不是，說錯了，是狀元紅、女兒紅、劍南春、茅台酒、太白酒、杜康酒、文君酒，西鳳酒、老井貢酒、洋河大曲、雙溝大曲、全興大曲、沒有了！』

這麼一大串，乾隆聽得頭都昏了：

『好了，就來一瓶紹興酒吧！』

宮女們趕緊上來，給大家倒酒。小燕子繼續問：

『客官要點菜了嗎？』

『你們有些什麼菜？』永琪問。

『菜呀！客官聽著！』小燕子再清清嗓子，就一口氣唸了出來：『清蒸鰣魚、清蒸熊掌、清蒸鰻魚、清蒸鹿尾、清蒸鱖魚、清蒸火腿、清蒸蟹肉、燒花鴨、燒竹雞、燒子雞、燒鵝、滷豬、滷鴨、滷鵝、醬雞、醬鴨、醬鵝、臘肉、松花小肚、什錦拼盤、燻雞白肚、八寶鴨子、紅燒獅子頭、山西豆腐、什錦豆腐，麻婆豆腐、金鑲豆腐、紅燒豆腐、清蒸豆腐、沙鍋豆腐、涼拌豆腐、炸豆腐、炒豆腐、燜豆腐、臭豆腐、燴鴨絲、燴鴨腰、燴鴨條、燜白鱔、燜黃鱔、炸裡脊、炸對蝦、軟炸魚、軟炸雞、麻油酥卷、炒銀絲、炒田雞、炒鰻魚、炒蝦仁、炒排骨、燴蝦仁、鍋燒海參、鍋燒牛肉、鍋燒鯉魚、鍋燒白菜、桂花翅子、清蒸翅子、芙蓉蛋、拌雞絲、拌肚絲、拌腰絲、拌鴨絲、拌干絲、拌黃瓜、拌涼粉……』

小燕子唸得又快又俐落，唸到這兒，乾隆已經忍不住笑了。太后、令妃和眾人，早已笑得前俯後仰。

小燕子不笑，憋著氣繼續飛快的往下唸：

『紅糟鴨子、紅糟雞翅、紅糟魚片、紅糟肉、醋溜魚片、醋溜肉片、醋溜蟹肉、燜南瓜、燜窩窩、燜雞掌、燜鴨掌、燜冬筍、魚羹、鴨羹、蟹肉羹、三鮮豆腐羹、紅丸子、白丸子、溜丸子、炸丸子、三鮮丸子、四喜丸子、鮮蝦丸子、魚脯丸子、豆腐丸子、一品肉、櫻桃肉、紅燜肉、黃燜肉、燒肉、烤肉、白肉、醬肉、紅餃子、白餃子、水晶餃子、蜜餃子、素餃子、燒羊肉、烤羊肉、涮羊肉、清蒸羊肉、五香羊肉、蔥爆羊肉、燴銀絲、三鮮魚翅、栗子雞、麵拖黃魚、板鴨、筒子雞！到此爲止，沒啦！』

這一下，全體都爲小燕子鼓掌，乾隆也哈哈大笑了。這個小燕子，眞是他的開心果呀！乾隆知道這菜單背起來不容易，在大笑聲中，其實，有更多的感動。這些兒女們，爲了讓他一笑，眞是煞費苦心。失去夏盈盈，得到所有的親人，也是得失之間的一種互補吧！他看著小燕子，不住的點頭：

『難爲了妳！小燕子，背了多久？這比背唐詩容易吧！』

小燕子誠心誠意的看著乾隆：

『如果皇阿瑪喜歡我背唐詩，下次，我保證用同樣的速度背出唐詩三百首來，只要皇阿瑪不生我們的氣，能夠開心一點！』

乾隆就打起精神，微笑起來。故意的說：

『好吧！小二，你告訴廚房，剛剛你說的那些菜，一樣來一點吧！』

『啊？』小燕子大驚：『一樣來一點啊？有這樣點菜的嗎？』

『皇帝點菜，就是這樣點的！』乾隆一本正經的回答。

令妃和太后，相視而笑。小燕子無奈，硬著頭皮對後面喊：

『所有的菜，一樣來一點！』

這時，紫薇和宮女們捧著托盤出來了，只見托盤上，放著一杯杯白磁茶杯，杯裡，是碧綠的茶葉泡的綠茶，水色是透明清澈的綠。水面上，卻飄著一片鮮紅色的玫瑰花瓣，看來賞心悅目。紫薇清脆的說：

『「萬綠叢中一點紅」來了！各位請品茶！』

茶杯一杯杯放在各人前面。太后不禁脫口讚美：

『哇！這茶可新鮮，我還從來沒有喝過！』

『別說沒喝過，我還是第一次看到呢！好看！』令妃跟著說。

乾隆喝了一口茶，覺得清香撲鼻，不禁深深的吸了口氣。說：

『好茶！以後，朕不喝碧蘿春了，要改喝這「萬綠叢中一點紅」！』

紫薇就雙手端著茶杯，對乾隆誠誠懇懇的說：

『皇阿瑪！這次南巡，我們跟在皇阿瑪身邊，看到很多東西，學了很多東西！心裡好多話，不知道要怎樣跟皇阿瑪說！皇阿瑪心情不好，我們也感同身受。您的忍痛割愛，您的鬱鬱寡歡，讓我們也很心痛！我們敬您愛您，請讓我們以茶當酒，祝皇阿瑪身體健康，早日恢復愉快的心情！』

小燕子、永琪、爾康、晴兒就全體舉杯。

乾隆眼眶濕了，拿起茶杯又放下了。

『不行不行！我們得喝酒！』乾隆嚷著。

『我們就換酒杯吧！』爾康舉起酒杯。

大家就放下茶杯，全部拿起酒杯，連太后和令妃也舉杯了。

『皇帝！喝了這杯酒，咱們就把所有的不愉快都忘了吧！』太后顫聲說。

『我和孩子們一樣，好多話想說，不知從何說起？不說了！臣妾誠心誠意敬皇上！』令妃眼眶也濕潤著。

乾隆一仰頭，乾了杯子，大家就跟著一仰頭，都乾了杯子。

乾隆放下杯子，眼光落在紫薇身上。忍不住柔聲說：

『紫薇，妳說得很好，但是，心裡在恨朕吧？那天……打疼了吧？』

紫薇眼眶一紅：

『皇阿瑪，打得很疼，但是……如果我心裡有恨，今天就不會在這兒了！』

這時，宮女們捧著菜餚，魚貫而出，各式各樣的菜，一一放上桌。

『皇阿瑪，』永琪笑著：『這「一樣一點」的難題，小燕子大概處理不了，不過，人間美味那麼多，哪能全部吃下去？咱們就馬馬虎虎，「點到爲止」吧！』

永琪一語雙關，好一個『點到爲止』！乾隆心裡，漲滿了感動，眼眶紅著。是的，這一頓飯，人人『醉翁之意不在酒』，大家心照不宣，點到爲止吧！

19

高庸在傍晚時分，把知畫從海寧接來了。爲了表示對太后的信任，陳家沒有讓家僕跟來。知畫是單槍匹馬，連一個丫頭都沒帶，就這樣跟著高庸，到了太后身邊。

知畫上了太后的龍船，對太后和晴兒盈盈下拜。

『老佛爺吉祥！晴格格吉祥！』

太后上前，扶起知畫，眉開眼笑。

『知畫啊！妳可來了，自從離開海寧，我就一直記掛著妳！』

『謝謝老佛爺，知畫也一直想念著老佛爺，惦記著老佛爺！』知畫輕聲說。

太后喜愛的注視她：

『妳願意跟我進宮嗎？妳爹娘放心讓妳跟我嗎？喲！才提爹娘，眼眶就紅了！』

知畫滿眼含淚，低俯著頭，坦白的、柔聲的說：

『老佛爺……對不起，知畫這還是第一次跟爹娘分開。老佛爺這麼喜歡我，要帶我進宮，是我的光榮。可是，和爹娘分開，我還是挺傷心的！』說著，心裡一酸，眼淚就掉下來了：『老佛爺，以後……我還能跟我爹娘見面嗎？』

『當然可以！』太后憐惜的摟住她：『我答應妳，每年都會接妳的爹娘到宮裡小住，如果妳到了宮裡住不慣，要回家，也是可以的。我們先試試，好不好？』

知畫一個激動，淚汪汪的依偎著太后，像是依偎著自己唯一的支柱：

『好！只要還能見著爹娘，就什麼都好！知畫明白，要我進宮，是爲了我好，我心裡充滿感激。希望我不會讓老佛爺失望，但是……爹娘生我養我，幾個姐姐一起長大，現在突然分別了，知畫就是想哭嘛……』說著說著，再也忍不住，撲在太后懷裡，就抽抽噎噎的哭了起來。

知畫的眞情流露，太后聽了，也不禁感傷。她緊緊的抱著她，又拍又哄，眼眶也泛紅了。一疊連聲的說：

『別哭別哭！看樣子，我又做錯了！妳這麼小，就把妳和家庭分開，眞的很殘忍。那麼……要不要回家呢？』

知畫在太后懷裡搖頭，哽咽的，小小聲的回答：

『不……我要跟著老佛爺。』

『不是捨不得爹娘嗎？』

『捨不得爹娘，也捨不得老佛爺啊！』知畫擦了擦淚，振作了一下，抬眼看太后，眼淚還掛在臉上，笑容已湧現在唇邊：『好了！見到老佛爺才會哭，一路都沒哭呢！』害羞的看了晴兒一眼：『給晴格格看笑話了！』

晴兒一直站在旁邊，怔怔的看著這一幕。聽到知畫轉向她，就急忙說：

『那裡那裡，我剛進宮的時候，也是天天哭，天天想爹娘……妳放心，老佛爺會把妳治好的！』

這時，高庸請示：

『老佛爺！知畫小姐的行李送到那兒去？是不是另外開一條船給她住？』

『另外開一條船，不要麻煩了，知畫就跟我住！東西都拿到這兒來！』太后看知畫：『跟我一起睡，有什麼心事，跟我說說，就寬解了！晴兒剛進宮的時候，我也是帶在身邊睡的！她比妳還想娘呢，可憐她的娘去世了，我要幫她接娘來，也沒辦法，那兒像妳這樣，隨時可以接娘進宮呢！』

老佛爺一篇話，晴兒也淚汪汪了。看著知畫，不禁出神。知畫來了，就是她要履行諾言的時候了。她說過，知畫一到，她就跟簫劍走！想著簫劍，想著未來，想著她和簫劍的大計劃……她的心，就狂跳了起來。滿心都是緊張、期待、和害怕。

這天，簫劍和晴兒在碼頭後面的樹林裡，碰了面。

『知畫到了！正像我猜想的，老佛爺要她一起睡。我……應該可以脫身了！』

簫劍神色一凜，整個人都振奮起來，當機立斷：

『那麼，我們今晚就走！』

『今晚？』晴兒心一慌：『會不會太急了？明晚，好不好？』

『既然已經決心要走，就不要再拖延了！說走就走！』簫劍意志堅決。

『可是……小燕子發現以後，要怎麼辦？』

『我會留一封信給她，她成親以後，比以前成熟多了。她雖然不知道身世的祕密，但是，她瞭解我不想做官的心情，她會用她的角度去想這件事，會體諒的！永琪在她身邊，會安慰她的！好在……她是個樂觀的人！』

『可是……好像不跟紫薇爾康告別，有點不安心……』

『紫薇和爾康，是全天下最瞭解我們的人，他們只會祝福我們，不會怪我們的！』

『可是……』

『不要再「可是」了！』簫劍打斷她，眼神銳利的盯著她：『妳，要跟我走還是不要跟我走？』

晴兒想到了那場雨中的追逐，想到他策馬遠去的身影。屏息的說：

『我要！』

這夜，春寒料峭，月明星稀。晴兒等到太后和知畫，都睡熟了，就偷偷的溜下床。把一些衣物細軟，打了一個小包袱，背在背上。她不住東張西望，害怕得不得了。從小到大，她何曾做過這麼大膽的事？自從認識簫劍，她就變了，這個熱情奔放，膽大妄爲的晴兒，連她自己都覺得陌生而不可思議。

她把一個信封，放在床上。信裡，簡單的寫著：

『老佛爺，永別了！謝謝您照顧了我這麼多年，來生再報答您！』

她對太后的船艙看去，看到太后和知畫，安安靜靜的熟睡著。她披上披風，四顧無人，就悄悄的、悄悄的溜出船艙。太后翻了一個身，忽然喊：

『晴兒！』

晴兒大驚，猛的收住步子，看向太后的船艙。只見知畫從床上坐起來。

『老佛爺，我在！有什麼事？要我去叫晴格格來嗎？』

太后怔了怔，睡夢朦朧的看著知畫：

『哦！知畫……瞧我，老糊塗了！平時叫慣了，不用叫她，我想喝口水……』

『我來！我來……』

早有兩個睡在床下的宮女，急忙起身。

『知畫小姐別動，我們來！』宮女去桌前倒水。

晴兒躲在帘幔背後，大氣都不敢出。宮女倒了水，拿到床前，知畫服侍太后喝水。一陣唏唏嗦嗦，太后喝完水，又睡下了。

晴兒的心，撲通撲通的跳著，臉色蒼白，偷偷的看著。一切又安靜了，她深吸了一口氣，躡手躡腳，溜出了船艙。

船外，侍衛守著，看到晴兒下船，就迎了過來：

『什麼人？站住！』

晴兒一個驚跳，收住步子。拚命維持鎮靜：

『我是晴格格，老佛爺要我去找高公公！』

侍衛一看，是太后的心腹晴格格，那兒還有懷疑？趕緊讓開身子，行禮如儀：

『晴格格吉祥！要不要奴才跟您打個亮？』

『不用了，這兒挺亮，幾步路就到了，不用侍候！』

晴兒抬頭挺胸，急步走上碼頭。心想，原來要做『壞事』，什麼謊言都說得出口！走出侍衛的視線以外，她就加快腳步，一陣飛奔。黑暗中，簫劍牽著一匹馬，早在那兒守候多時，看到她的身影，就狂喜的低喊：

『晴兒！』

『簫劍！』

簫劍一伸手，把她拉進懷中，緊緊一抱。

『謝謝天！妳來了！我以爲……妳會臨陣脫逃……趕快上馬！』

簫劍把晴兒放上馬背，一躍上馬。兩人並乘一騎，簫劍一拉馬韁，馬兒像箭一般，直射而去。在黑暗中，馬蹄急踹著路面，向前飛奔。這一陣狂奔，兩人都沒有說話，晴兒第一次，這麼貼近的依著一個男人的身子，第一次這樣奔離了自己的世界，心在狂跳，呼吸急促，腦中什麼思想都沒有，只感到他的呼吸，熱熱的吹拂在自己的後腦和脖子上。那呼吸就燃燒起她所有的熱情，奔放、狂野、強烈！

遠離了危險區，簫劍才放聲喊：

『駕！駕！駕……』

晴兒緊緊的倚偎著他，在顛簸的馬背上，都聽得到自己的心跳。

『我不相信我做了這樣的事……』她輕聲說：『我和我以前的生活告別了！』

簫劍一低頭，吻著她的耳垂，用充滿感情的聲音，在她耳邊說：

『妳和我的新生活開始了！』

是啊！這是一個新生活的開始，這個生活裡，沒有乾隆，沒有太后，沒有皇宮……甚至沒有熟悉的紫薇、小燕子、永琪、爾康等人，她只有他，只有他！

一彎弦月，高掛在天空，灑落了一地的銀白。風從耳邊呼嘯而過，吹起了她鬢邊的散髮。遠方的山影樹影，是一幅幅移動的水墨畫。馬兒踏碎了滿地的月光，蹄聲有節奏的響著，像是天籟的音樂。她就這樣，在如詩如畫如夢如歌的情懷中，跟著他狂奔天涯。

天亮的時候，太后發現晴兒失蹤了。

原來，太后一夜都睡不安穩，天才濛濛亮，就醒了，習慣性的喊晴兒。知畫立刻下床，不知道太后要什麼，趕緊找晴兒，這一找，就找到了晴兒的留書。頓時間，天崩地裂，太后看了留書，嚇得從床上幾乎跌落地。宮女太監侍衛們全部驚醒，燈籠一盞盞點燃，人聲鼎沸：

『晴格格不見了！來人呀……晴格格不見了！』

呼叫的聲音，震動了整個船隊，驚醒了爾康和紫薇。爾康一唬的坐起身子，趕緊跳下床，飛快的穿衣服。侍衛們的喊聲，從外面不斷傳來：

『晴格格失蹤了！晴格格不見了……』

紫薇瞪大眼睛，錯愕著。爾康心臟狂跳，已經明白發生了什麼事。

『不好了！晴兒逃跑了！怎麼會發生這樣的事？我要趕快出去看看情況！』

紫薇驚惶的坐起，忽然發現枕頭邊放著一張信箋。驚喊：

『有張信箋！是誰這麼好本事，半夜溜進來放信箋！』

『除了簫劍還有誰？給我看！』爾康心煩意躁，這個簫劍，是怎麼回事？

兩人趕緊湊在燈下看信。只見信上，既無上款，也無下款。題著一首詩：

『六年簫瑟飄零久，一劍十年磨在手，
杏花頭上一枝橫，恐洩天機莫露口，
一點累累大如斗，壯士掩半何所有？
完名直待掛冠歸，本來面目君知否？』

『是簫劍！』爾康低喊：『他的字，他的語氣，他的無奈，他要我們保密，他跟我們告別了！他帶走了晴兒，他們私奔了！』

紫薇握著信箋，又是悵然，又是緊張，又是瞭解。

『他們終於選擇了這一步！』

爾康把詩塞進紫薇手裡，收拾收拾向外奔。紫薇一把拉住他。

『爾康，你預備怎麼辦？』

『我是御前侍衛呀！阿瑪又離開了，所有皇室的安全，都是我的責任，看樣子，我會奉命去把他們抓回來……』

『爾康……』紫薇欲言又止。

爾康瞪著紫薇，兩人交換著注視，憑著兩心相通，千言萬語，都在注視中瞭解了，爾康就匆匆的點頭。

『我明白！我會見機行事！』

紫薇目送爾康匆匆下船，就走到窗邊，看著船窗外的山山水水。低聲說：

『晴兒，簫劍！趕快跑！趕快跑！馬騎快一點……千萬不要停下來，趕快跑……』

簫劍和晴兒確實在『趕快跑』。

他們連續策馬狂奔了一夜，天亮的時候，馬兒已經累得汗流浹背，晴兒也累得東倒西歪了。晴兒從小養在深宮，一生也沒騎過馬，顛簸了一夜，早已腰痠背痛，再加上大病初癒和情緒的緊繃，實在有些吃不消了。簫劍放慢了馬，左看右看，看到一間半倒的破廟，四周十分荒涼，破廟寂靜無人，就趕緊勒馬。

『我們得找一個地方休息，再跑下去，馬會吃不消！這兒有個破廟，我們進去看一看！』

馬停在破廟前，簫劍扶著晴兒下馬，只見她形容憔悴，下了馬背，一個踉蹌，幾乎站立不穩，差點摔倒。他趕緊扶住，非常不忍：

『妳怎樣？累了吧？』

『還好，只是很緊張很害怕！』

『我瞭解。』簫劍點點頭：『妳這是第一次騎馬吧？一定累壞了！餓了吧？渴了吧？我準備了乾糧，我們進去吃點東西，補充一下體力！』

簫劍就扶著晴兒，進了破廟。他看到破廟中蛛網密佈，菩薩東倒西歪，牆壁斑駁，一片殘破，顯然荒廢已久，正中下懷。找了半天，找到一些稻草，就鋪在牆角，扯掉蛛網，清理清理環境，扶著晴兒坐下。再抱了一堆稻草，去院中餵馬。餵了馬，回到晴兒身邊，他打開乾糧的口袋，拿出饅頭和水壺，兩人才一起坐定，喝水吃東西。晴兒四面看，好緊張：

『這是什麼地方？我們要到那兒去？老佛爺發現我們失蹤以後，會不會派官兵來追捕我們？』她越想越怕：『我們走得太匆忙了，都沒有好好的計劃一下！』

『不要緊張，已經到了這一步，總是兵來將擋，水來土掩，擔心也沒用。』他注視著她：『其實，我仔細盤算過了。等到老佛爺發現我們失蹤，爾康和紫薇，會拚了命幫我們說話，說不定，老佛爺想穿了，就放掉我們了！』

『如果老佛爺不肯善罷干休呢？』

『追捕我們的人，應該是爾康吧！』簫劍有恃無恐的說。

晴兒思索著，點點頭。

『萬一不是爾康，是別人。我們已經跑了一夜，離開追兵有段距離了！他們要追，也不是那麼容易。何況這四通八達的道路，他們沒有方向，很難追捕。』

晴兒凝視簫劍，跟著他跑了一夜，還不知道目的地在那兒？

『我們是往西南跑，是不是？我們要去大理，是不是？』

『應該是！』簫劍從容的說：『妳會這麼想，那個乾隆皇帝也會這麼想，所以，所有的追兵都會往西南追。我們最不能去的方向，就是西南。北邊是我們來的路，也是北京的方向，我們也不能去！東邊是海，我們總不能跑到海裡去。所以，我們唯一的一條路，就是往西走！』

晴兒佩服的看他：

『你都計劃過了。往西邊走，預備走到那兒去呢？』

簫劍搖搖頭：

『我們不去西邊，我們往南走。』

『你不是說，我們不能往南走嗎？』晴兒驚奇著。

『剛剛我的分析，乾隆大概也會這樣分析，萬一他的分析跟我一樣，一定把追捕的行動，主力放在西邊，所以，我們不能去西邊。我們就往南走！最危險的地方，說不定是最安全的地方，往南走一段，再轉往西南。這樣繞路也不多，我們只好冒險一試！何況，這條路上，我到處有朋友。』

晴兒不說話了，一瞬也不瞬的看著他。他被她看得不自然起來，摸摸自己的臉。

『幹什麼？我臉上髒了嗎？』

『不是。我只是要看看，這個我付託終身的人，到底是怎樣一個人？』

『看清楚了嗎？是怎樣一個人？』

『是智勇雙全，允文允武的！』她驚嘆的說，眼神裡閃著崇拜的光芒，立刻，崇拜被惶恐取代了：

『簫劍，你不會後悔吧？帶著我，你會多了一個大累贅！』

簫劍深深的凝視著她，伸手握住了她的手，看進她眼睛深處去。用最眞摯的聲調，幾乎是感恩的說：

『我一生都在流浪，從離開義父開始，就忙著兩件事，一件是「尋找」，一件是「逃亡」，爲了找小燕子，忙了好多年，找到了，就帶著她逃亡。然後，我又找到了妳！第一次體會有累贅的滋味，這才知道，累贅也是一種甜蜜，我眞高興，有了妳這份累贅！接下來，就該帶妳逃亡了！這是我的命。』他摟住她，撫摸她的頭髮：『妳看起來很累的樣子，躺下來，睡一會兒，頂多一個時辰，我們就要繼續趕路！』

晴兒感動的看著他。

『我可以支持，我們還是早些上路比較好。』

『就算妳可以支持，馬兒也不能支持。何況，妳已經支持不住了，躺下來！相信我，目前一點危險都沒有。』

晴兒實在支持不住了，就躺了下來，簫劍拿包袱墊著她的頭，拿衣服蓋住她，靜靜的坐在她身邊，守護著她。她安靜了片刻，忽然想起什麼，又坐起身子，擔心的看他，著急的說：

『那個知畫，有點深不可測。想不通她爲什麼要離開父母進宮去，說不定她眞的喜歡了五阿哥，就像我不由自主喜歡了你一樣。那麼，小燕子不是危機重重嗎？』

簫劍的眼神一暗，是啊，小燕子危機重重，自己卻跑了！顧此失彼，以後，無法再照顧小燕子了。他嘆口氣，把她的身子拉下去。

『現在什麼都別想，先睡一下吧！』

晴兒依偎著他躺下，被他那隻大手握著，好像被『幸福』『安全』『命運』握著，握得那麼牢，她還有什麼顧慮呢？她不再胡思亂想，順從的闔上了眼睛。

簫劍凝視著虛空，出起神來。開始擔心小燕子他們，擔心太后的怪罪，乾隆的震怒。小燕子、永琪、爾康、紫薇，你們會面對什麼場面呢？你們會像以前一樣，化險爲夷嗎？

簫劍的擔心沒有錯，同一時間，乾隆和太后，正在怒審小燕子等四個人。

乾隆一拍桌子，怒極的大吼出聲：

『這是什麼道理？太荒唐了！朕不是已經答應指婚了嗎？爲什麼要逃走？』他指著小燕子：『妳這個哥哥瘋了嗎？好好的日子他不過，一定要朕殺了他，他才甘心是不是？怎麼可以把一個格格拐跑？』

小燕子手裡拿著一封信，眼裡淚汪汪。又氣又急又傷心，喊著：

『我恨死他了！我也不懂呀！他信裡說，要我和永琪好好過日子……他根本就弄得我不能好好過日子，我也不瞭解他呀！還有晴兒，怎麼會跟著他走呢？』

永琪看著乾隆，一嘆：

『皇阿瑪！這個簫劍，是個江湖的俠客，他的思想和行爲，不是我們可以揣測分析的。這次的出走，早就有痕跡露出來了，都怪我沒有去注意！他對做官，抗拒得不得了，對我們這種宮闈生活，也抗拒得不得了。現在，他既然逃走了，我們就放他一馬算了！反正皇阿瑪也準備讓他們兩個成親……』

永琪話沒說完，太后勃然大怒。

『什麼話？放他一馬？這還了得？他以皇親國戚的身分，保護皇室南巡，居然借著這個機會，拐跑了宮裡的格格！這個故事傳出去，我們皇室的面子往那兒擱？』說著，就瞪著小燕子：『我就說，來路不明的人，根本不能信任！更不能聯婚！』

小燕子看著太后，百口莫辯。想到自己這些年，拚命要當一個好福晉，努力了半天，全部被簫劍這離奇的舉動給破壞了，又氣簫劍和晴兒的不告而別，不知何年何月才能再見面？各種委屈，齊湧心頭，再也忍不住，眼淚唏哩嘩啦掉下來。

『嗚嗚嗚……怎麼有這樣的哥哥？他……怎麼可以這樣對我？晴兒也這樣對我……難怪老佛爺生氣傷心，我也生氣傷心，可是，老佛爺，您也不要因為我哥哥，就把我也否決了……嗚嗚嗚……』越想越痛，越哭越傷心。

紫薇趕緊上前，把小燕子摟在懷裡，小燕子就仆在她懷中痛哭。紫薇抬頭，對太后哀懇的說：

『老佛爺！請不要對小燕子發脾氣吧，小燕子也很難過，這不是她的錯呀！小燕子成親之後，真的拚命在努力，想當一個好媳婦呀！』

紫薇這樣一說，小燕子哭得更凶。

紫薇給了爾康一個眼色，爾康就一步上前，硬著頭皮說：

『皇阿瑪，老佛爺！請你們先不要生氣，聽我說幾句話！簫劍是一個文武全才的俠客，晴兒是個才貌雙全的淑女，他們兩個，實在是一對神仙伴侶！這種神仙伴侶，可能不適合宮廷生活，不適合北京的繁華，就像魚屬於水，鳥屬於天空一樣。他們大概看透了這一點，才出此下策，一起離開了！這不是「逃走」，只是一種生活的選擇而已。我們能不能用一種詩意的情懷，寬大的心胸來看這件事，把他們當成一段人間佳話，就讓他們遠走高飛吧！』

『對對對！』永琪趕快接口：『這事最好不要聲張，傳開了，對宮裡不利，大家你一言，我一語，一定會說得很難聽！我們也不能大張旗鼓的追捕，只怕驚動地方官員，勞民傷財，還不見得找得回來……』

聽到這兒，乾隆思前想後，氣不打一處來，怒吼：

『住口！什麼詩意的情懷，人間的佳話！發生在你們身上的事，就是詩意的情懷，人間的佳話？你們不是口口聲聲說，身在帝王家，就有責任有義務要犧牲自我嗎？連朕尚且如此，你們卻可以這樣任性而爲？你們氣死朕了！朕一定要把他們抓回來……』

爾康一聽要追捕，急忙挺身而出。

『那麼！兒臣立刻帶人去追捕……』

『兒臣也一起去……』永琪跟著說。

兩人轉身就走。乾隆一聲暴喝：

『你們兩個滾回來！站住！』

爾康、永琪一起煞住腳步。乾隆指著他們說：

『你們和那個簫劍，像兄弟一樣，都是一個鼻孔出氣，讓你們兩個去追捕……你們以爲朕已經昏庸糊塗了，變成白痴了，是不是？依朕看來，你們當初幫含香，現在幫簫劍，全是串通好的！含香會變蝴蝶，現在他們兩個會變魚變鳥……』越說越氣，拍桌子：『朕氣死了！氣死了！朕應該把你們全體關起來……』

『皇阿瑪！你眞的冤枉我們了！爾康的話，不是這個意思……』紫薇喊著。

『你又要把我們關起來？』小燕子情緒激動，就口不擇言起來：『怪不得我哥哥要走，在皇宮裡待下去，遲早會莫名其妙被關的……』

『妳還敢說話！還敢說……』乾隆氣得跳腳。

這時，外面一陣腳步聲，侍衛大聲的通報：

『孟大人到！田大人到！李大人到！朱大人到！』

只見四個大臣，急匆匆入內，甩袖行禮。

『臣叩見皇上！叩見老佛爺！』

乾隆看看大臣們，就對永琪等四人，厲聲吩咐：

『你們四個人，回到你們的船上去，好好在船上待著！沒有朕的命令，誰也不許離開！去去去！這兒的事，不需要你們插手！去！』

永琪、爾康面面相覷，完全無可奈何。只得帶著小燕子和紫薇，退出了船艙。

乾隆見四人離去了，這才對大臣們說：

『朕要你們立刻集合所有的武功高手，去追捕簫劍和晴格格！』想了想，畢竟不忍：『別傷了他們的性命，活著帶回來！』

『臣遵旨！只是，杭州四通八達，皇上可有線索，他們會往那個方向走？』孟大人沒有把握的問。

『簫劍心心念念要去的地方是大理，往西南方向去追準沒錯！』

『喳！臣領旨！』

『慢著！』乾隆深思的皺皺眉：『那個簫劍，心思細密，他一定知道我們會往西南追，他不會那麼笨。北邊，是他想逃開的地方，他不會去，所以，他多半是往西邊跑……可是，朕會這樣分析，簫劍也會這樣分析吧！』再想想，對大臣們招手：『過來，孟大人，你畫一張地圖給朕看看，朕要和那個簫劍鬥鬥法！』

永琪等四人，回到了畫舫上。小燕子傷心得不得了，四個人走進船艙內，個個垂頭喪氣。小燕子跌坐在椅子裡，不敢相信的說：

『哥哥找了我這麼多年才找到我，相聚不過幾年，他說走就走！也不知道走到那兒去了，以後還會不會再見面？就算和晴兒相愛，也不必丟下我呀！這下子，老佛爺怪我，皇阿瑪怪我，知畫又來了……』想到知畫，更是恐懼嫉妒，用手抱住頭，無助的低喊：『還有一個知畫，我怎麼辦？』

永琪仆下身子，握住她的手，誠心誠意的安慰著：

『妳就不要再想知畫了，十個知畫，一百個知畫，一千個知畫，一萬個知畫……都構不成妳的威脅。把知畫的煩惱拋開，聽到沒有？至於妳哥哥和晴兒，妳先把個人感情放一邊，仔細爲他想一想，妳就會想通了！妳哥哥一定非常非常受不了北京，受不了做官，他太痛苦了，這才捨得離開妳。現在，他身邊有他深愛的晴兒，兩人自由自在，像我們常唱的那首歌，「讓我們紅塵作伴，活得瀟瀟灑灑！」多美呀！我們現在要祈求的，只是皇阿瑪追不到他們！』

『對呀！』紫薇接口：『永琪分析得一點也不錯！小燕子，別傷心了，讓簫劍無牽無掛的離去，那才是他真正的幸福。如果勉強他去了北京，他一定會變成那兩句詩，「冠蓋滿京華，斯人獨憔悴」。妳不希望簫劍這樣一個俠客，在官場和宮闈中，磨光了他的生命力和他的豪情壯志吧！如果那樣，他到老死的那一天，會怨恨絆住他的晴兒和妳！晴兒一定是想通了這一點，才願意跟他一起走的！』

小燕子深思的看著紫薇和永琪，逐漸醒悟過來。

『說的也是！』擦擦眼淚，振作了一下：『只要他和晴兒，幸福快樂的在一起，像我們當初集體大逃亡，雖然生活裡充滿了危險，我們還是好快樂。』想想，就樂觀起來了：『我想明白了，我不哭了！』忽然又緊張起來：『可是，皇阿瑪把杭州的大臣都找來了，鐵定會展開搜捕行動……簫劍只有一個人，還帶著不會武功的晴兒，他們逃得掉嗎？』

爾康一直在思索，簫劍留的那首詩，好像有玄機。他沉思著，忽然抬頭：

『小燕子，簫劍給妳的那封信，給我看看！』

小燕子遞上信，爾康開始唸信：

『小燕子！我非常非常捨不得的告訴妳，往今往後，南北東西，我要和妳分開了。願妳幸福快樂，和永琪好好的過日子！妳要痛下決心改變自己，相夫教子，會很難嗎？在皇宮裡，大事小事，理該退讓就不要出頭。留得青山在，不怕沒柴燒，再見！珍重！』

紫薇也湊過來看信。爾康和紫薇看完，兩人互看，都若有所悟。爾康就看看船艙門口，永琪看兩人，心領神會，趕緊伸頭看看，再把船艙的門窗關上。

『怎樣？是不是有線索？』

爾康對小燕子招招手：

『過來！我們研究一下！』

小燕子趕緊過來，四人緊密的湊在一起。爾康指著信，低聲解釋：

『你們看，我們把這封信的稱呼不算，每句話只唸頭一個字，是這樣一句話；「我往南，我願和妳相會在大理。」後面幾句，是普通的叮囑了！』

小燕子眼睛一亮，恍然大悟，滿臉發光。大眼一轉，喜悅的說：

『哦！原來如此！我就說，他走就走，還寫封信教我這個那個，婆婆媽媽什麼！原來他給了我方向，他還是要去……』

永琪一把摀住小燕子的嘴，四人緊張的互視。紫薇急忙叮囑：

『噓！不要說！我們最好把這張信箋毀掉。我們猜得出來，別人也會猜出來……』

正說著，船艙外有響聲，小燕子一急，把信箋趕緊放進嘴裡，就大嚼起來。

永琪迅速的推開窗子，只見一隻水鳥，噗喇喇飛去。他鬆口氣，驚看小燕子：

『妳又把信紙吃了？趕快吐出來！只是一隻水鳥而已！』

小燕子臉紅脖子粗，用力一嚥，就把紙嚥進肚子裡。

『算了算了！我這個吃紙的毛病，是改不掉了！現在，肚裡文章，越來越多了！哈哈！』小燕子說著，竟然笑了。

眾人相視，在緊張中，也不禁失笑。小燕子看著大家，問：

『我們現在怎麼辦呢？』

『以不變應萬變！我想，要追捕到簫劍，不是那麼容易！』永琪摸摸小燕子的頭髮：『我答應妳，將來有機會，一定陪妳去大理找他們！』

小燕子點點頭，依偎著永琪。

爾康研究出來簫劍留給小燕子的信，另有所指。再想到簫劍留給他的那首詩，一定也另有文章，大概簫劍怕小燕子口風不緊，才單獨留給他們吧！他拉著紫薇回到自己的畫舫上，船艙的門一關，爾康就急忙對紫薇說：

『紫薇，簫劍留的那首詩呢？』

『在我口袋裡！』

紫薇明白了，掏了出來，就攤開信箋，兩人急急研究。紫薇唸著詩句：

『六年簫瑟飄零久，一劍十年磨在手，杏花頭上一枝橫，恐洩天機莫露口，一點纍纍大如斗，壯士掩半何所有？完名直待掛冠歸，本來面目君知否？』她頓時恍然大悟：『我知道了！這首詩，雖然暗嵌了簫劍的名字，說出了他的心態，也明示了對我們的警告「恐洩天機莫露口」，不止這樣，這還是字謎，我們常常玩的！每兩句話，是一個字，你看！「六」字加上一再加十，是個「辛」字！「杏」字不露口字是木，木字上面一枝橫，是個「未」字……』

紫薇話沒說完，爾康一擊掌，說了下去：

『「壯」字掩掉一半，就是去掉士，加上大字加一點，是個「狀」字，「完」字去掉帽子，是個「元」字！』

『對了，這幾句話，是四個字「辛未狀元」！』

『辛未狀元？』爾康納悶：『這又是什麼意思？難道謎語裡還有啞謎嗎？說不通呀！辛未狀元？』

『簫劍是個非常聰明的人，這個謎底應該還是一個謎，我猜不透，他一定暗示了什麼。他沒有把去向告訴我們，卻大費工夫的留信留詩，給小燕子的信，是告訴她最終的目標，給我們的……』她低聲問：『會不會是告訴我們他目前的去向？他不敢告訴小燕子和永琪，特別告訴我們，讓我們心裡有數，以備不時之需！』

『就是這樣！』爾康點頭：『他佈了很多步棋，如果我們看不懂，這只是一首告別詩，我們看懂了，或者可以在急難時，幫助他！』

『這附近有沒有什麼地名，裡面嵌著「狀元」或者「辛未」這些字？』

爾康深思，突然眼睛一亮。

『我明白了！辛未狀元，我要去查一查這個狀元的名字！』想了想，再算了算：『如果我記得不錯，那年的狀元好像是杜承恩！』

20

簫劍和晴兒，草草的休息了一下，不敢久留，又繼續趕路。

馬蹄飛踹，狂奔天涯，他們不斷的策馬疾馳。馬兒越過荒野，越過草原、越過小溪，越過無數的小村莊……晴兒靠在簫劍懷裡，神態越來越疲憊。

『累了嗎？要不要下馬休息？』簫劍問。

『不累不累，我們一路都在休息，還是趕路比較好！』晴兒急忙說。

『我們再趕三十里路，就可以到一個地方，名叫「承恩寺」，承恩寺是個小鎮，並不是一座廟。到了那兒，我們就可以找一家客棧，吃點熱湯熱菜，好好的休息一下。』簫劍說著，想著他給爾康的詩，不知道爾康瞭解了沒有？

晴兒點頭，一陣風來，她就咳嗽起來。

『妳的咳嗽一直沒好，我不能帶著妳這樣沒日沒夜的跑！妳受不了！』

『我沒事，別管我，我很好……爲了我，已經耽誤好多時間，我覺得我們都沒有跑多遠。』

兩人說著，馬兒跑進了一座樹林。簫劍四面一看，樹林非常幽靜，地上綠草如茵，是個休憩的好地方。就在一棵樹下，勒住了馬。他翻身下馬，再抱下晴兒，覺得晴兒的手冰冰冷。心裡掠過一陣心痛和著急，自己浪跡天涯已久，風吹日晒，都是常事。晴兒一向嬌生慣養，再折騰下去，非生病不可。

『這個樹林很好，可以避風。妳在這兒等一等，那邊有一條小溪，我去提一點水，再去找些乾樹枝，起一個火，燒點熱湯給妳喝。從這兒到承恩寺，一路都是荒涼的山路，起碼還要走兩個時辰，也需要吃點東西！補充體力！我馬上就來！』

簫劍從馬背上的行囊中，取出水壺，就飛奔到溪邊去提水。晴兒趕緊把行囊中的毯子拿出來，鋪在地上，再把鍋子準備好，以便煮湯。

簫劍沒想到小溪那麼遠，奔著奔著，有些不放心，突然收住腳步，側耳傾聽。只聽到一陣馬蹄聲傳來，他不禁神色大變。

晴兒正忙著佈置休息的環境，忽然，身邊的馬兒一聲長嘶。她一驚抬頭，只見幾個武士，不知從何處飛竄而出。其中一個武功高強，快如電，疾如風，飛快的撲了過來。她還沒有看清是什麼人，已經被一把抓住，她狂喊了一聲『簫劍』，就覺得自己騰空而起，那個武士把她扛在肩上，撒腿就跑。晴兒拚命掙扎，狂叫：

『簫劍……簫劍……』

簫劍聽到喊聲，手裡的水壺落地，他飛身而起，三下兩下，竄進了樹林，縱身一躍，落在那個武士面前，大喝：

『放下！你敢碰晴兒，我要你的命！』

『簫大俠！看劍！』

忽然有人一劍刺向簫劍，他急忙應戰，抬頭一看，四面八方都是武士，對他圍攻而來。他只得和那群武士大打起來。一面打，一面心急如焚的對晴兒看過去，只見那個武士扛著晴兒，頭也不回，奔出了樹林。他又驚又悔，怎麼會這麼糊塗，讓晴兒一個人落單？他不敢戀戰，劍和簫齊出，左右開弓，連踢帶踹，銳不可當。一陣乒乒乓乓，打得武士們節節後退。

簫劍抓住空隙，一飛身就上了樹梢。從樹梢上看過去，晴兒在那個武士的肩上拚死掙扎，手舞足蹈，慘烈的喊著：

『簫劍……簫劍……趕快來救我啊……』她搥著武士：『放開我！求求你……』

簫劍從樹梢一躍，落在馬背上，一拉馬韁，馬兒狂奔。轉眼間奔出樹林，追上了那個武士。他就從馬背上飛身撲向武士，像隻大老鷹一般。那個武士聽到耳邊風聲，已然看到眼前人影，大驚失色之下，把晴兒往地上拋去。

簫劍生怕晴兒有閃失，顧不得武士，就飛竄過去接晴兒。這一接，還接了一個正著，晴兒倒在他懷裡。嚇得臉色蒼白，眼中淚痕閃閃，一瞬也不瞬的看著他。

簫劍一翻身，跳起身子，把晴兒緊緊擁住。抬頭一看，已經被四面八方的武士團團圍住。在這些武士的身後，還有一隊馬隊，層層包圍。杭州的李大人，就騎在一匹馬背上，對簫劍喊話：

『簫大俠！咱們不要動武了，您武功再好，也鬥不過這麼多人！還是投降，跟我們回去見皇上吧！』

簫劍擁著晴兒，看看情勢，知道插翅難飛。就仰首大笑起來：

『哈哈！我們兩個，居然勞動這麼多高手，也算三生有幸了！好吧！看樣子，我們是走不掉了！』笑容一收，疾言厲色的瞪著李大人：『但是，晴格格好歹是個格格，誰要是再碰她一根寒毛，我就告訴皇上，你們對格格無禮！到時候，你們全部的腦袋都不夠砍！』

眾武士面面相覷，確實有所顧忌。

簫劍看看晴兒，問：

『妳怎樣？能走嗎？』就擁著晴兒，走向那匹馬。

眾武士亦步亦趨，全部跟著二人移動。

簫劍對武士們說：

『反正我逃不掉了，我跟你們回去見皇上！我帶晴格格騎馬，你們護送就好！』

簫劍說著，把晴兒送上馬背，在晴兒耳邊飛快的說：

『妳抱緊馬脖子，快跑！我馬上追來！』

簫劍說完，猛然一拍馬屁股。晴兒大驚，趕緊抱住馬脖子。馬兒像箭一般直射而去。簫劍就一陣旋風般掃向眾武士，給馬兒開路，武士們急忙應戰，各種武器全部出手，圍攻簫劍，果然給簫劍殺出一條血路，馬兒就衝出重圍，奔向大路。

『快去追馬！』李大人急呼。

一隊馬隊，就追著晴兒而去。

簫劍身陷重圍，打得天翻地覆，日月無光。心裡記掛晴兒，越打越急，不住回頭察看。這樣一分心，難免疏忽，何況寡不敵眾。忽然間，就有一劍劃過他的左手臂，當下衣袖破裂，鮮血四濺。李大人急喊：

『不要傷他性命！』

簫劍打得眼睛都紅了，大叫：

『傷我性命，也沒那麼容易！』

眾武士纏住簫劍，打得密不透風，簫劍無法突圍，衣袖早已被鮮血染紅。一聲馬嘶，簫劍一回頭，發現晴兒的馬，已經被騎馬的武士們帶回來了。

晴兒看到簫劍在浴血苦戰，肝膽俱裂，激動的大喊：

『簫劍！我們認輸吧！皇上不會要我們的命，不要打了！』

晴兒說著，從馬背上滾落於地，哭著向簫劍爬來。簫劍邊打邊喊：

『不要過來！當心刀劍……』

『可是，你受傷了，你在流血呀……』

簫劍奮力苦戰，著急的嚷著：

『晴兒！退後……不要過來……』

武士們不敢傷兩人性命，不住縮小範圍，簫劍一面打，鮮血一面飛濺，越打越吃力。就在這狼狽的時刻，忽然前面煙塵滾滾，有一匹黑色快馬，疾奔而來。馬上，爾康的聲音傳來：

『李大人！皇上有旨……皇上有旨……』

李大人一驚，放眼看去，爾康騎在馬背上，手裡高舉著乾隆的金牌令箭趕到。

『李大人手下留情！皇阿瑪金牌令箭到！』爾康喊著。

李大人趕緊示意大家不要再打，武士們全部放下兵器，停上打鬥，驚看爾康。

爾康勒住馬，高舉金牌。氣勢凜然的說：

『皇阿瑪有令，見到金牌令箭，就如見到皇上！』

李大人眼看金牌在前，一跪落地。

所有的武士，武器乒乒乓乓掉落地，全部跪下。

晴兒愕然的坐在地上，驚看著。簫劍握住受傷的手臂，也驚看著。

爾康下馬，手裡仍然高舉著金牌令箭。走向李大人：

『李大人！皇阿瑪有令，讓簫大俠和晴格格自由離開！追捕行動停止！』

『額駙！這是眞的嗎？』李大人狐疑不止。

爾康眉頭一皺，語氣鏗然，擲地有聲：

『我敢拿皇上的金牌令箭開玩笑嗎？我也只有一顆腦袋！如果李大人不信，儘管捉拿簫劍和晴格格吧！』指著眾武士：『誰敢違抗聖旨，你們一個個都是死罪！難道這金牌是假的嗎？你們看看清楚！』

李大人見爾康如此義正詞嚴，嚇得惶恐不已。趕緊答道：

『卑職不敢！卑職遵旨！』

爾康這才看簫劍，兩人目光一接。

『簫劍！皇阿瑪說，晴兒交給你了！從此，天涯海角隨你去！』爾康拍了拍騎來的那匹快馬：『這匹馬，腳程很快，你和晴兒騎去吧！』再一抱拳：『咱們後會有期！』

簫劍有些猶豫，看著爾康。

『爾康……你……』

爾康大聲一吼：

『還不快去！什麼時候變得這麼婆婆媽媽？你給小燕子的留言，大家都看了！小燕子要我帶話給你，會聽你的話，「大事小事，理該退讓絕不出頭」！你沒有什麼可牽掛的了，快走吧！』

簫劍不再猶豫，就奔去扶起晴兒。晴兒驚魂未定，惶恐的注視著爾康：

『爾康……如果你會爲我們……』

爾康怒聲打斷：

『你們還不走？難道也要抗旨嗎？快走！』

簫劍抱著晴兒，兩人飛身上馬。簫劍大喊著：

『爾康！後……會……有……期！』

簫劍一拉馬韁，馬兒昂首長嘶，撒開四蹄，帶著兩人飛馳而去了。

爾康昂然的站著，目送他們的身影，越奔越小，越奔越小，越奔越小……終於消失在路的盡頭，他的唇邊，不禁浮起了微笑。晴兒，當初辜負美人心，今天，還你一份俠士情！他回身，躍上簫劍那匹馬，他該回去，面對乾隆了！

馬不停蹄的，爾康跟著李大人，趕回了杭州。

沒有片刻的耽擱，爾康立刻到了乾隆的龍船上，向乾隆請罪。太后帶著知畫，匆匆趕到，要瞭解晴兒的去向。

李大人吶吶的說了經過，呈上那面金牌。乾隆聽完經過，真是怒不可遏。把金牌令箭摔在桌上，盯著站在身前的爾康，咬牙切齒的嚷：

『你居然用朕的金牌令箭，放走了簫劍和晴兒？爾康！你好大的膽子！難道你忘了，你是朕的駙馬，是朕的御前侍衛，你統領著整個御林軍！你簡直是叛變，是謀逆！朕可以把你立地斬首！』

爾康垂手而立，一副待罪的樣子：

『皇阿瑪請息怒……』

乾隆厲聲打斷：

『不要叫朕「皇阿瑪」！朕沒有像你們這樣膽大包天的小輩！假傳聖旨，放掉人犯……』他越說越氣，盯著爾康，不可思議的問：『爾康，你怎麼可能做這種事？朕白白栽培你，重用你，你讓朕太失望了！』

『皇阿瑪，兒臣知道錯了，特地回來領罪。』爾康慚愧卻誠懇的說：『簫劍和晴兒，沒有犯罪，沒有殺人放火，沒有幹下任何滔天大罪，他們只是兩情相悅，忍不住「情奔天涯」而已。「相愛」不是罪過，為了「相愛」，變成「欽犯」，兒臣實在不忍……』

乾隆還沒說話，太后已經忍無可忍的插口：

『皇帝！這件事絕對不能不了了之！什麼「情奔天涯」？宮裡自從來了兩位民間格格，這個也「情奔」，那個也「情奔」，好像「情奔」是一種美德！含香的事，還在眼前，如果皇帝再放縱他們，只怕整個皇宮裡的女子，會全部效法，跑得一個也不剩！』

乾隆聽到含香兩字，餘痛未消，果然怒上加怒，指著爾康大吼：

『這一次，朕再也不會放過你，再也不會原諒你！朕要重重的辦你……』

就在這時，得到消息的永琪、小燕子、和紫薇，氣急敗壞的衝上船來。侍衛急忙大聲通報：

『五阿哥到！還珠格格到！紫薇格格到！』

侍衛還沒喊完，三人已經飛也似的來到乾隆面前。小燕子手裡，居然高舉著另外一面金牌令箭，嘴裡急喊著：

『皇阿瑪！我有金牌令箭……不管你要對爾康做什麼，我用金牌令箭幫他免罪！請皇阿瑪手下留情……』

乾隆看到小燕子的金牌也出現了，真是氣得一佛出世，二佛升天。

『好哇！又一面金牌！你們真會利用朕的金牌！你們以為有了這兩塊金牌，你們就可以騎到朕的頭頂上去了嗎？氣死朕了！你們把朕當初給金牌的好意全部辜負了！』他對小燕子一伸手：『把金牌還來！』

小燕子一退，大聲的、著急的、振振有詞的說：

『皇阿瑪當初說過，金牌的力量最大，見到金牌就是見到皇阿瑪，有「免死」的特權！我現在不要「免死」，只要爲爾康「免罪」，已經是打折在用了……』

『妳給朕閉口！』乾隆大喊：『還打折呢？朕要打死妳！』乾隆一面喊，一面上前，一把就搶下了小燕子的金牌。

紫薇急忙上前，滿眼含淚，在乾隆腳下跪倒。哀聲的說：

『皇阿瑪！請高抬貴手，原諒爾康吧！我不敢再爲爾康辯解什麼，我知道現在說什麼都沒用。但是，如果爾康定罪，我和小燕子，五阿哥都會痛不欲生。皇阿瑪當初親自到南陽，接我們幾個回家，給了我們「金牌令箭」，就是知道我們是一群「性情中人」，難免會做「性情中事」，這些事，又往往會給我們招來殺身之禍，這才用金牌令箭來安我們的心，赦免我們未來可能會犯的錯！我們感動得痛哭流涕，才跟著皇阿瑪回家。此時此刻，金牌充分發揮了它應有的效果，做了一件「性情中事」，爲什麼皇阿瑪不赦免我們，不原諒我們呢？』

紫薇神態哀戚誠懇，說得合情合理，乾隆竟被堵得無話可說。

太后一急，挺身而出。

『皇帝！你不要再被他們幾個耍得團團轉了！這事，實在太離譜了！就算皇帝不追究，我也要追究，簫劍拐跑的，是晴兒呀！我身邊的晴兒呀！』

乾隆就一拍桌子，大吼：

『來人呀！把福爾康押下去，先在杭州大牢裡關起來！』

侍衛一擁而入：

『喳！奴才遵旨！』

永琪急忙一攔：

『慢著！』拉著小燕子，雙雙跪倒在乾隆面前，急促而感性的說：『皇阿瑪！兩面金牌，還換不回爾康的罪嗎？紫薇已經說了，如果爾康定罪，我們幾個會痛不欲生的！在「痛不欲生」的情況下，說不定再犯下更大的錯！請皇阿瑪不要讓舊事重演，逼得我們走投無路！當初集體大逃亡，皇阿瑪忘了嗎？』

『永琪！』乾隆痛心的喊：『朕一直覺得，你在這幾年裡，大大進步了，成熟了，懂事了！你的心思，早就該從兒女私情上，轉到國家大事上！誰知，你還是這樣迷糊！「集體大逃亡」！哼！自從朕把你們從南陽帶回來，你們非但不知感恩，反而處處要脅朕……』

乾隆話沒說完，小燕子見怎樣說都不行，一急，老毛病就犯了，衝口而出：

『我知道了！皇阿瑪都是為了夏姑娘，皇阿瑪失去了夏姑娘，就無法接受晴兒和我哥的「情奔」，自己得不到的，也不許別人得到……』

小燕子犯了乾隆的大忌，此時，千不該萬不該，就是不該提到夏盈盈。果然，這一下，乾隆暴跳如雷。大吼：

『李大人，孟大人！』

『臣在！』兩個大臣趕緊躬身回答，嚇得臉色發青。

『立刻把福爾康帶去關起來！要加派人手，嚴防越獄！等到朕回宮的時候，再押解回京問罪！』

『喳！臣遵旨！來人呀！把人犯抓起來！』

幾個武功高手入內，就去抓爾康。小燕子伸手摸腰間的鞭子，喊：

『爾康！快跑……』

永琪一把扣住小燕子，不許她動彈。沉痛的說：

『小燕子！皇阿瑪在這兒，老佛爺在這兒，皇阿瑪說得對，我們應該成熟了，懂事了！妳不許動手！跪好！給皇阿瑪磕頭，是我們錯，請求皇阿瑪原諒吧！』

紫薇一急，就膝行到乾隆面前，抱住了乾隆的腿，痛哭起來：

『皇阿瑪……不要關爾康……皇阿瑪……您是我的爹呀！爾康是我的兒子的爹呀……這樣的家庭相殘，一定要發生嗎？皇阿瑪……』

紫薇一哭，小燕子也跟著放聲痛哭了，邊哭邊說：

『皇阿瑪，您好狠心……』

『皇阿瑪！』永琪哀懇接口：『晴兒跟著簫劍，以後會過著幸福的日子，爲什麼我們不能祝福他們，卻要因爲他們的「幸福」，製造我們的「不幸」呢？』

大家哭的哭，求的求，武士抓著爾康的肩，暫時不動，看著乾隆。

爾康見乾隆臉色鐵青，不爲所動。喟然長嘆，身子一挺說：

『紫薇，小燕子，五阿哥！你們不要爲我求情了，我放走了簫劍和晴兒，我來坐牢服刑！日子長得很，我總有出獄的一天！紫薇，妳要爲東兒珍重！』

爾康這樣一說，紫薇更是痛哭不已。

小燕子邊哭邊嚷：

『皇阿瑪言而無信！給了金牌又收回，我們就是有了金牌撐腰，才會這樣做！結果反而被這個金牌陷害了……一國之君可以這樣嗎？』

乾隆一聽，還是他的金牌『陷害』了他們！更怒，揮手大喊：

『帶下去！帶下去！朕一個字都不要聽！』

幾個武士，就拉著爾康下船去。紫薇忍不住站起身，跟著追出去。小燕子跳起身，也追出去。於是，永琪也跟著追出去了。轉眼間，船艙裡跑得一個也不剩。

乾隆被鬧得筋疲力盡，心灰意冷的往椅子裡一倒，蕭索的說：

『一趟南巡，弄成這樣……朕一點心情都沒有了！咱們打道回宮吧！』

太后和知畫站在那兒，太后滿臉的惱怒和沮喪，知畫滿臉的震動和愕然。

乾隆的南巡，就這樣結束了。第二天一早，大隊人馬，浩浩蕩蕩的動身回北京。照樣的旗幟飛揚，照樣的馬蹄雜沓，照樣的儀隊、衛隊、官兵簇擁著馬車，照樣的百姓夾道歡呼……只是，皇家的每一個人，情緒都和來時不一樣了。

車隊中，有一輛刺目的囚車，是個結實的木柵籠子。

爾康脖子上戴著大大的木枷，雙手用鐵鍊和木枷鎖在一起，雙腳的腳踝上，綁著粗粗的鐵鍊，沒戴帽子，身穿囚衣，形容憔悴的坐在籠子裡，被馬拉著向前走。囚車後面，紫薇和小燕子都荊釵布裙，跟著囚車跑。永琪滿臉沉重，也不騎馬，跟在小燕子身邊一起走。衛隊馬隊嚴密的走在後面，於是，這輛囚車，形成另一種風景。

百姓們擁擠在路邊，歡呼聲中，也議論紛紛。指著囚車，討論著這個『駙馬欽犯』。乾隆和令妃坐在一車，令妃不安的從後面的車窗看出去，看到囚車的情形，再回頭不安的看看乾隆。說：

『皇上，你把爾康放了吧！您想，紫薇那麼柔弱，這樣一路跑到北京，她會送命的！還有五阿哥和小燕子，也陪著跑，您忍心嗎？讓老百姓看著，也很奇怪呀！無論如何，五阿哥是皇子啊！』

『不要理他們！』乾隆餘怒未消：『他們就看準朕不忍心，才會這麼囂張！現在，又故意追著囚車跑，明明擺著就是要讓朕難堪，朕不會再上當了！不管他們是苦肉計也好，是眞情流露也好，朕不聞不問！』

『這天氣，一會兒冷，一會兒熱，幾個孩子，弄病了怎麼辦？』

『妳不要幫他們說情了！朕就當他們不存在！』

乾隆說著，就若無其事的對外面揮手。百姓們歡聲雷動：

『皇上萬歲！萬歲萬歲萬萬歲！』

太后帶著知畫，幾個宮女和嬤嬤坐在另外一輛馬車裡。知畫看著車外，被夾道歡呼的人群震動著。

『老佛爺！』她興奮的說：『這杭州的百姓，對皇上眞是一片忠誠，送了幾條街了，讓人好感動！』

太后看著知畫，想著晴兒，心裡是充滿落寞和悽涼的：

『妳還沒看到咱們出發的時候，離開北京，那些老百姓才多呢！一直送到城外三十里……』說著說著，傷心起來：『這是怎麼一回事呢？來的時候，有皇后、晴兒、容嬤嬤……車子裡坐滿了人，一路唱著歌，熱熱鬧鬧！回去的時候，居然這麼冷清清的！人，也越來越少了！』

知畫凝視太后，就倒了一杯熱茶，拿到太后面前去。

『知畫明白，老佛爺又想晴格格了！我比不上晴格格，沒她那麼貼心，但是，老佛爺……我會盡心盡力的侍候您，您不要傷心了！我娘說的，傷心會讓人變老喲，還會長出皺紋喲，老佛爺看來才四十出頭，比皇上都年輕呢！千萬不要讓傷心，把自己變老了！』

太后握著茶杯，喝了一口茶，窩心的看知畫。

『知畫啊！妳這張小嘴可眞甜！讓人不喜歡都難呢！』

知畫一笑，看著車窗外，擔心起來。

『老佛爺，五阿哥一直跟著囚車跑，不要緊嗎？一天幾十里，腳底都會起泡了！』

太后深深看知畫一眼：

『唔，沒關係！他要表現「有福同享，有難同當」的義氣，就讓他去表現！等到表現不動了，他自然會上車的！』

知畫點點頭，仍然情不自禁的看車窗後面。

爾康狼狽的坐在囚車內，看著緊跟在後面的紫薇、小燕子、和永琪。因爲囚車是馬拉的，馬走得比較快，三人必須追上馬兒的速度。永琪是男人還好，小燕子練過武，還是走得很吃力。至於紫薇，根本就是在小燕子的扶持下，跌跌衝衝的跑著。

爾康心痛的對紫薇揮手：

『不要跟著囚車了，妳趕快回到車上去，一個人受罪就夠了，爲什麼要好幾個人跟著受罪呢？』他抬眼看著永琪喊：『五阿哥！你把小燕子和紫薇帶去坐車吧，你們這樣子，我更加難過呀！』

『爾康，你用腳趾頭想也該想明白，你戴著枷鎖坐在囚車裡，我們怎麼可能去乘那個豪華的馬車呢？你省點力氣，別喊了！』永琪說。

紫薇跑得氣喘吁吁。爾康哀聲說：

『紫薇，我求求妳了！妳不要追囚車，妳回到車上去，算妳好心，那樣才是心疼我呀！』

『我不要！我要陪著你！我追得上，你不要擔心我……』紫薇話沒說完，腳下一絆，就重重的摔了下去。『哎喲……哎喲……』抬頭一看，後面的馬兒不料前面有人跌倒，大步而來，馬蹄眼見就要踩到她的面門，不禁失聲大叫：『哇……救命……』

侍衛急忙勒馬，馬兒的前蹄人立而起。距離紫薇的臉孔只有幾寸。

爾康嚇得魂飛魄散，狂叫：

『紫薇！紫……薇！紫薇……』

小燕子飛身撲了過來，抱著紫薇就地一滾，滾出了馬蹄之外。

馬隊倉卒停上，整個大隊也停了。

老百姓驚呼不斷。更是議論紛紛：

『哎呀！好險呀！那是誰？格格……什麼格格……為什麼追囚車呢……原來囚車裡就是額駙呀……』

小燕子和紫薇，在地上驚惶互視，爾康肝膽俱裂，鐵鍊叮叮噹噹響，情急的仆在欄杆旁，用木枷撞著木柵，痛喊：

『紫薇！紫薇……妳怎樣？紫薇！』

永琪早已撲上前去，攙起小燕子，再攙起紫薇。也嚇傻了：

『紫薇，小燕子……妳們兩個怎樣？趕快動動手腳，看看傷了那兒？』

小燕子驚魂未定，摸摸手腳，情況還好。紫薇面無人色，摸著膝蓋，褲管透著血跡。顯然摔得很重。小燕子驚呼：

『妳出血了……』

『噓！』紫薇急忙阻止：『別給爾康知道……我沒事！』

『我扶著妳走！我攙著妳走！』小燕子把紫薇的胳臂繞在自己脖子上，紫薇就一跛一跛的走向囚車。

爾康急得快死掉了：

『紫薇，妳怎樣？小燕子！請妳幫幫忙，趕快帶紫薇上車去！她一定摔傷了，妳帶她去檢查一下，趕快給她上藥，我謝謝妳！』

小燕子一腔義憤，對爾康喊：

『爾康！你別謝我了，你是天下最好的人，為了我哥哥，你才會坐上囚車，我代我哥哥嫂嫂謝你！今生今世，我做你和紫薇的丫頭！』

『好！是我丫頭就聽我的話，趕快把紫薇帶回馬車上去！我求求妳！』

『我不要！』紫薇堅定的說：『你坐囚車，我絕不坐馬車！』

這時，孟大人騎馬奔來：

『皇上有令，要五阿哥、還珠格格、紫薇格格上馬車，不要耽誤大隊人馬的進度！』

永琪有氣的一抬頭：

『你去稟告皇阿瑪！讓額駙跟我們一起乘馬車，不然，我們大家跟定了囚車走！如果進度跟不上，大可把我們扔在路上！』

『五阿哥！皇阿瑪有令，你們就聽命吧！』爾康急喊。

『不聽不聽！了不起大家一起乘囚車！』小燕子更是義氣。

『五阿哥！』孟大人不忍的，低聲說：『皇上是好意，你們就不要堅持了！』

永琪想了想，看了看囚車。拉住紫薇：

『囚車外面還有很多位置，我們通通上車去！欄杆裡，是爾康，欄杆外，是我們！等於大家一起坐囚車，這樣總行了吧！』

永琪說著，就拉著紫薇飛身上了囚車。小燕子一飛身，也上了車。於是，籠子外，紫薇、小燕子、永琪都扶著木柵。籠子內，爾康和三人面面相對。

『好了！前進吧！這樣，就不會趕不上進度了！』永琪大聲說。

孟大人搖搖頭，無奈的騎馬去稟告乾隆了。

大隊人馬繼續前進。囚車也繼續前進。

爾康隔著柵欄，看著紫薇，戴著鐵鍊的手，摸索著欄杆，紫薇就迫切的握住他的手指。兩人淚眼相看。

『妳是不是摔得很嚴重？有沒有帶藥膏在身上？摔傷了那裡？』爾康問。

『沒有沒有！只擦破了一點皮……』紫薇哀懇的說：『你別趕我去坐馬車，讓我這樣跟著你，看著你……我們隔得這麼近，就算吃苦受罪，也在一起！這樣，我心裡是踏實的！你別趕我走，好不好？』

爾康沒轍了，默然不語。

小燕子看看二人，看看情緒低落的永琪，什麼話都說不出來。

四人隔著囚籠，默默相對，好生悽慘。

車隊馬隊，就這樣蜿蜒的出城去。

同一時間，晴兒和簫劍，正在荒郊野外的小溪邊，生了一堆火，煮東西吃。爾康送來的馬背上，準備了各種乾糧，連換洗衣服和藥品，都應有盡有。正好簫劍受傷，藥品和布條都有用，晴兒忙忙碌碌，幫簫劍換藥裹傷。晴兒看到那傷口又深又長，就心痛起來，很細心的層層包紮妥當，把布條打結。

『怎樣？有沒有弄痛你？』

『這點小傷，根本沒有什麼，幾天就會好！』簫劍若無其事。

『不是小傷，傷口好深。我去拿紫金活血丹，趕快吃一粒！』

晴兒從背包裡拿出藥瓶，倒了水，給簫劍吃藥。簫劍吃了藥，注視她：

『妳呢？身上的傷怎樣？要不要讓我看一看？』

晴兒臉一紅，看一看？天哪！她飛快的搖頭。

『我身上沒有傷……』

『還說沒有傷？摔來摔去，還從馬背上滾下來，怎麼會沒有傷？』他凝視她：『晴兒，妳是我的人了，還怕我看嗎？』

晴兒低下頭去，羞澀不已，低低的說：

『還沒成親呢！』

『成親？』簫劍楞了楞，想到晴兒的出身，想到她的『冰清玉潔』，出神了：『是啊……我總不能讓妳這麼草率的跟了我，應該給妳一個像樣的婚禮……我們到桐廬去，那兒有我的朋友，我們在那兒成親，怎樣？』

晴兒注視著火苗，心事重重。半晌，才答非所問的說：

『不知道爾康怎樣了？不知道皇上會不會原諒他？』

簫劍臉色一暗，眼神也透著深深的隱憂。

『妳一直悶悶不樂……妳在擔心爾康！』

『不止爾康，我擔心他們每一個！紫薇、五阿哥、小燕子！』晴兒一嘆，抬眼深深看簫劍：『我們走了，他們四個肯定都受牽連……我們就這樣一走了之嗎？我們可以這樣……把自己的快樂，建築在別人的犧牲上嗎？我們不管到什麼地方去，他們四個，都是我們的牽掛！帶著這樣的牽掛，我們還能夠毫無顧忌的成親，享受生活嗎？』

簫劍迎視著晴兒的眼光，在那樣澄澈的注視下，不禁額汗涔涔了。

乾隆的車隊馬隊儀隊衛隊和囚車迤邐前進。到了郊外，只見一片綠野平疇，柳樹夾道搖曳。乾隆看著車窗外，西湖種種，已經被拋在身後。他心裡酸酸澀澀，說不出來是什麼感覺。正在此時，忽然聽到一陣美妙的琴聲響起。那麼熟悉的琴聲！乾隆大震，伸頭向車窗外看去，一眼看到，盈盈穿著一身艷紅色的衣服，坐在一棵大柳樹下，正在彈琴，身後，幾個美妙的女子，在為她奏樂。春風吹起了她的紅裳，衣袂飄飄，柳枝掩映在她的身後，綠影婆娑。人如畫，景如畫，乾隆呆住了！一伸手，整個隊伍都停了下來。盈盈抬頭，看著車窗裡的乾隆，開始扣弦而歌：

『山一程，水一程，
柳外樓高空斷魂！
馬蕭蕭，車轔轔，
落花和泥輾作塵！
風輕輕，水盈盈，
人生聚散如浮萍！
夢難尋，夢難平，
但見長亭連短亭！

山無憑，水無憑，
萋萋芳草別王孫！
雲淡淡，柳青青，
杜鵑聲聲不忍聞！
歌聲在，酒杯傾，
往事悠悠笑語頻！
迎彩霞，送黃昏，
且記西湖月一輪！』

盈盈這一曲，唱得乾隆心碎，唱得太后驚心，唱得紫薇震撼，唱得爾康、永琪、小燕子等個個悽然，也唱得送行的杭州官員，人人動容了。

盈盈一曲既終，就站起身來，對著車窗裡的乾隆深深一福。

『盈盈知道皇上今天起程，特別前來送行！皇上，祝您一路平安！』

乾隆打開車門，對盈盈招手。她就走到車門前面來。

『孟大人有沒有安排妳的住家？翠雲閣的問題是不是都解決了？妳乾爹的病有沒有治？』

盈盈笑看乾隆：

『謝皇上！所有的事情都幫盈盈解決了。我已經離開了翠雲閣，也搬了家。皇上放心的去吧！從此，盈盈會懷著一顆感恩的心，過平淡而平凡的生活！我還是會放舟西湖，縱情高歌，爲皇上唱！希望風兒雲兒，會把我的歌聲帶給您！』

乾隆一瞬也不瞬的注視著她。想著她的歌詞；『一朝離別，叮嚀囑咐，香車繫在梨花樹！淚眼相看，馬蹄揚塵，轉眼人去花無主！』心裡就猛然湧上一陣愴惻的情緒，喃喃的說：

『風兒雲兒……只怕風無情，雲也無情！』他突然伸手，一把就把她拉進了車裡，命令的說：『妳上車！』

盈盈一聲驚呼，已經進了馬車。令妃大震，瞠目結舌的看著盈盈。然後，就匆匆跳下車去，拋下一句：

『我下車走走，去看看老佛爺！』

宮女嬤嬤，也趕快跟著跳下車。

馬車裡，剩下了乾隆和盈盈兩個人，乾隆把車門一關，深深看著她，說：

『既然家裡都安排好了，妳跟朕回宮吧！我們就這樣走，什麼事都別管了！』

盈盈也深深的看著乾隆。眼中的流波，是西湖的水，是西湖的月，是西湖的星辰，是西湖的雲，是西湖的醉，也是西湖的夢。

『有皇上這份知遇之恩，我已經滿足了！』她輕聲說，對乾隆搖搖頭：『上次，我們把該說的話都說了，今天，盈盈在這兒為皇上唱一曲，就和皇上告別了！如果有緣，或者還會相見，如果無緣再見，我也會時時刻刻，記著皇上！這一段相遇，會永遠活在我們的記憶裡，歷久彌新……我們保留這份美好的記憶吧！不要輕易的破壞它！「離別」唯一的好處，會讓記憶裡最美的時光，都變成「永恆」。原諒我的自私，我要這份永恆。讓我下車吧！』

乾隆握著她的手，不忍放手。她凝視著乾隆，慢慢的抽出手來。她走到車門前面，打開車門，臨行前，再回首：

『皇上珍重！盈盈告辭了！』

乾隆幾乎癱在那兒，只能目送她下車去。再目送她帶著女伴們，收拾樂器，翩然的隱沒在柳蔭深處。他知道，從此，這份『離別』，會像她說的一樣，變成他生命裡的『永恆』！

好半天，乾隆坐在那兒動也不動。半晌，令妃輕手輕腳上車來，一語不發的看著他。宮女嬷嬷跟上車，大家靜悄悄。

大臣來到車窗外，小心翼翼的問：

『皇上！要不要繼續趕路了？』

乾隆無力的揮了揮手。大臣這才喊出聲：

『出發！出……發！』

大隊人馬，繼續向前。

乾隆看著車窗外面，車行轆轆，柳樹柳枝，一縷縷的從車窗外掠過，飛快的被抛在後面了。別了，西湖的水，西湖的月，西湖的醉，西湖的夢……還有西湖的歌：『風輕輕，水盈盈，人生聚散如浮萍！夢難尋，夢難平，但見長亭連短亭！』

21

天氣忽然就熱了起來，烈日當空。

乾隆浩大的隊伍，繼續行行重行行。

囚車依舊醒目的跟隨著隊伍，囚車外，紫薇、小燕子、和永琪也依舊守著。紫薇經過風吹日晒，已經憔悴不堪。手裡捧著一碗水，想餵給爾康喝。爾康脖子上有枷，雙手有鍊條拴著，拚命伸頭，水碗隔著柵欄進不去，怎樣也喝不到水。

『過來一點，再過來一點，喝得到嗎？』紫薇著急的問。

爾康拚命搆杯子，就是喝不到。

『用水壺！我這兒有水壺！』小燕子說。

小燕子把水壺遞給爾康，爾康接過水壺，卻無法把水壺送到唇邊。鐵鍊欽鈴哐啷一陣響，木枷擋著，搆來搆去搆不著，手一滑，水壺落地，水全灑了。爾康又渴又急又沮喪：

『哎呀！算了算了，一天不喝水，也不會死！你們三個，趕快回到馬車上去吧！假若你們病了，誰來照顧我呢？這樣虐待自己，不是太不理智了嗎？』他看著紫薇，哀求的：『紫薇，聽話，好不好？我不能答應讓妳再陪我了，看到妳這樣，比我自己受苦還難過！』

紫薇拚命搖頭：

『我要想辦法讓你喝水……』

紫薇把水倒在手掌心，伸手進柵欄，爾康就著她的手，想喝水，無奈水已從指縫中流光了。紫薇縮回手，再倒了水，小小心心的送進去，爾康急急的一低頭，木枷碰到紫薇的手，手一偏，水又沒有了。紫薇急得快哭了。爾康急忙喊：

『我不渴！我不渴！不要再試了！』

永琪忍無可忍，激動的大喊：

『停車！停車！』他敲著前方的欄杆：『趕快停車！』

囚車停下，衛隊圍了過來，高手四佈，嚴陣以待。

『五阿哥有什麼吩咐？』侍衛恭敬的問。

『打開這個囚籠，額駙要喝水！』永琪命令的說，氣沖沖的瞪著侍衛，這些混帳東西，他們一個個還是爾康的手下，居然這樣待爾康，連一點通融都沒有！他生氣的嚷：『你們只是奉命押解額駙回北京，不是奉命刑求額駙，謀殺額駙吧？為什麼要腳鐐手銬，還不給喝水吃東西？太過分了！趕快把柵欄打開！』

侍衛們面面相覷。畢竟是五阿哥和額駙，他們也不敢怠慢，恭敬卻無奈的說：

『奴才奉皇上命令，除非五阿哥和兩位格格上馬車，不然，就不給額駙喝水！』

永琪一聽，實在按捺不住了，暴怒起來：

『我去問皇阿瑪！』

永琪飛身下車，急奔到乾隆的馬車前，大喊大叫：

『皇阿瑪！皇阿瑪！』

乾隆的馬車停下，整個隊伍也停了。乾隆從車窗裡看向永琪，問：

『你有什麼事？』

『皇阿瑪！』永琪大聲說：『您眞的要置爾康於死地嗎？那些該死的獄卒，整天沒有給他喝水吃東西！這是虐待！您明明知道，爾康罪不至死，卻讓他戴著腳鐐手銬和枷鎖，坐在囚籠裡，一路從杭州出城，等於遊街示眾！您這樣羞辱他，折磨他，是存心要讓我們痛苦，讓我們難堪嗎？』

『現在，你們知道什麼是羞辱，什麼是難堪了？』乾隆瞪大眼睛，也是氣沖沖的回答：『你們有沒有想過，用朕的金牌令箭去假傳聖旨，是給朕的羞辱和難堪？何況，朕已經命令你們幾個上馬車，你們不要！義氣既然比性命還重要，喝不喝水又有什麼關係！』

永琪重重的呼吸，不敢相信的看著乾隆。他再也無法控制自己，大聲說：

『皇阿瑪！你可以虐待我們，但是，你不能虐待自己！我不相信在大家的痛苦之中，皇阿瑪能夠得到絲毫的快樂！爲什麼您一定要做損人不利己的事呢？紫薇身子不好，您還給她吉祥制錢，希望她長命百歲！現在看她風吹日晒，跌跌撞撞追囚車，您於心何忍？我們大家有千錯萬錯，也應該回宮去算，讓爾康戴上木枷坐囚車，還不給水喝，是要逼我們幾個忍受「椎心之痛」！士可殺不可辱，你比殺了我們還殘忍！你怎麼做得出來？』

乾隆大怒，推開車門，跳下車子，揮手就給了永琪一耳光。

永琪臉上一陣灼熱，整個人都怔住了。從小到大，他是乾隆捧在手心裡的阿哥，何曾被乾隆打過耳光？何況在眾目睽睽下？他大受打擊，定定的看乾隆。

乾隆也定定的看著永琪。

小燕子、紫薇、爾康等人，看到永琪挨打，個個大震。令妃、太后、知畫等人，在馬車裡目睹這一幕，也個個大驚。

父子二人，就這樣在風中僵立了片刻，整個隊伍，鴉雀無聲。

半晌，永琪背脊一挺，喉嚨啞著，卻語氣鏗然的說：

『兒臣告退！從現在起，我們和爾康同生死，共患難！我們也不喝水，也不吃東西，大家絕食抗議！』

永琪說完，大步走回囚車。

乾隆楞了片刻才上車，令妃看著他，瞭解他心裡的痛，伸出手來，握住他的手。

『臣妾聽說，老牛和小牛一生氣就頭頂頭，老牛常常忘了自己有犄角，把小牛頂到受傷。』令妃溫柔的說。

乾隆覺得心中一抽，什麼叫『心痛』，這才深深體會了。

『小牛的犄角長出來以後，也會忘了自己有犄角，把老牛頂傷！』他暗啞的回答。

『皇上！』令妃哀求的看著他：『爲什麼要弄得這麼嚴重呢？失去他們，皇上也會心痛呀！放掉爾康吧！』

『不要再幫他們說話了！』乾隆沉痛的嚷：『他們在要脅朕！朕恨死了他們的要脅！那有這樣的兒女，利用朕的愛心，來和朕作對！他們要集體絕食，朕倒要看一看，他們能支持多久！』

『不要這樣，最起碼，趕快下令，給爾康喝水吃東西吧！你就算不在乎爾康，您也要在乎福倫呀！現在，福倫不在，爾康有個三長兩短，我們怎麼跟福倫交代？』

『爾康放走人犯，假傳聖旨，朕才要問，福倫怎麼向朕交代？』乾隆色厲內荏。

整個隊伍停止不前，永琪又在眾人的視線下，挨了乾隆一耳光，太后看得膽戰心驚，趕緊派遣桂嬤嬤前去探聽，到底是怎麼回事？桂嬤嬤帶回了永琪那番話。

『啊？五阿哥說，要一起絕食？』太后驚喊。

知畫聽了，整個人一震，睜大眼睛看著太后。急忙說：

『老佛爺，恐怕您要想想辦法！皇上只聽您的！這樣下去，會出人命！老佛爺高高興興出門來，不要弄得淒淒涼涼回家去！如果五阿哥、還珠格格他們，眞的出事，恐怕老佛爺也會很難過的！』

太后默然不語，心裡也在暗暗著急。知畫俯在她耳邊，說了幾句悄悄話。太后聽了，不禁點點頭。

知畫就拿了茶壺，宮女們趕快捧著茶杯，下車去。

知畫帶著宮女，捧著茶壺茶杯，一直走到囚車前面。笑嘻嘻的對侍衛說：

『老佛爺有令，要給額駙喝水！請打開柵門！』

侍衛楞在那兒。爾康、紫薇、小燕子、永琪都有些驚訝。

『如果你們不相信，儘管去請示老佛爺！老佛爺說，一家人總是一家人！』知畫盯著獄卒，口氣裡帶著威脅：『別忘了囚車裡，關的是額駙喲！』

侍衛早已心軟了，豈止額駙？爾康還是人人敬愛的御前侍衛呢！就大聲說：

『奴才謹遵老佛爺吩咐！』

侍衛拿出鑰匙，把鐵鎖打開，再打開囚籠。

紫薇趕緊倒了一杯茶，雙手捧著，送到爾康唇邊去。爾康早已渴得頭昏眼花，喉中像燒火一樣，看到這杯茶，就像看到生命之泉一樣，如獲甘霖，急迫的低頭，就著杯子，狼吞虎嚥的喝水。正喝著，乾隆的聲音驟然響起：

『不是要一起絕食嗎？原來「一口水」也能逼死英雄漢！』

眾人大驚抬頭，只見乾隆直挺挺的站在面前。

紫薇看到乾隆，生怕不給水喝，就雙膝一軟，對著乾隆跪下。哀聲的喊：

『皇阿瑪！請開恩……』

紫薇一跪之下，膝蓋碰到堅硬的地，傷口劇痛，『哎喲』一聲，就整個人摔倒下去，杯子也落地打碎了。爾康本能的要去扶，忘了自己腳鐐手銬還有木枷鐵鍊，撲到紫薇身邊，一陣『欽欽哐哐』，那厚重的木枷，把剛剛起身的紫薇，又撞下地。小燕子和永琪急得手忙腳亂，都撲過去扶，好不容易，四人才狼狽的起立，看著乾隆。個個經過風吹日晒，焦慮傷心，折騰得憔悴如死。永琪更是一股倔強受傷的樣子，眼裡閃著沉默的抗議。

乾隆瞪著如此狼狽的四個人，此時此刻，真是又愛又恨又憐又氣。尤其面對永琪，心裡更是難過。簡直不知道把他們四人如何處置才好。

正在這時，忽然看到隊伍後面，煙塵滾滾，馬蹄答答。眾人一驚，全部抬頭，只見一匹快馬，飛也似的疾奔而來。

簫劍的聲音，隨著快馬，一路傳來：

『皇上！簫劍和晴兒前來領罪……請釋放爾康……』

所有的人，全部陷進震驚裡。大家目瞪口呆的看著那匹馬。

轉眼間，馬兒已奔至眼前。簫劍扶著晴兒滾鞍下馬，簫劍對乾隆一抱拳：

『簫劍在此！要關要殺隨皇上，請放了爾康！』

晴兒滿臉風塵，對乾隆跪下，含淚說：

『皇上！晴兒回來了！千錯萬錯，都是晴兒的錯，我和簫劍，回來領罪！請皇上饒恕爾康他們！如果爾康爲了我們獲罪，我們也是生不如死！皇上要罰，就罰我們兩個吧！』

乾隆太震驚了，怔在那兒，一時之間，簡直弄不清楚狀況。而小燕子，卻已經爆發了。她看到簫劍，什麼形象都顧不得了，眼淚一掉，激動的衝向簫劍，舉起拳頭，就對他拳打腳踢，哭著喊：

『我恨死你，恨死你，恨死你，恨死你，恨死你……皇阿瑪已經答應指婚了，你還要逃跑，你是那根筋不對？害爾康變成這樣，害紫薇摔跤受傷，害永琪挨皇阿瑪的耳光，害我們快要死掉……我恨死你，恨死你……你算什麼哥哥？這樣對我們……』

小燕子一陣拳打腳踢，簫劍眼睛濕漉漉，伸手去抓住激動的小燕子。啞聲的說：

『對不起……我錯了……』忽然脫口喊出：『哎喲！』

原來，小燕子一踢，重重的踢在簫劍的傷口上，簫劍痛得彎下身子。

晴兒大驚，急喊：

『小燕子！他手臂上有傷啊……不要打，不要打……』

小燕子一呆，立刻停住，抓起簫劍的手看去，只見鮮血浸透衣袖。小燕子一急，把他的衣袖一捋，看到鮮血正在沿著手臂滴落。小燕子頓時淚如雨下，痛哭失聲：

『哇！哇哇……你怎麼傷成這樣？誰把你傷成這樣……』

乾隆到了這時，才驚醒過來，想也沒想，就著急的，直著喉嚨喊：

『太醫！太醫在那裡？趕快叫太醫過來！』

『喳！』侍衛們轟然答應。

紫薇、爾康、永琪、小燕子、晴兒、簫劍全部看向乾隆。在乾隆眼底，看到的只有心痛、著急和不忍，大家就全體崩潰了。爾康情緒激動的喊：

『皇阿瑪……』

紫薇立刻熱淚盈眶，跟著痛喊出聲：

『皇阿瑪……』

小燕子淚落如雨，也痛喊：

『皇阿瑪……』

只有永琪，僵硬的站著，一語不發。

乾隆看著眼前這一群小輩，眼眶一熱，眼裡全是淚水。激動的喊：

『把枷鎖拿掉！拿掉！鐵鍊也拿掉！』

『喳！』侍衛急忙七手八腳，爲爾康除去枷鎖鐵鍊。

太醫提著藥箱，急急奔來。乾隆急呼：

『趕快把他們幾個送進馬車，每個人都檢查一下，該怎麼治就怎麼治！快！再準備一些吃的喝的，給他們送過去！』

『喳！臣遵旨！』太醫大聲應著。

紫薇、爾康、永琪、小燕子、簫劍和晴兒看到乾隆這樣，知道乾隆的心，已經柔軟了，就個個眼中含淚。

乾隆伸手，拍在永琪的肩上。

『永琪，我們父子兩個，到路邊去走走！』

永琪一怔，就默默的跟著乾隆走去。爾康急忙給侍衛一個眼光，侍衛們就跟了過去，站在遠遠的地方，靜靜保護著。

父子二人，走到路邊的樹林裡，乾隆站定了，看著永琪。心裡湧塞著千言萬語，想對永琪說，卻不知從何說起。看到永琪那負傷的神情，那對酷似自己的眼眸，他終於長長一嘆，充滿感情的、坦率的、柔聲的說：

『令妃說，朕是老牛，你是小牛，大家都忘了頭上有犄角，使起性子來就頭撞頭……如果朕把你撞傷了，你也把朕給撞傷了！』

永琪震動著，聽到乾隆這番掏自肺腑的話，他頓時熱淚盈眶，啞聲的喊了一句：

『皇阿瑪！』

乾隆也含淚了，寵愛的看著他：

『俗語說「打人別打痛處，說人別說重處！」這次南巡，朕打了紫薇，又打了你，兒女挨打，其實最痛的都是父母！你知道嗎？你那句「椎心之痛」，讓朕也感到「椎心之痛」呀！』

永琪不由得誠摯的說：

『兒臣明白了！這次南巡，我們幾個做了許多「放肆」的事，讓皇阿瑪痛在心裡！皇阿瑪割捨了我們所無法割捨的，在您面前，我們真的沒有權利追求自己的感情，再大談我們所受的痛苦……不能「將心比心，將情比情」，皇阿瑪，兒臣知錯了！』

乾隆深深刻刻的看著永琪，他身邊有好多兒子，哪一個能像永琪這樣瞭解他呢？

『將心比心，將情比情，永琪，你話中有話，朕也明白了！』他再拍拍永琪的肩，忍不住，又長長一嘆：『我們父子，都試著去「將心比心，將情比情」吧！什麼話都別說了，朕不希望你心裡帶著怨恨，一路帶回北京……』

永琪的委屈受傷，都已煙消雲散，感動的看著乾隆：

『皇阿瑪，您過慮了！我不會！』

父子二人，又對視了片刻，從來沒有一個時候，兩人間交流了這麼深厚的心聲。半晌，乾隆才如釋重負的說：

『那麼，我們別讓大隊人馬等我們，回去吧！』

父子二人，就充滿感性的一笑，誤會冰釋，相偕走回馬隊去。

在爾康的馬車裡，幾個年輕人都聚在一起，太醫已經給大家診治過了。簫劍的手臂包紮了，整隻手用三角巾吊在脖子上。紫薇的膝蓋上，也纏著厚厚的布巾，一跛一跛的。爾康喝了好多水，洗了臉，總算有點『人樣』了。

永琪大步回來，上了車，眾人都看著他。小燕子急忙走到他身邊，關心的問：

『皇阿瑪是不是把你痛罵了一頓？教訓了你一頓？沒有再跟你動手吧？』說著，又傷心起來：『皇阿瑪變了，這個也打，那個也打！』

永琪抓住小燕子的手，一笑：

『沒有！皇阿瑪跟我講了一些心裡的話，我們父子，已經沒有任何芥蒂……』他抬頭看著大家，眞摯的說：『你們大家，也不要爲這個難過了！或者，經過了這次的事，我和皇阿瑪之間的瞭解，反而更深一層，我不在意了，你們也不要在意吧！最重要的，是爾康獲得釋放，大家都可安安心心的回北京了！』

大家聽到永琪這樣說，看到他的神色，都鬆了一口氣。爾康就一笑說：

『打是疼，罵是愛，我們這次，總算享受了普通兒女的生活了！』

『什麼「普通兒女的生活」？』小燕子嚷：『普通兒女，會動不動就拴上鐵鍊坐囚車嗎？不過，我也不恨皇阿瑪，看到他著急的喊太醫，我什麼氣都沒有了！』

紫薇端了一碗熱湯，一跛一跛的送到爾康面前。爾康急忙接過熱湯，哀求的說：

『紫薇，妳坐著不要動好不好？膝蓋上有傷，最不容易好，妳動來動去，它怎麼結疤呢？現在，我不在囚車上，妳不用照顧我了！』

『可是，你一天都沒吃東西了！你快吃呀！』紫薇心痛的說。

『好好好！我快吃，我馬上吃！』

紫薇這才坐下。爾康趕緊去吃，太燙，紫薇又湊過去吹，兩人目光一對，爾康情不自禁把碗一放，雙手握住紫薇的手。兩人就恍如隔世般，深深對視著。

小燕子雖然形容憔悴，這時，心情已經轉好，就笑著捧起那碗湯，嚷著：

『來來來！你們兩個就手握著手，眼睛對著眼睛，你看著我，我看著你，享受你們的「幸福」，誰都別動！湯湯水水，當然是丫頭服務！誰教我倒楣，有那樣的哥哥，害我好不容易當了格格，又降級成丫頭……喝呀……』

小燕子說著，就把湯碗湊到爾康唇邊去，爾康趕緊去接。

『不敢當不敢當！給我！』爾康放開紫薇，去拿小燕子手裡的碗。小燕子一奪手，固執的說：

『你就讓我侍候侍候唄！』

兩人這樣一搶，碗翻了，一碗熱湯，全倒翻在爾康身上。爾康燙得直跳起來，小燕子也燙了手，跳腳的跳腳，摔手的摔手。紫薇搖頭，簫劍瞪眼，永琪大嘆，趕緊過來拉住小燕子。說：

『我看，妳這個丫頭，就安安靜靜的坐在這兒，讓我們說說話！』他按住了好動的小燕子，這才掉頭看著簫劍和晴兒，滿臉困惑不解的問：『到底你和晴兒，是怎麼一回事？你想害死大家嗎？』

爾康也顧不得喝湯了，緊緊的盯著簫劍，遺憾得不得了，跟著說：

『你幹嘛回來呢？好不容易逃走了，就該什麼都拋下，走得乾乾淨淨！』

『對不起，』晴兒自責的說：『知道爾康被囚，押解回宮，我們就快馬加鞭趕回來，還是晚了一步，害你們大家受苦。』

『你們怎麼知道我被囚禁了？』爾康疑惑的問。

『老百姓的傳言快得很，額駙成了囚犯，比皇后送回去的新聞還大！』簫劍看看晴兒：『其實，我們已經快要到桐廬了，晴兒想來想去不對，生怕你們幾個受牽連，我們就決定折回杭州去探聽一下情勢，還沒到杭州，一路上就聽到老百姓議論紛紛，說皇上起程回宮，和爾康被囚禁的事！你們想，我們兩個還走得成嗎？』說著，就瀟灑的一笑：『算了，我們這幾個人，還是有福同享，有難同當吧！』

爾康看著兩人，惋惜不已：

『其實，皇阿瑪雖然把我關起來，是一時氣憤，頂多兩天三天，他就會不忍心的！你們只要堅持下去，一定會成功！』他瞪著簫劍：『功虧一簣！』

『別罵我了，易地而處，大概你們也會做同樣的事！』簫劍苦笑。

永琪很不放心的看著簫劍：

『那麼，你想通了嗎？不要過兩天，又想逃走，那才給我們找麻煩呢！如果決定跟大家一起回宮，就要下決心做宮裡的女婿，你到底想明白沒有？』

『是！我知道！』簫劍臉色一暗：『我保證，這種事情不再發生了！』

『簫劍……既然這樣決定，就要把「苦衷」徹底拋掉！』爾康語重心長。

說：

『是！』簫劍簡單的回答，聲音裡帶著痛楚。

晴兒不禁伸手，去握住簫劍沒受傷的手。兩人四目相對，眼中有千言萬語。半晌，晴兒吸了口氣

『我還要去老佛爺的車上，跟老佛爺認錯道歉。我先下車……』

簫劍一凜抬頭，『宮廷』的壓力，頓時又當頭罩下，問：

『這是不是表示，我們從此，又得過「可望而不可即」的生活？』

晴兒眼神愁苦，祈諒的看著簫劍。紫薇嘆了口氣，擔心的說：

『晴兒，老佛爺這一關，恐怕不好過！』

小燕子跳起身子，一拍胸口。

『我陪妳過去！』

永琪趕緊拉住小燕子：

『算了！妳成事不足，敗事有餘！妳千萬別去！』

不管太后那一關，好過不好過，不管和簫劍之間，是不是又要回到當初，晴兒是逃不掉面對太后的。

她上了太后的車，對太后屈了屈膝，慚愧的說：

『老佛爺，晴兒回來領罪了！』

太后用一種又氣又悲又怒的眼神，直視著她。冷冰冰的說：

『晴兒，我眞沒想到，咱們這次南巡，妳成了主要的角色，演出一齣又一齣的好戲！讓我看得眼花

撩亂，簡直應接不暇！』

晴兒一聽，就身不由己的跪下了。不敢看太后，低垂著雙眼說：

『晴兒錯了。辜負了老佛爺的教誨，也辜負了老佛爺的期望，讓您生氣，又讓您傷心，晴兒自知理虧，不敢辯解。只希望老佛爺不要爲了我，氣壞身子！對我種種不可思議的行爲，多多包容。』

太后瞪著晴兒，深深一嘆。還沒說話，旁邊的知畫就走了過來，挨著太后說：

『老佛爺別生氣了，剛剛太醫不是送了藥過來嗎？您瞧，晴格格臉色那麼蒼白，在外面一定吃了好多苦，上次著涼，還沒好呢！還是讓她先吃了藥休息吧！總之，老佛爺念著想著盼著，還是把晴格格給盼回來了，不是嗎？』

知畫這樣一說，太后情不自禁，又嘆了一口氣。晴兒更加慚愧了：

『謝謝知畫幫我求情，我知道，我犯的錯，不是任何人求情可以了事的……老佛爺，您要怎樣懲罰，晴兒甘心受罰。』

太后伸手把晴兒一拉，拉了起來，仔細看她：

『就這麼兩天，怎麼瘦了一大圈？』

太后這樣一句關心的話，晴兒頓時，滿眼充淚。低喊著：

『老佛爺，晴兒不值得您心疼，都是我自找的！』

『唉！』太后又嘆氣了：『晴兒……我想，我永遠無法瞭解妳那個簫劍，也無法瞭解你們爲什麼要逃走？但是，我也不想追究了。妳好歹是我身邊的格格，要成親，也該從宮裡嫁出去！這些年來，我也幫妳準備了一些嫁妝，總想給妳一個風風光光的婚禮。現在，我對妳唯一的要求，就是別再出問題，讓我們平平安安的回宮去，我會在最快的時間內，讓你們兩個成親！我不敢……再留妳了！』

晴兒滿臉通紅，低低的應著：

『是！晴兒知道了！』

太后凝視她，除了嘆氣，只能嘆氣。晴兒低著頭，除了慚愧，還是慚愧。

這樣一鬧，就鬧到黃昏了。當車隊馬隊繼續前進的時候，天空正掛著一輪又圓又大的落日。滿天的彩霞，把整個隊伍都染紅了。

車車馬馬就在滿天的彩霞下，迤邐向前行去。

22

乾隆三十年四月十九日，乾隆結束了他的第四次南巡，帶著浩浩蕩蕩的隊伍，回到了北京。對小燕子來說，這趟南巡，發生了很多驚心動魄的事，除了皇后被打入冷宮這一件以外，總算其他的事，都有驚無險的度過了。尤其簫劍和晴兒這一段，能夠『化暗為明』，還得到乾隆和太后的許婚，小燕子眞是『快樂得像老鼠』。離開了三個多月，又回到了景陽宮。再見到小鄧子小卓子明月彩霞，小燕子手舞足蹈，恨不得擁抱他們每一個。明月、彩霞帶著許多宮女，小鄧子、小卓子帶著許多太監，請安的請安，磕頭的磕頭，激動的喊著：

『歡迎五阿哥和格格回家！五阿哥吉祥！還珠格格吉祥！』

小燕子笑著，嚷著：

『打打打！又磕頭了！一人五十大板！』

『都起來吧！』永琪高興的笑著。

太監和宮女們起身，大家忙忙碌碌，接行李，拿箱子，送進房裡去。

永琪忍不住問：

『你們知不知道皇后娘娘的消息？她是不是平安回宮了？現在住在那兒？還在坤寧宮嗎？』

『娘娘早就回來了，沒住在坤寧宮！』小鄧子說。

『一回來，就搬到後面那個「冷宮」裡去了！』小卓子低聲回答。

『什麼「冷宮」？哪個「冷宮」？』小燕子急急的問。

『別提了，好可憐呀！就是「靜心苑」。那兒以前專門關一些犯罪的娘娘，聽說先皇帝有個娘娘在那兒上吊死了，從此就關閉了！不知怎的，現在居然給皇后娘娘住了！那兒好冷清，除了老鼠，一個人影都沒有！聽說還鬧鬼呢！』明月搖搖頭說。

『皇阿瑪還沒回宮，是誰作主，把她送進那兒去的呢？』永琪皺皺眉頭，不解的問。

『我聽魏公公說，是皇后娘娘自己要搬去住的！』小鄧子說。

『我記得，皇額娘剪髮那天，皇阿瑪確實提過要她搬到「靜心苑」去！可是，她也不必那麼著急呀！等到我們回來再搬不好嗎？說不定大家求求情，就不用搬了！老佛爺不是也說，回來再想辦法嗎？』小燕子看著永琪。

『我想，皇額娘是鐵了心，再不留戀皇后的位子了！「哀莫大於心死」，就是這個意思。』永琪想到『宮裡的女人，都是悲劇』那句話，不禁惻然。

小燕子呆了呆，忽然往外就跑。

『我到那個「靜心苑」去看看！』

永琪一把拉住了她。

『剛剛回來，你好歹也喝杯茶，休息一下！現在急急跑去看皇額娘，傳到皇阿瑪那兒，又是一場不高興。我們惹的麻煩不少，暫時安分一下，好不好？』

『是呀是呀！格格先喝茶吃點心吧！』彩霞笑著拍拍手。

只見無數宮女，穿花蝴蝶般上茶上點心上水果。小燕子睜大眼睛，看到這麼多愛吃的小點心，就食指大動，垂涎欲滴了。一面抓點心吃，一面叫著：

『哇！我早就「腸子咕嚕咕嚕」了！』

永琪又是搖頭又是笑，更正著她：

『這有一個現成的成語，是「飢腸轆轆」，以後餓了就說「飢腸轆轆」。什麼「腸子咕嚕咕嚕」！「咕嚕咕嚕」是嚥口水的聲音！』

『那我口水「咕嚕咕嚕」，腸子也「咕嚕咕嚕」，可以吧？反正餓了嘛！何況，我又不是「雞腸」，我是「燕子腸」！怎麼可以說「雞腸轆轆」呢？』

永琪忍不住笑了，宮女和太監們也跟著笑了，一時間，滿屋子都是笑聲。溫馨的氣氛，籠罩在整個景陽宮裡。幾個宮女和太監笑著，開心的嚷著：

『格格回宮，咱們又有笑話可以聽了！』

爾康和紫薇，也回到了學士府。兩人在丫頭嬤嬤的簇擁下進了大廳，爾康喊著：

『阿瑪！額娘！我們平安回家啦！』

福晉和福倫開心的迎上前來，紫薇趕緊向二老請安：

『阿瑪額娘辛苦了！』紫薇請完安，一眼看到奶娘牽著東兒，站在旁邊，就忘形的大喊一聲：『東兒！』

她奔上前去，蹲下身子，一把抱過東兒，激動的看著，摸著，親著，喊著：

『東兒！我的寶貝，我的心肝……我想死你了！想死你了！』

東兒被紫薇親得癢癢，就咯咯的笑著。紫薇覺得這是人世間最動聽的笑聲了，她滿眼發光的，崇拜的看著東兒，充滿了驚嘆的喊：

『哇！他一看到我就笑！』她摸著東兒的手和臉龐：『額娘，他長大了！變得好漂亮啊！額娘……謝謝您，把他照顧得這麼好！』

爾康也湊過來看。

『好像胖了一點！長大好多！』他笑著看紫薇，忍不住說：『紫薇，妳也興奮得有點過分了吧？』

『沒辦法，就是好想他嘛！東兒……東兒……有沒有想額娘？有沒有！』

『東兒想額娘，一直一直想額娘！』

『哇！』紫薇再度驚喜的喊：『他想我！他還會說「一直一直」耶！』

『東兒，背三字經給額娘聽！』福晉對東兒說。

『什麼？他會背三字經了？不會吧！』紫薇不信的。

東兒小身子一挺，就抬頭挺胸，朗聲的唸：

『人之初，性本善，性相近，習相遠……』

紫薇大喜：

『哎呀……他真的會背耶！』她抬頭看著爾康，明知爾康也聽到了，還在那兒『獻寶』：『爾康，你聽到了嗎？他眞偉大，他眞能幹，他會背三字經了！』

爾康拉著紫薇，笑著說：

『不得了！她簡直在「崇拜」東兒！好了，先跟額娘阿瑪說說話，等會兒再去研究東兒，好不好？』

紫薇這才不好意思的站起身，看著福倫和福晉。

『總算回來了！』福晉拉著兩人的手，仔細的看他們：『怎麼看起來很累很憔悴的樣子，路上沒有發生什麼事情吧？不瞞你們說，我這個眼皮一直跳一直跳，老是覺得你們會出事！跳著跳著，你們阿瑪就回來了，說是皇后出了事！可是，皇后回來以後，我的眼皮還是跳！』

『哎！額娘就是額娘……您看，我們不是好好的嗎？』爾康打著哈哈。被乾隆關在牢籠裡遊街這一段，千萬不能讓福晉知道，否則，會被唸叨不完。

『真的很好嗎？有些傳言已經到北京了！你們又惹事了，是不是？』福倫追問。

『說來話長，慢慢再說吧！總之，現在沒事了！』爾康趕緊說，看著福倫，關心的問：『皇額娘怎樣？』

『你想呢？搬進那個「靜心苑」，半條命等於去了！』福晉嘆息著。

紫薇和爾康，都神色沉重起來。紫薇想想說：

『我明天進宮，和小燕子、晴兒一起去看看她！看看我們能不能幫什麼忙？』

『聽說那個「靜心苑」又陰又冷，好歹，送一些棉被衣裳過去！』福晉說。

紫薇點頭，爾康想到什麼，忽然說：

『阿瑪！額娘！有件事跟兩位商量，我想把簫劍接到家裡來住，我們家房子大，不多他一個！老佛爺說，選個日子，就要讓晴格格和他完婚，他在北京沒個家，我和他情同手足，不知道能不能讓他借我們的家完婚？』

『好呀！咱們跟五阿哥的關係，跟還珠格格的關係，讓簫劍住進來，也是義不容辭的！他總不能在會賓樓完婚呀！』福倫爽氣的回答。

『那我就把翠竹苑收拾收拾，給他們住吧！』福晉說。

『謝謝阿瑪額娘！』爾康誠心誠意的說。

紫薇看著爾康，覺得他這個安排眞是完美極了，眼底盛滿了感動。這時，在一旁的東兒不耐煩了，撲進了紫薇懷裡。

『娘……額娘……額娘……你們一直說話，都不跟東兒說話……』

紫薇的注意力，立刻完全被東兒吸引住了。一把抱起東兒，興奮得不得了：

『他要我！他要我跟他說話！爾康，你有沒有聽到？』看著東兒，狠狠的親了一下：『東兒，東兒！額娘跟你說話，跟你說幾天幾夜的話，好不好？以後再也不離開你這麼久！一定一定不會了！』

爾康又笑又愛又搖頭，對福倫夫婦說：

『沒辦法了，紫薇看到東兒，就什麼都顧不得了，我把她和東兒，都帶進房去！晚上再跟阿瑪額娘談！』

『快去吧！你們小夫妻和東兒，享受一下你們的三人時刻吧！』福晉笑著。

紫薇抱著東兒，匆匆請了一個安：

『對不起！我失禮了！沒辦法……』

福晉拚命笑，感動無比的說：

『我懂我懂！我也是做娘的人呀！』

紫薇就抱著東兒，和爾康奔進房去了。這天，爾康沒有什麼地位和份量，紫薇整個人都是東兒的。她眼裡心裡，都只有東兒！她陶醉在東兒的笑、東兒的撒嬌、東兒的軟語呢喃裡。爾康只能微笑的旁觀，連參與的機會都沒有。看著這樣一對母子，他體會著這種無法取代的親情，驚嘆著人間怎會有這樣的幸福！

第二天，紫薇、小燕子、晴兒三個格格，抱著棉被衣服，食籃，用具等，走進了『靜心苑』。抬眼一看，荒涼的庭院裡雜草叢生，荊棘攀著幾棵沒有修剪的大樹，任意攀爬，連『靜心苑』的牌子，都掩映在藤蘿裊蔓中。幾張石桌石椅，半埋在茂盛的草堆裡。兩個衛兵無精打采的坐在屋簷下守衛，靠著牆打瞌睡。小燕子東張西望，不敢相信的說：

『我還不知道，宮裡有這樣一個地方，我從來沒有來過。難道沒有人把雜草清除一下嗎？』

衛兵看到三人，趕緊行禮。

『三位格格吉祥！』

『我們過來探視皇額娘！你們要不要通報一聲？』紫薇說。

『皇上有令，這「靜心苑」不給任何人探視！』

小燕子一挑眉，大聲嚷：

『不可能！皇阿瑪昨天才回來，還沒時間管「靜心苑」的事，你不要「假傳聖令」啊？是皇上親自跟你說的嗎？「令」在那兒，拿給我們看看！』

衛兵一呆，晴兒趕緊接口：

『老佛爺派我來，要給皇后娘娘送點東西，難到老佛爺也要得到皇上許可，才能送東西過來嗎？』

衛兵不敢堅持了，趕快讓路：

『三位格格進去吧！通報也不必了！』

三人急忙進內去。只見大廳裡，佈置得像個佛堂，供著觀音菩薩和香燭，燭煙裊裊。佛案前，赫然看到皇后穿著袈裟，戴著佛珠，頭髮完全剃光了，用尼姑巾紮著。她正跪在佛案前，虔誠禮佛，口中喃喃誦經：『觀自在菩提，行深般若波羅密多時，照見五蘊皆空，度一切苦厄，色利子，色不異空，色即是空……』

紫薇、小燕子、晴兒三人，看到這種情形，都大驚失色了。小燕子忍不住驚呼：『皇額娘！妳怎麼把頭髮完全剃掉了？還穿成這樣？』

皇后繼續唸經，頭也不回。容嬤嬤趕緊走過來行禮，低聲說：

『三位格格吉祥！妳們平安回來了？阿彌陀佛……聲音小一點，讓娘娘唸完這段！』

三人面面相覷。紫薇睜大眼睛看著容嬤嬤，壓低聲音問：

『皇額娘剃度了？是那位師父幫她剃度的？』

『那有什麼師父呢？』容嬤嬤嘆氣說：『住進這兒，就只有我和娘娘兩個。娘娘要剃頭，沒人幫忙，是奴才幫娘娘剃光的！娘娘說，心誠就好，不在乎形式！袈裟也是我們用舊衣服改的，馬馬虎虎穿。』

紫薇和晴兒互視，三人看得又是震驚，又是淒涼。

『這樣好嗎？』晴兒擔心的說：『雖然這「靜心苑」很冷清，到底還是皇宮，不是尼姑庵，給皇上知道，可能又會生氣！』

『皇額娘也太急了，說不定還能轉圜呀！』紫薇扼腕。

『就是！就是！』小燕子急切的接口：『我們已經回來了，等皇阿瑪心情好的時候，我們說話，他還是會聽的，爲什麼這麼急，就把頭剃光了？容嬤嬤，妳怎麼不攔著呢？』

容嬤嬤一股逆來順受的樣子，說：

『三位格格，這是娘娘的命，是容嬤嬤的命，咱們都認命了！』

這時，皇后唸佛已畢，雙手合十，走了過來。見到三人，只淡淡的說了一句：

『妳們來了！』

三人看著皇后，只見她形銷骨立，穿著寬鬆的袈裟，好像一個晒衣架子。眼眶凹陷，雙頰如削，再加上脂粉不施，嘴唇和臉色都蒼白成一個顏色。三人看到皇后如此消瘦憔悴，幾乎不能相認，都十分震驚。晴兒遞上衣物食籃，安慰的說：

『皇后，老佛爺要我代她問候妳，她說，過兩天就會過來看妳！』

『我們送了一些穿的用的和吃的來！』紫薇檢點著東西：『這是棉被，這是幾件乾淨的新衣服，這兒還有許多點心，都是素的，可以放心吃！』

『謝謝妳們的好心！這些東西，我也用不著了！』皇后安靜的說。

小燕子頓時激動起來：

『怎麼用不著呢？妳就算剃光了頭髮，妳還是一個「人」，只要是「人」，妳就逃不掉「吃喝拉撒睡」，在妳成佛成仙以前，妳總是要過「人」的生活！拿去，好好的吃點東西，已經瘦成這樣，再不吃，怎麼辦呢？』

皇后聽了，就出神的看著虛空，幾乎是『遺憾』的說：

『是啊！這一身「人」的臭皮囊，不知幾時才能解脫？』

紫薇一個寒戰，忍不住放下東西，衝上前去，握住皇后的雙臂搖了搖。說：

『皇額娘！不要鑽牛角尖了！佛家是度苦度難度眾生，並不是要妳把生命都「度掉」！人生沒有解不開的結，妳振作一點，好不好？』

皇后凝視紫薇，忽然問：

『當初，那些針刺下去，妳很疼吧！』

『當初……』紫薇一楞：『我忘了！』

『好一個「忘了」！妳能忘，我不能忘……』皇后就拿起佛珠，低下頭去：『妳們走吧！我不苦，我在這兒很平靜，很安詳！妳們放心吧！容嬤嬤，送她們出去！』

『是！』容嬤嬤推了推晴兒：『走吧！謝謝妳們跑這一趟，東西留在這兒，以後也別來了！給皇上知道，會不高興的！到了今天，已經沒有必要為了娘娘，再讓皇上生氣了！』

三人還不捨得走，容嬤嬤就把三人推出門去。

『去吧！去吧！』

三人迫不得已，只得出門去。晴兒回頭喊：

『皇后娘娘！千萬想開一點啊！』

皇后用安安靜靜的聲音回答：

『沒有「皇后」，沒有「娘娘」，沒有「想開」，沒有「想不開」，沒有「你」，沒有「我」！沒有「得」，也沒有「失」。活了一輩子，現在最乾淨！』

三人被推出房間，容嬤嬤在門內跪下，含淚給三人磕頭。含淚說：

『娘娘什麼都「沒有」了，只有「懺悔」！奴才沒什麼學問，做不到什麼都沒有，心裡還有「娘娘」！妳們送東西來，奴才充滿感激，在宮裡，大概只有妳們，還會給我們送東西來。妳們送來的，不止是東西，還有溫暖和寬容。奴才看到妳們，想到當初，感動得不知如何是好，給三位格格磕頭謝恩了！奴才還有一事相求……』

『什麼事？妳儘管說！我一定幫妳去辦！』小燕子熱情奔放的說。

『有時間的時候，去看看十二阿哥！他缺什麼，才是比較重要的！』容嬤嬤輕聲的、哽咽的說。

晴兒、紫薇、和小燕子都拚命點頭。

容嬤嬤再磕了頭起身，就把房門關上了。

三個格格站在門外，都是一臉的愴惻。在這一瞬間，三人都領悟了很多的東西。身爲『皇后』，下場如此！過去的囂張，過去的繁華，過去的一呼百應，過去的錦衣玉食……到現在，眞的是什麼都沒有了！人生，到底應該追求的是什麼呢？

當小燕子在靜心苑爲皇后煩惱時，永琪正在景陽宮的書房裡，幫乾隆做一些事。他坐在書桌前，桌上堆滿奏摺，他一面細讀，一面忙碌的寫著什麼。明月、彩霞在一邊磨墨侍候。桌上燃著一爐薰香，香氣繚繞，永琪握筆疾書，他那麼專心，兩個丫頭大氣都不敢出，房裡靜悄悄。外面忽然傳來小鄧子的大聲通報：

『知畫姑娘到！』

永琪一驚，從工作上抬起頭來。

『知畫姑娘？就是老佛爺帶回來的那個小姐嗎？』明月驚奇的問。

『可不是！咱們趕快去招呼吧！』彩霞放下了墨。

明月、彩霞還來不及出去，知畫帶著兩個宮女，提著一籃水果，笑吟吟的進來了。她初次穿了宮裡的衣裳，梳著旗頭，打扮得像個格格，看來眞是美麗無比。走到書桌前，她對永琪屈屈膝，從容不迫的說：

『老佛爺要把這籃水果送到你這兒來，說是南邊快馬送來的果子，老佛爺說你最愛吃新鮮水果……

我呢，也要熟悉一下宮裡的環境，就自告奮勇給你送來了！』說著，就忍不住去看桌上的奏摺：『你在忙什麼？』

永琪趕快擱筆起身。說：

『是皇阿瑪的奏摺！一趟南巡，這些奏摺全體耽擱了！我就跟皇阿瑪說，我先過目，做一個篩選，也做一個摘錄，重要的他再批，不重要的，看了摘錄就知道說些什麼。這樣他就比較省力一點，也不會誤事了！』

知畫睜大眼睛，看著永琪，不禁佩服起來。坦率的說：

『哇！我在南邊，看到你和還珠格格，發生好多驚心動魄的事，一直認為你是個帶點江湖氣息的皇子，好像有點不務正業呢！現在，看到你整理奏摺，才知道皇阿瑪為什麼那麼重視你！原來，你是文武全才啊！』

『什麼文武全才？「蠢才」的「才」吧！』永琪接了一句。

知畫就笑了起來，一面笑，一面說：

『蠢才是你說的，可不是我說的啊！』四面看看：『還珠格格呢？』

『和紫薇她們去看皇后……妳要不要去外面坐？』永琪有點不安起來。

『我不坐，我馬上要走！』知畫轉身要走，忽然被牆上懸掛的一副對聯感到興趣：『這是你的字嗎？』

『哎！隨便寫寫！』永琪急忙回答。

『好字！原來你學顏字！』知畫讚歎著。

『妳一看就知道了？』永琪非常驚訝：『妳呢？妳學什麼字？』

『我不用心，什麼都學一點皮毛。』知畫笑著：『朱、黃、米、蔡、歐、柳、顏、趙，都學過一點。有一段時期，還迷王羲之。我爹說，只有柳字，我寫起來有兩分味道。』

什麼？好像她什麼字都會嘛！永琪聽得發楞，心裡可有些不服氣，一個十七、八歲的姑娘，那裡可能學會那麼多種字？吹牛也不能這樣吹呀！他實在按捺不住好奇，把筆筒往前一搬，說：

『正好，我這兒筆墨俱全，妳幫我寫一副對聯如何？』

『五阿哥要考我哇！不行！想要讓我出醜，我要逃了！』知畫笑容可掬。

『彩霞！鋪紙！明月！磨墨！』永琪不由分說的喊。

兩個丫頭趕緊鋪紙磨墨。知畫就笑嘻嘻，大大方方的走向前。

『逃不掉，就只好寫囉！』

知畫提筆，看了看永琪，就低下頭去，握著筆，一揮而就的寫了兩句話：

『得成比目何辭死，願作鴛鴦不羨仙』。

永琪見到這樣兩句話，不禁呆住了，驚看知畫。只見知畫轉動著一對美麗的大眼睛，笑吟吟的迎視著他。那眼裡，說是有情，又似無意。黑白分明的眸子，坦蕩蕩中，還帶著一股天眞無邪的純眞。

正在這時，小燕子滿臉悽惶衝進房。一面進門一面喊：

『永琪！我告訴你，皇額娘好慘……』她忽然站住，驀然住口，呆看著坐在書桌前寫字的知畫。當然也看到肅立在知畫身後的永琪。

永琪一看到小燕子衝進門來，頓時緊張起來，沒有做賊也心虛，有些手足失措。

『哎！小燕子，知畫給老佛爺送東西來！』他趕緊解釋。

知畫卻大方的笑著，放下筆起身，對小燕子屈屈膝：

『還珠格格吉祥！』她看看那張字，笑著說：『五阿哥要考我寫字，沒辦法，只好寫兩句！寫得不好，給阿哥格格笑話了！』

寫字！永琪考她寫字？好端端的，爲什麼考她寫字？明知道那個知畫唸了許多書，什麼『通見』『死記』全都會！難道還不會寫字嗎？小燕子臉色一變，走過去看著那張字。知畫的字跡龍飛鳳舞，小燕子好多字都不認識，看得糊裡糊塗。唸著：

『得成比目什麼死，願作……什麼東西？這麼多筆劃？』鴛鴦兩個字，對小燕子來說，實在太深了。

知畫微笑起來，心無城府的說：

『五阿哥要我寫對聯，臨時那兒寫得出對子呢？沒辦法，就把唐詩搬出來了！這是盧照鄰的詩，「得成比目何辭死，願作鴛鴦不羨仙」！我覺得，你們兩位，就是這樣！讓人好羨慕呢！好了！我還要到各位娘娘那兒去轉轉，我走了！』

知畫說著，就帶著兩個宮女，翩然而去。明月彩霞趕緊跟著送出去。

小燕子呆著發楞，連送也沒送。拿起那張字，左看右看，上看下看。永琪也顧不得知畫，心神不定的看著小燕子。小燕子看了半天，才抬眼看永琪。

『這兩句話是什麼意思？「鴛鴦」兩個字我不會唸，我懂。就是宮裡養的那種漂亮的鳥兒嘛！「比目」我會唸，不懂。是什麼？』

永琪硬著頭皮解釋：

『「比目」是一種魚，兩隻眼睛長在一塊兒，大家用它來形容恩愛。』

原來是很恩愛的魚啊！鴛鴦是恩愛的鳥，比目是恩愛的魚！這根本是兩句『情詩』嘛！跟當初紫薇要她背的『你儂我儂』差不了多少！那個知畫和永琪，關在書房裡寫情詩，欺負她不認得幾個字！小燕子這樣想著，心裡的醋意，立刻翻江倒海般洶湧著。她眼眶一紅，把字一丟，轉身就衝出書房。永琪一看她這種樣子，分明有誤會，大急，追了過去。

『妳去那裡？小燕子……妳不要誤會！』

小燕子衝進臥室，氣呼呼的開抽屜，東翻西找。永琪追了進來，不知道她在找什麼，著急的看著她：

『妳在幹什麼？』

小燕子不說話，乒乒乓乓，亂翻一氣。永琪嘆了口氣：

『妳的鞭子，掛在牆上呢！每次妳都隨便放，然後就找不到，我在牆角釘了一個掛鉤……』他走過去拿下鞭子，遞給她。『妳心裡有氣，最好用講出來的方法，練武打拳揮鞭子，都不是辦法。』

小燕子搶過鞭子，用力一摔，把鞭子摔在地上。她頭也不回，繼續翻找，永琪呆呆的看。只見她終於找到了，在抽屜裡拿出一本唐詩三百首來。嘴裡自言自語：

『有什麼難？白紙印著黑字，我也會唸！』

小燕子一屁股坐在床上，打開唐詩三百首，就開始唸詩：

『妾髮初……』一連兩個字，不會唸。『什麼什麼，折花門前……』什麼東西？那麼多筆劃，又不會唸了。

永琪看她鬧了半天，竟然是要唸詩，心裡湧上一陣憐惜和不忍。聽到她唸得亂七八糟，忍不住解釋：

『妾髮初覆額，折花門前劇，意思是說，當我還小，頭髮才蓋到額前的時候，採了一朵花在門口玩……』

小燕子咬嘴唇，吐出一口長氣，再費力的唸：

『郎騎竹馬來，繞床弄青梅，同居長千里，兩小無……什麼猜？』

『嫌猜！兩小無嫌猜！這個「嫌」字，就是我嫌妳不好，妳嫌我不好的那個「嫌」字，「無嫌猜」就是一點都不會嫌棄猜疑的意思！』永琪再解釋。

小燕子憋著氣唸下去：

『十四爲君婦，羞顏木當開……』

『是「羞顏未嘗開」，不是「木當」，「未嘗」就是還沒有的意思……』

小燕子瞪著唐詩三百首，頓時悲從中來，坐在床沿上，看著那些白紙黑字生氣：『我永遠學不會的！我連一首都唸不出來，我笨死了，笨死了……』

永琪撲上前去，拿開了那本唐詩，把她一擁入懷。這樣自怨自艾的小燕子，勉強唸詩的小燕子，牽扯著他的心，使他有說不出的負疚，說不出的心痛。他急急的說：

『不要這樣子，不會唸唐詩，一點關係都沒有！剛剛是我不好，明知道妳心裡有疙瘩，我就不該讓知畫寫字，我就應該提高警覺，保持距離……是我不好！妳生氣，我寧願妳揮鞭子打拳，不要這樣……那個「唐詩三百首」跟我們一點關係都沒有，別讓它們跑來破壞我們的生活！』

『不不！有關係，有好大的關係！』小燕子傷心的說：『我知道……有一天，你會不喜歡我，你喜歡拿起筆來，就能寫唐詩，什麼魚什麼鳥的唐詩……我要唸，我答應過皇阿瑪，有一天背唐詩三百首，像背菜單一樣……可是……可是……這個比菜單難了一千倍，一萬倍……可是……可是……人家知畫比我小了好多歲，她都會……我不會……』說著說著眼眶就濕了。

永琪緊摟著她，拍著她的肩。

『可是，妳會打架，會武功，會說笑話，知畫也不會！爲什麼要去跟知畫比嘛？』他的嘴唇貼著她的耳朵，他在她耳邊悄悄說：『我跟妳保證過好多次了，我不會變心的。』

『那……她爲什麼會跑到你的書桌上去寫字？』

『哎……是這樣……』永琪答得期期艾艾：『知畫送東西來，我正在寫字，談到練字，她好像什麼體都練過，我一時好奇，就讓她露一手看看……』

永琪話沒說完，小燕子推開他，奔去拾起鞭子，就往門外跑。

『妳到那裡去？要幹什麼？』永琪追在後面喊。

『我去找那個知畫，比寫字唸詩我都比不過，我跟她比鞭子，我先抽她幾鞭子再說！看她還敢不敢再跑到你的書桌上來，寫什麼鴛鴦什麼魚，來挑逗你！』

永琪大驚，飛奔向前，攔門而立。

『她那有「挑逗」我，妳誤會了！不能去不能去！妳去了會闖大禍，她是老佛爺的「新寵」，妳不要惹麻煩，一個搞不好，妳就會吃大虧……』

永琪說到一半，小燕子氣不打一處來，拿起鞭子，就一鞭抽向永琪。

『你是心痛我，怕我吃虧，還是心痛知畫，怕她挨打？』

不料永琪不閃不躲，這一鞭就打在永琪身上，劈啪一聲，好響。永琪趕緊用手摀著臉，彎下腰去。狼狽的喊：

『哎喲！妳好狠……打傷了我，要我怎麼去上朝？』

『你怎麼不躲？』小燕子呆住了。

永琪摀著臉呻吟：

『躲了，妳的氣沒地方出，會跑出去闖禍，讓妳打一鞭，妳大概可以消氣……但是，妳怎麼打這麼重？』

小燕子手裡的鞭子，掉在地上，她又急又悔，撲上前來，伸手去拉永琪的手，著急的喊：

『給我看！傷成怎樣？趕快去搽九毒化瘀膏，或者不會腫起來……』

永琪抓住了她的手，把她一拉，就拉進了懷裡。他露出一點傷痕都沒有的臉龐來，笑著說：

『騙妳的！怎麼會讓妳打到臉上呢？』

小燕子一聽，揚起拳頭，就想給他一拳。騙我？是啊，他工夫那麼好，怎麼會閃不過一鞭？明知道她會著急，才會騙倒她！簡直吃定了她嘛！她揚起拳頭，就接觸到永琪那對深情的眼光，他站在那兒，帶著一臉的歉意，居然又沒有躲，一股寧願挨打的樣子。她的拳頭停在半空中，打不下去。然後，她撲進了他的懷裡，用手勾住他的脖子。充滿感情的痛喊出聲：

『永琪，永琪！你教我唸詩，我學我學……不管多難，我都學，你不要去愛別人，我會哭死的！什麼鴛鴦，什麼魚，你都不可以要，你有「小燕子」啊！』

永琪心裡一酸，連鼻子裡都酸楚起來，一疊連聲的回答：

『是，是，是！我有小燕子，一隻小燕子，抵幾千幾萬隻鴛鴦，幾千幾萬條比目魚！我只要小燕子……什麼鴛鴦什麼魚，讓他們都閃一邊去！』

永琪說完，就凝視著小燕子，見她那明亮的大眼睛裡，盛著淚珠，就再也忍不住，低頭深深的吻住她。這一吻，婉轉纏綿，刻骨銘心，吻得二人心動神馳，別說什麼鴛鴦什麼魚，就連天地萬物，都化為灰，化為塵，化為煙……從他們身邊飛去。大地靜悄悄，只留下了他們兩個，擁有著彼此，聆聽著對方的呼吸和心跳。

23

幾天之後，永琪、小燕子、紫薇和爾康四個人，聯袂來到乾隆的書房。

『永琪，你的奏摺整理得很好，讓朕輕鬆了不少，積壓的奏摺，總算忙完了！爾康，你寫的那篇「緬甸以夷制夷論」，朕已經看過了，剖析得很好，朕也認爲，緬甸是個心腹之患，這個「以夷制夷」恐怕有問題！』乾隆站起身子，寵愛的看兩人：『你們兩個，確實是朕的好幫手！』再看看小燕子和紫薇：『不過，你們四個人一起來，不是要和朕談公事，是要和朕談私事的吧？』

小燕子笑著，對乾隆佩服的，誇張的喊：

『皇阿瑪！你眞是天下最聰明的人，一看就知道了！』

『別對朕灌迷湯了！妳這樣說話，就是「有所求」！什麼事？妳直說吧！』

永琪生怕小燕子說錯話，接口：

『還是我來說吧！有兩件事！第一件，是關於簫劍和晴兒……』

『告訴你們一個好消息，』乾隆打斷了永琪：『關於簫劍和晴兒，老佛爺已經選了日子，六月二十，是黃道吉日！朕知道你們大家都急，就定了這個日子，給他們兩個完婚！』

『皇阿瑪！六月二十嗎？那只有一個多月了！』紫薇大喜，看爾康：『我們要趕快把新房給他們布置起來！皇阿瑪！謝謝你，謝謝你！一定是你在老佛爺面前美言，才促成的！』

『聽說你們把簫劍搬到學士府去了！』乾隆笑著問爾康。

『是！簫劍是小燕子的哥哥，和我也情同手足，晴兒和紫薇，更是姐妹一般，這樣是最好的安排！會賓樓無論如何不能讓晴兒住，那兒客人多，實在太雜亂了！』

乾隆心情良好的看著四人，想起金瑣來了。

『金瑣和柳青怎樣？』

『金瑣生了兩個孩子，忙得不得了，柳紅嫁到天津去了，會賓樓弄得挺好的。但是，柳青已經是個「住家」的男人，整天忙生意，不再跑江湖了！』爾康回答。

『依朕看來，下一個「住家男人」，就輪到簫劍了！』乾隆沉吟著。

『我哥哥不會，我看，他不管到了那裡，不管成親不成親，都不會改變的！』小燕子斬釘斷鐵的預言。

『那可說不定！』乾隆笑了笑，忽然笑容一收：『好！你們的第二件事呢？』

四人面面相覷，紫薇就上前一步。委婉的說：

『皇阿瑪，是這樣的，我和小燕子研究了一下，自從我們兩個成親以後，明月、彩霞、小鄧子、小卓子都調到景陽宮去了，那個「漱芳齋」就空在那兒，挺可惜的。我們想，不知道皇阿瑪肯不肯把它撥給皇額娘住？』

『那個「靜心苑」眞的不能住人，那兒又陰又冷還鬧鬼！』小燕子接口。

乾隆一唬的回頭，看著四人，眼神頓時變得凌厲起來。沉聲說：

『讓朕跟你們四個人講講清楚！朕聽說皇后已經把頭髮全部剃光，成了尼姑了！她把「靜心苑」當成了尼姑庵，存心跟朕過不去！朕恨死了她，不要聽有關她的任何消息！你們心裡如果還有我這個皇阿瑪，從今天開始，也不要再提起那個皇后！朕早已決定，跟她老死不相往來！』

『皇阿瑪，她雖然有很多錯，但是，看在她也是一片忠心的份上，能不能搬到漱芳齋？您還是可以和她老死不相往來！』永琪誠懇的說。

乾隆抬頭，看著四人，眼神裡忽然充滿了感情。聲音也變得柔和了，在柔和中，卻有一股說不出來的蒼涼：

『在杭州，紫薇對我說過，你們是一群「性情中人」，會做許多「性情中事」，你們做得已經夠多了！朕和皇后之間，恩恩怨怨，不是你們能夠瞭解的。朕不願意爲了她，來破壞朕對你們的感情，希望你們，也不要再在朕面前，提到皇后！搬進漱芳齋，是不可能的，她要當尼姑，就在那個「靜心苑」當！你們，也不要太過份了！不該管的事，不要再管！讓朕和你們，保持良好的父子、父女之情吧！』

乾隆說得如此誠懇，四人全部呆住了。爲了不再破壞這種良好的氣氛，爲了不再讓簫劍和晴兒的事生出變化，四個人就不再說話了。

這晚，在景陽宮裡，眞是一團喜氣。簫劍來了，晴兒也被小燕子拉了過來。太后明知簫劍在，雖然心裡還是不以爲然，但是，婚期都定了，她也只好睜一眼，閉一眼，總之，鬥不過這些孩子！紫薇和爾康特別進宮，六個身經百戰的年輕人，又聚在一起了。再一次的苦盡甘來，再一次的絕處逢生，大家快樂得不得了。把晴兒和簫劍圍在中間，推著擠著喊著鬧著。小燕子興奮無比，環繞著兩人，又跑又跳又笑又叫：

『哇！有情人終成眷屬！六月二十，只剩一個多月！你們總算熬到了這一天！這就叫「精誠所至，金石為開」……哇！萬歲！萬歲！』

『小燕子，妳這「四個字四個字」的詞，練出來了耶！』紫薇驚喊。

『四個字四個字有什麼難，我還在背唐詩呢！』小燕子頓時得意起來，就開始背誦：『妾髮初覆額，折花門前劇，郎騎竹馬來，繞床弄青梅，同居長千里，兩小無嫌猜，十四為君婦，羞顏未嘗開，低頭向暗壁，千喚不一回，十五始展眉，願同塵與灰，常存抱柱信，豈上望夫台……』

小燕子還沒唸完，眾人一個個都驚喜莫名。爾康忍不住稱讚：

『小燕子！不錯喲！讓人刮目相看！』

『怎麼學會的？』簫劍佩服的不是這個妹妹，是永琪！他看著永琪說：『永琪，你眞有一套！我這個做哥哥的，要好好謝你！』

小燕子想到知畫的鴛鴦知畫的魚，嘴一噘：

『是啊！他用一種「怪方法」來教我！』

『什麼怪方法？看樣子很有效啊！』晴兒看永琪。

紫薇大感興趣，急忙追問永琪：

『你怎麼教會她的，我一定要學一學！我看，東兒就要學唸詩了，這教學的方法，好像也是一門學問……』

『紫薇！』爾康驚喊：『東兒才三歲多，妳就急著要教他唸詩，妳也太早了吧！妳這個「東兒迷戀症」，不知道有沒有藥可以治？』

爾康這樣一說，大家都有同感，全部笑得嘻嘻哈哈，笑完了，又追著永琪問方法。永琪被問急了，臉也紅了，想著知畫那段，是打死也不能說的，說出來一個簫劍，再帶一個紫薇，非把他罵死不可，自己有理也說不清！就打起哈哈來：

『哈哈！那有什麼「怪方法」，是她自己學的……不關我的事！』趕快改變話題，看簫劍和晴兒：『你們不要研究唸詩方法了，研究一下「婚後計劃」吧！簫劍，皇阿瑪說，想封一個「騎都尉」給你，算是個四品武官，不知道你的意思如何？』

簫劍臉色一沉，快樂立即消失無蹤。晴兒有點驚惶的看簫劍：

『如果你不想接受，就不要接受。成親以後，我還是可以跟你去大理。那時，走得心安理得一點，也不會有追兵來追我們了！』

小燕子臉色一沉，愕然的喊：

『你們折騰了一大場，害得我和紫薇，用掉了兩塊免死金牌，結果，你們還是要去大理呀？』她盯著簫劍：『那個什麼「都尉」有牙齒，會咬你嗎？』

爾康趕緊打岔：

『我們不要研究那個四品官了，五阿哥，酒菜還沒好嗎？這次南巡，我們六個又經歷了一次「劫後餘生」，好不容易，熬到簫劍和晴兒也要成親了！我真的很想喝幾杯酒！』

『是啊！想到這次南巡，我還餘悸猶存呢！我們眞該慶祝一下，而且，我餓了！』紫薇知道爾康的意思，就附和著喊。

一聽到『吃』，小燕子就忘了『騎都尉』了，開心起來，歡呼著：

『明月！彩霞！晚餐好了沒有？我也要好好的喝幾杯！』摸著肚子：『你們一喊餓，我才覺得我也「飢腸轆轆」了！』

眾人不約而同的驚喊：

『小燕子！不錯喲！』

小燕子被大家一誇，頓時輕飄飄起來，得意洋洋的抬頭說：

『從今天起，說話四字，明月彩霞，快擺酒席！紅燒鴛鴦，還有魚翅，外帶點心，顏字柳字！』

居然還押韻呢！大家大笑，晴兒好奇的邊笑邊問：

『這個「外帶點心，顏字柳字」是什麼意思呀？妳已經到達「煮字療饑」的地步嗎？』

一提『顏字柳字』，永琪就背脊發麻，趕快打岔：

『哎呀哎呀，小燕子的「四字詞」，謅到那兒是那兒，管她什麼意思？不要研究了！咱們去吃飯吧！』

小燕子的眼珠對永琪一轉，永琪討饒的一笑，小燕子也就笑了。紫薇看看二人，笑著也用『四字詞』接口：

『依我看來，中有玄機，古怪古怪，希奇希奇！』

簫劍看看小燕子，看看永琪，問：

『小燕子，妳和永琪有什麼祕密嗎？』

小燕子清清喉嚨，再用『四字詞』唸：

『聽我說來，大家評理，永琪氣人，燕子委屈……』

永琪一聽，簡直沒完沒了，生怕再說下去，小燕子就會洩底了。就一步上前，對小燕子深深一揖。也用『四字詞』接話：

『娘子娘子，這廂有禮，深深一揖，到此爲止！』

小燕子受了永琪一揖，笑得東倒西歪。大家看他們這樣恩愛，也分享著快樂，何況晴兒和簫劍，好事將近，個個情緒高昂，嘻嘻哈哈的笑著，氣氛好得不得了。正在這一片溫馨的時候，明月、彩霞笑嘻嘻奔進來，嚷著報告：

『五阿哥，格格……咱們的酒席白準備了，老佛爺那兒的桂嬤嬤來了，老佛爺說，知道你們大家都在這兒，要你們一起去慈寧宮吃飯，說是要商量一下簫大俠和晴格格婚禮的事！』

眾人臉色一喜，明月、小鄧子、小卓子早就對晴兒和簫劍請下安去。大聲嚷著：

『簫大俠大喜了，晴格格大喜了！恭喜恭喜！恭喜恭喜……』

晴兒臉一紅，眼裡洋溢著幸福，看了簫劍一眼。簫劍平時天不怕地不怕，這時，卻有些不知所措，訕訕的笑著。永琪不禁大笑：

『哈哈！這一下，是名正言順了！看樣子，我們幾個的婚姻大事，都要經過一波三折，轟轟烈烈才能成功！』

小燕子想起一個成語，就得意忘形的大聲接口：

『是！就是這樣，不成功，便成仁！』

『小燕子！』簫劍笑著嚷：『妳也說點好聽的嘛！』

『哎哎，妳不是學了半天「吉祥話」嗎？』永琪笑著敲了敲她的腦袋。

小燕子大眼一瞬，振振有詞的嚷：

『我那有說什麼不吉祥的話？現在已經成功，就不用成仁啦！』

『那麼，我們就趕快去，別讓老佛爺等我們！』爾康說。

『跟老佛爺吃飯，一餐飯又要吃好久，我還要趕回去陪東兒……』紫薇嘀咕著：『你們去，我就不去了！』

小燕子打斷紫薇：

『爲了我哥哥，妳就暫時把東兒忘掉一個時辰，好不好？快走快走……』

小燕子拉著紫薇，向門外衝去。眾人笑吟吟相隨。六個人，就歡天喜地的到了慈寧宮。他們誰也沒有料到，迎接他們的，不是『喜劇』，而是一場『浩劫』！

原來，高庸留在杭州，經過多日的打聽，已經有了最確實的消息，這晚趕回了北京，馬不停蹄的到慈寧宮見太后。

『奴才高庸給老佛爺請安！』

太后神色一凜，給了宮女們一個眼色。

『妳們通通下去！』

『喳！』宮女們全部退下。

太后四顧無人，這才說：

『高庸，起來說話！在杭州打聽的事，是不是有眉目了？』

高庸起身，神情一斂，上前，在太后耳邊低低的說：

『這事恐怕大有問題。奴才連天打聽，把杭州的老官員都找了……老佛爺，您說的那位「方淮」，是怎麼也打聽不出來！杭州姓方的人家不多，但是，杭州出過一個名人，就是方之航！老佛爺一定不知道這個人，他當過杭州的巡撫，因爲謀逆罪，被砍了頭！』

『這個……和簫劍有什麼關係？你別拉拉扯扯，講重點吧！』

『重點是……』高庸神祕的說：『這個方之航，二十幾年前就死了，全家也散了，他們家本來有花園樓房，後來，一把火燒掉了。現在，原地蓋了一座觀音廟。廟裡的師父告訴奴才，在皇上南巡的時候，五阿哥、還珠格格、額駙、紫薇格格、簫大俠和晴格格六個人，曾經一起去那兒祭祀亡魂！』

太后大震，一唬的站起身子。

『你說那個人叫什麼名字？方之航？謀逆罪？砍頭？那麼，是皇上下令，砍了方之航的頭？』

高庸拚命點頭。

『這麼說，小燕子和簫劍，可能是方之航的兒女？』

高庸再點頭。

太后睜大眼睛，震動得無以復加。

『這太離奇了！太意外了！你沒有任何實際的證據，是不是？這只是揣測！』

『是！只是揣測！』高庸語氣鄭重：『奴才想，他們六個人一起去方家舊址祭拜，實在有些不尋常！』

太后沉思，越想就越害怕，越想就越心驚膽戰，口氣頓時嚴重起來：

『高庸！你給我咬緊牙關，死守祕密，這事千萬不能傳到萬歲爺耳朵裡去，更不能打草驚蛇。如果你洩露了，腦袋就別想要了！這事……咱們必須徹底調查！』

『喳！奴才知道了！』

高庸請安下去。

太后太震驚了，在室內兜著圈子，低頭走來走去。嘴裡唸唸有詞：

『這要怎麼辦才好？如果簫劍和小燕子的殺父仇人是皇帝，那麼他們兄妹一路混進宮，都是有計劃的了？是來報仇嗎？』不禁打了一個冷戰：『不知情的永琪是中了美人計，那個紫薇和爾康又是怎麼回事？夏雨荷的故事不是揑造的，這之中，什麼是眞？什麼是假？以前還可以和晴兒商量，現在我要和誰商量？連晴兒都被簫劍誘惑了……要不要趕緊告訴皇帝？他會不會大受打擊？會不會根本不相信？永琪又是唯一的太子人選，受了這個牽連，還能當太子嗎？……投鼠忌器，投鼠忌器呀……』

太后正在心煩意亂，埋頭沉思，冷不妨撞在一個人身上，太后一抬頭，看到知畫站在那兒，正靜靜的看著她。太后大驚失色：

『知畫！妳站在這兒多久了？』

知畫深深的看著太后，沉重而坦白的說：

『老佛爺，高公公的話我都聽到了！』

『什麼？』太后驚喊。

知畫一把握住太后的手腕，鎭定的說：

『老佛爺別慌，我一個字都不會說，我知道這有多嚴重。我想，這事牽連太大，皇上的感覺不能不顧，五阿哥的身分也不能不顧，要顧慮福倫家的感情，還要救晴格格……最重要的，是事情的眞相要弄清楚，不能冤枉了他們……』她凝視著太后，低聲說：『老佛爺，恐怕我們必須仔細的討論分析一下。如果要採取行動，就要快！』

太后在驚懼中，不禁凝視著知畫，眼中燃起希望的光彩。

小燕子等六個人，陶醉在幸福的感覺裡，毫無戒心，歡天喜地的到了慈寧宮。

太后早已擺了酒席，大家就圍著圓桌而坐，知畫作陪，個個笑嘻嘻。桂嬤嬤帶著眾嬤嬤和貼心宮女，在一旁忙著斟酒上菜。大家都吃得酒酣耳熱，一片祖孫和樂圖。

太后一個眼光，桂嬤嬤把每人的酒杯都斟滿了。太后笑吟吟的，對大家舉杯說：

『總算，我和你們大家，都站在同一個立場上了！為了晴兒和簫劍，為了你們大家的義氣和熱情，我要跟你們乾一杯！』

大家全部舉杯，小燕子尤其興奮，已經喝得有些醉了。笑著，嚷著：

『乾杯！乾杯！敬我們大家的奶奶！』

每個人都興高采烈的乾了杯子，跟著嚷：

『敬奶奶！敬奶奶！乾杯！』

簫劍到了此時此刻，不能不把那深刻在心靈深處的仇恨，都一齊拋下。他誠摯已極的舉杯對太后說：

『老佛爺！簫劍敬您，謝謝您的瞭解，謝謝您的成全！』

晴兒也跟著舉杯，滿懷感激的凝視太后，熱情奔放的喊：

『老佛爺！您對我的好，我一生一世都不會忘……』

太后眼眶一熱，心裡多少有些不安，就打岔說：

『不說了，不說了！喝酒喝酒！』

大家又乾了杯子。彼此笑著，其樂融融。知畫站起身子，接過桂嬤嬤的酒壺，為大家斟酒。含笑看著大家：

『什麼叫做「人間佳話」，我總算見識了！我來為大家服務，表達我的敬意！』

晴兒慌忙跳起身子，要去搶酒壺。

『我來我來！慈寧宮的事，本該我來做！知畫，妳坐！』

知畫對晴兒展開一個含有深意的笑，說：

『晴格格別跟我客氣了，眼看妳馬上就是夫人了。出了宮門，還能忙慈寧宮的事嗎？讓我學著做吧！』

晴兒被知畫說得臉紅，羞澀而愧疚的低下頭去。

小燕子已有酒意，眉毛一抬，對知畫話中有話的說：

『哈哈！知畫小姐，妳眞忙！唐詩對子，寫字題詞，鴛鴦比目，顏字柳字……妳都學得頂兒尖兒，這會兒還要學斟酒上菜！全天下的活，都讓妳一個人包了嘛！』

知畫似乎沒聽出小燕子的『酸』，坦蕩蕩的笑著，雙手舉杯：

『還珠格格在取笑我了！來，我敬大家！』

永琪生怕小燕子再說不合適的話，破壞了這美好的氣氛，急忙舉杯喊：

『乾杯！乾杯！不管誰敬誰，爲了簫劍和晴兒的喜事，大家乾杯！』

眞是『人逢喜事精神爽』，大家就酒到杯乾，喝得不亦樂乎。誰也沒有注意到，服侍的嬤嬤和宮女們，已經在太后的眼光下，悄然退去。

這時，知畫放下酒杯，看了太后一眼。

太后的笑容忽然隱去，酒杯在桌上重重一放，抬頭盯著簫劍。正色的說：

『簫劍，你娶了晴兒，就等於是我的家人了！家人和家人之間，是沒有距離，沒有仇恨，沒有祕密的！你認爲你是不是一個這樣的人呢？』

簫劍大大一震，驚看太后：

『老佛爺，您的意思是……』

太后一字一字的，清清楚楚，義正詞嚴的說了：

『我的意思是，你和小燕子，帶著一身的祕密，混進皇宮，勾引阿哥和格格，到底所爲何來？』

太后此話一出，眾人全部變色，小燕子跳起身子喊：

『老佛爺！這是什麼話？』

太后不理小燕子，繼續盯著簫劍，有力的說：

『簫劍！是男子漢大丈夫，就用眞實的面目來面對我！遮遮掩掩，算什麼好漢？什麼叫大丈夫，你知道嗎？大丈夫坐不改名，立不改姓！』她提高了聲音，厲聲再問：『我問你，方之航是你的什麼人？我要你親口說出來！快說！』

簫劍睜大了眼睛，震動無比。小燕子一臉糊塗，永琪莫名其妙，晴兒的臉色，驀然蒼白如死，緊張的盯著簫劍，爾康和紫薇交換了一個注視，雙雙變色了。

爾康生怕簫劍說出祕密，一唬的站起身子，激昂的說：

『老佛爺，您聽到了什麼傳言？又有人在您面前說東說西，搬弄是非了？這個皇宮，難道永遠改不掉鬥爭的惡習？簫劍待晴兒的心，您一路看來，還看不清楚嗎？他是簫劍也好，他是方嚴也好，最重要的，他是個堂堂正正的人……』

太后仔細聽著，怒看爾康，厲聲打斷：

『你住口！我明白了，原來你什麼都知道！』她指著六人，氣極的喊：『你們六個，狼狽爲奸！你們全部知道這個祕密，把皇上和我，蒙在鼓裡，你們的目的，到底是什麼？要爲他們兄妹兩個報仇嗎？』她用不可思議的眼光，看著永琪：『永琪，你也在內？你是皇上的親生兒子呀！』

永琪困惑極了，驚訝的喊：

『祕密？什麼祕密？老佛爺，您說的話，我一個字也不懂！』他轉頭看簫劍，問：『簫劍，老佛爺在說什麼，你懂還是不懂？你和小燕子，眞有祕密嗎？』

簫劍沉重的呼吸，雙手暗中握拳，抬眼迎視著太后的眼光。太后也正視簫劍，語氣鏗然：

『簫劍！你是英雄，你是江湖俠客，難道還不敢認祖歸宗嗎？方之航這個名字，讓你蒙羞了嗎？』

太后這樣一激，簫劍那兒還忍受得了，埋藏已久的祕密，再也藏不住了，他的身子一挺，豁出去了，大聲說：

『好！好！顯然老佛爺把我的身家背景，都調查清楚了！原來這是一場鴻門宴呀！哈哈！眞是聚無好聚，宴無好宴！宮中的生活，我也明白了！』他掉頭看小燕子，有力的說：『小燕子！妳聽著……』

『簫劍！』爾康和紫薇同時大叫，還想阻止。

小燕子早已熬不住，急切的喊：

『哥！這到底是怎麼一回事？你告訴我！告訴我……』

簫劍盯著小燕子，知道今晚，他和小燕子都別想好好脫身，這個祕密，已經不再是『祕密』了，就沉痛的說了：

『我告訴妳，方之航是我們的爹，他因爲一首剃頭詩，被妳的皇阿瑪下令立地斬首，二十四年前，死在杭州廟市口！所以，妳的皇阿瑪，就是我們的殺父仇人！』

簫劍話一出口，眾人個個神色大震，太后臉色一慘，眞相果然如此！

小燕子大驚之下，手裡的酒杯『砰』然落地。她臉色雪白，瞪大眼睛，完全無法置信。顫聲問：

『什麼方之航？你不是說，我們的爹名叫方淮……』

『那是騙妳的！因爲妳愛上了全天下最不該愛的人，愛新覺羅永琪，妳非嫁他不可，我除了騙妳，還能怎樣？』簫劍沉痛的說。

小燕子如遭雷擊，怔在那兒，目瞪口呆。永琪直到此時，才知道簫劍和小燕子的身世，竟然如此驚人，他無法招架，也無法思考了，瞪著簫劍，也目瞪口呆。

變生倉卒，眾人全部失色了。連機智的爾康，和聰明的紫薇，也都方寸大亂，不知所措。晴兒看著簫劍，知道都是為了自己，才弄到今天這個地步，如今大難臨頭，不禁心碎腸斷。六個年輕人，一時之間全部傻了。

簫劍招了，真相大白，太后和知畫也陷進震撼裡。半晌，室內靜悄悄，居然沒有人說話。最後，開口的是永琪，他是皇子，他知道這個『真相』的意義，他目不轉睛的盯著簫劍，臉色是鐵青的，眼神裡充滿了抗拒，他啞聲的，掙扎的說：

『簫劍，你撒謊！』

『是！我自從遇到你們，就一直在撒謊！』簫劍蒼涼的回答：『今天，才說了真話！現在，你應該明白，我為什麼不願接受功名，為什麼要帶晴兒一走了之了！』

永琪震動已極，逐漸明白，簫劍說的是實話了。他看看簫劍，又看看小燕子。

小燕子像是中邪一般，站在那兒，眼睛睜得大大的，動也不動。

太后終於振作了自己，她看了知畫一眼，再看眾人，沉痛而悲憤的說：

『這樣，我們之間沒有祕密了！簫劍和小燕子的身分，終於真相大白，你們彼此之間，是真不知道，還是裝不知道，我也會調查出來！現在……』她回頭大聲喊：『來人呀！』

侍衛在外轟然響應：

『喳！奴才在！』

只見高庸帶著親信的侍衛，全副武裝，一擁而入。

簫劍四看，一聲長笑：

『哈哈哈哈，這個皇宮，我進得來，就出得去！』抬頭大喊：『小燕子，跟我走！這兒再也沒有妳容身之地！』

簫劍一邊說著，一邊把餐桌一掀，整桌酒席，乒乒乓乓，砸了一地，知畫拉著太后趕緊躲開。高庸和侍衛忙著保護太后，場面一團亂，簫劍就趁機拉著小燕子，一個空翻，就越過侍衛，翻到了門口。豈料，門口有更多的侍衛攔門而立。

高庸喊著：

『攔住他！不要讓他跑了！』

簫劍只得放開小燕子，拳打腳踢，和侍衛動起手來。

小燕子平日身手靈活，今日，卻像個雕像般，杵在那兒，被侍衛和簫劍的掌風，撞得東倒西歪，搖搖晃晃。她也不動手，也不閃躲，眼光跟著簫劍轉，神思迷失在『殺父之仇』的事實裡。幾個侍衛，見簫劍抵死反抗，就長劍出手，紛紛刺向小燕子。小燕子站在那兒，一股逆來順受的樣子，眼看就要被長劍刺中。永琪大駭，飛竄過來，搶過侍衛的長劍，對著眾侍衛一劍掃去。大喊：

『不許動手！放下武器，誰敢傷到還珠格格，我要他的命！』

爾康一看如此，理智也飛了，一跺腳，飛竄過去，大喊：

『在劫難逃！要死，大家一起死！』對侍衛們大吼：『你們都是我的手下，看清楚，你們對付的是誰？連五阿哥都敢動手，你們不要腦袋了嗎？』

奈何，這些武士都是太后和高庸的心腹，沒有人理會爾康的警告。大家手持武器，拚命攔住門，和簫劍永琪交手。爾康迫不得已，也加入了戰爭，保護著魂不守舍的小燕子，大家立刻打得唏哩嘩啦。

在一片混亂中，只有紫薇還保持著幾分冷靜，這時，急忙伸手大喊：

『爾康！永琪，簫劍……不要打，你們打不贏的！既然老佛爺都知道了，我們就把前因後果，都對老佛爺招了，把我們的苦衷，我們的無可奈何，我們保密的原因，都告訴老佛爺……老佛爺是菩薩心腸，她會瞭解的，不要打……』

無奈，一片兵器聲中，沒有人注意紫薇在說什麼。

簫劍打著打著，突然覺得使不上力，長劍握不牢，砰然落地。他一臉的錯愕，身子搖搖欲墜，只覺得天旋地轉，終於不支倒地。

永琪正在驚訝，簫劍怎麼倒了？忽然一個眼花，手裡的長劍竟被侍衛挑去，飛落在地。他的身子晃了晃，驚愕的自問：

『怎麼手沒力氣？怎麼腿麻麻的？怎麼……』

話沒說完，他的雙腿一軟，眼前一黑，就跟著倒下地。

爾康還在奮戰，但是，已經戰得東倒西歪。他拚命睜大眼睛，視線卻越來越模糊。眼看簫劍和永琪倒地，他驟然明白了，掙扎的喊：

『酒……裡……有……毒……』

爾康喊完就倒地了，幾個侍衛向前一撲，把爾康壓在地上。

晴兒、紫薇面面相覷，紫薇又驚又悲，回頭看太后，眼神裡，燃燒著痛楚、不敢相信、受傷的火焰，問：

『老佛爺……您下了藥？您把我們叫到這兒來，我們充滿了感恩，充滿了歡喜，誠心誠意的跟您乾杯，跟您道謝，我們對您愛到心坎裡，一點防備都沒有。您居然給我們下了藥，把我們一網打盡……奶奶，奶奶……您怎能這樣做？不管簫劍和小燕子出身如何，我們沒有害人之心呀……奶奶……您……好……狠……』

紫薇話沒說完，眼前一片模糊，也暈倒在地。

晴兒到了這個時候，完全崩潰了，大喊出聲：

『都是因爲我……我該死！』她撲到太后面前，一跪落地，痛喊：『老佛爺……您殺了我吧！我一死也不能回報簫劍，一死也不能回報大家，我害了大家，我不想活了……』說著，她轉身爬向簫劍：『簫劍，簫劍……我來了！』

她拾起簫劍落在地上的長劍，就往自己的脖子上抹去。太后驚喊：

『晴兒！』

『晴格格！』知畫大喊：『快救晴格格！』

一個侍衛衝上前來，去搶晴兒的劍。

晴兒的劍才碰到脖子，手已經握不牢了，手一鬆，人和劍一起倒地。

轉眼間，眾人倒了一地。太后睜大眼睛，嚇得和知畫抱在一起。

只有小燕子，藥性還沒有完全發作，她迷迷糊糊的站著，茫然不解的看著倒在地上的每個人。然後，她搖搖晃晃的走向簫劍，蹲下身子，伸手去推他。輕聲的、怯怯的、祈求的、溫柔的說：

『哥！你起來，你躺在地上幹什麼？你跟我說清楚，我是誰？我們的爹是誰？我沒有嫁給殺父仇人的兒子，是不是？皇阿瑪沒有殺我們的爹……沒有……沒有……』她見簫劍不動，又去推永琪：『永琪，不要睡，你也起來，你們這樣聯合起來騙我，這樣開玩笑，我會生氣的，生很大很大的氣……』她越說越慘，看著永琪，哀聲的承諾：『永琪，我背成語，我唸唐詩，我寫字畫畫，什麼都可以……只要你起來，告訴我，這是一場戲……你們在騙我，在跟我開玩笑，你起來，只要你告訴我，這都是假的，我也不敢生氣了，我不生氣，只要你們說清楚……』

小燕子呢呢喃喃中，再也看不清楚永琪的臉，也不知道自己在說什麼，眼前的一切，簫劍、永琪、晴兒、爾康、紫薇、太后、知畫……大家的臉孔從四面八方聚攏，匯合在一起，重疊在一起，像個呼嘯直立的大浪，對她排山倒海般撲了過來。她被淹沒了，她被打倒了……她晃了晃，『砰』的一聲，倒在永琪和簫劍之間。

頓時間，滿屋靜悄悄。一屋子的侍衛和高庸，都呆呆的站著。

太后偎著知畫在發抖，儘管她這一生見過無數陣仗，這場『鴻門宴』，如此驚心動魄，還是她從來沒有經歷過的。知畫更是嚇得面無人色，兩人緊擁著，怔怔的看著倒了一地的六個人。

（未完待續）

國家圖書館出版品預行編目資料

還珠格格天上人間第三部三之一／瓊瑤著．
．．初版．．臺北市：皇冠，2003【民92】
面　；公分．．（皇冠叢書；第3283種）
〔瓊瑤作品；62〕
ISBN 957-33-1966-7（平裝）
857.7　　　　　　　　　　92008302

皇冠叢書第3283種
瓊瑤作品 62

還珠格格第三部
天上人間三之一

作　　者—瓊瑤
發 行 人—平鑫濤
出版發行—皇冠文化出版有限公司
台北市敦化北路120巷50號
電話◎2716-8888
郵撥帳號◎1526151～6號
香港星馬—皇冠出版社（香港）有限公司
總 代 理　香港灣仔告士打道80號16樓
電話◎2529-1778　　傳真◎2527-0904
出版統籌—盧春旭
編務統籌—金文蕙
美術設計—李顯寧・陳韋宏
行銷企劃—陳凝香
印　　務—張芸嘉・林佳燕
校　　對—鮑秀珍・金文蕙・邱薇靜
著作完成日期—2003年4月
初版一刷日期—2003年7月

法律顧問—王惠光律師

讀者服務傳真專線◎02-27150507
皇冠文化集團網址◎http：//www.crown.com.tw
電腦編號◎000062
國際書碼◎ISBN957-33-1966-7
Printed in Taiwan
本書定價◎新台幣280元／港幣93元

50皇冠

50週年 嚴選50

皇冠文化集團 5 0 週年回饋大抽獎專用回函卡

皇冠邁向50週年，從2003年3月起至2004年2月的一年間，特別嚴選出版50本好書，您只要任選購買二本嚴選好書，剪下書封後摺口上的抽獎專用印花(影印無效)，貼在本專用回函卡上寄回本公司(免貼郵票)，即可參加回饋大抽獎，有機會獨得新台幣50萬元現金及其他數百項獎品！

回函有效期至2004年2月29日截止（郵戳為憑），並將於2004年3月舉行公開抽獎。詳細辦法請密切注意皇冠雜誌和皇冠文化集團網站：www.crown.com.tw。

印花黏貼處	印花黏貼處

讀者資料

姓名：＿＿＿＿＿＿＿＿ 身分證字號：＿＿＿＿＿＿＿＿

性別： □男 □女 生日：＿＿＿年＿＿＿月＿＿＿日

學歷：□國小或以下 □國中 □高中職 □大專 □研究所

通訊地址：□□□＿＿＿＿＿＿＿＿＿＿＿＿＿＿＿＿

＿＿＿＿＿＿＿＿＿＿＿＿＿＿＿＿＿＿＿＿

聯絡電話：（公）＿＿＿＿＿＿＿＿ 分機＿＿＿＿ （宅）＿＿＿＿＿＿＿＿

e-mail：＿＿＿＿＿＿＿＿＿＿＿＿＿＿＿＿＿＿

◎請沿虛線剪開、對摺、裝訂後寄出。

《還珠格格第三部天上人間三之一》

1. 您從何處得知本書？(可複選)

□書店 □宣傳活動 □報章雜誌 □郵購DM □網站

□書評或書介 □親友介紹 □其他：

2. 您購買本書的動機？(可複選，請以1. 2. 3……排優先序)

□封面 □書名 □內容題材 □作者 □廣告

□系列規劃 □促銷活動 □其他：

3. 您通常透過哪些管道購書？(可複選)

□書店 □便利商店 □量販店 □網路 □信用卡銀行郵購

□郵購型錄 □劃撥郵購 □團體訂購 □其他：

4. 您對本書的意見：

◎請沿虛線剪開、對摺、裝訂後寄出。

北區郵政管理局登
記證北台字1648號
免 貼 郵 票

〔限國內讀者使用〕

105

台北市敦化北路120巷50號

皇冠文化出版有限公司 收